LA VILLE
ÉCARLATE

Du même auteur

AUX MÊMES ÉDITIONS

En la forêt de Longue Attente.
Le roman de Charles d'Orléans
1991 ; et coll. « Points Roman », n° R 592

Une liaison dangereuse
roman, 1995 ; et coll. « Points » n° P 265

Les Seigneurs du thé
roman, 1996

AUX ÉDITIONS ACTES SUD

Un goût d'amandes amères
1988

Le Lac noir
1991

Le Maître de la descente
1994

En transit
1996

Les Routes de l'imaginaire
1996

HELLA S. HAASSE

LA VILLE ÉCARLATE

roman

TRADUIT DU NÉERLANDAIS
PAR ANNE-MARIE DE BOTH-DIEZ

OUVRAGE TRADUIT AVEC LE CONCOURS
DU CENTRE NATIONAL DU LIVRE

ÉDITIONS DU SEUIL
27, rue Jacob, Paris VIᵉ

Ce livre est édité par Anne Freyer-Mauthner

Traduction basée sur le texte
entièrement revu et corrigé par l'auteur

Titre original : *De scharlaken stad*
Éditeur original : Em. Querido's Uitgeverij, Amsterdam
ISBN original : 90-214-6517-5
© original : 1952, Hella S. Haasse

ISBN 2-02-022881-5

© Éditions du Seuil, mai 1997, pour la traduction française

Io dico, ch'a chi vive quel che muore
Quetar non puo disir, ne par s'aspetti
L'eterno al tempo, ove altri cangia il pelo.

Michel-Ange Buonarroti

Giovanni Borgia

Borgia ! Je suis un Borgia, deux fois, trois fois peut-être. Pour les autres, mes origines sont une énigme ; pour moi, un mystère, plus que cela, un tourment. Depuis un quart de siècle, aucun nom en Italie n'est plus honni que celui de Borgia ; si je ne le savais déjà, j'en aurais la preuve chaque jour que Dieu fait. Celui qui veut lancer un juron bien senti dit : « Borgia ! » Qui veut résumer en un mot le malheur de notre époque, l'avilissement de Rome, la déchéance de l'Italie, crache son amertume en s'écriant : « Borgia ! » Trahison, corruption, fornication, magie noire, crime, homicide, inceste : Borgia ! Querelle et discorde, déchirements sans fin dans les villes et les principautés, incursions d'étrangers âpres à la curée au nord et au sud du pays, haine, cupidité, défaites, famine, désastres, la peste et la ruine proche : Borgia ! Pour bien me pénétrer de tout ce que contient ce mot, il me fallait retourner en Italie.

Dieu sait combien, en France – du moins dans les dernières années de mon séjour là-bas –, j'étais fier de mon nom. Si, à la cour, ma personne et mes origines ont fait l'objet de basses calomnies, je n'en ai rien su. Le roi était bien disposé à mon égard ; j'étais en effet considéré comme un protégé de la maison d'Este, de Ferrare, et à cette époque la France n'avait pas de meilleur ami et allié en Italie qu'Alphonse d'Este, l'époux de Lucrèce.

Non moins importante pour moi était la faveur d'une autre parente, Luisa ou Louise, comme on l'appelait là-bas, la fille de César, née de son mariage avec une Française. Comme je persistais alors à croire que César était aussi *mon* père, j'attachais une grande importance à l'influence de cette femme en qui je voyais ma demi-sœur. Louise avait quatre ou cinq ans de moins que moi ; ce qui nous liait, c'étaient les mêmes sentiments mêlés que nous éprouvions à l'égard de nos origines. D'un côté, l'orgueil, cet orgueil espagnol inné, parce que nous appartenions à une race qui avait osé, avec succès, se mesurer à des rois et des empereurs, mais, de l'autre, un doute secret qui nous rongeait, un sentiment de honte que ni elle ni moi ne pouvions formuler et que nous tentions tous deux de cacher sous des dehors de fierté et d'assurance.

J'y parvenais mieux que Louise, car le sort l'avait aussi marquée physiquement : souffreteuse, malingre, le visage couturé de cicatrices, preuve vivante du bien-fondé des bruits qui couraient alors sur César, avant son mariage avec Charlotte d'Albret. Chacun sait aujourd'hui qu'il souffrait de la maladie que l'on appelle ici, en Italie, *il mal francese*, le « mal français », un prix trop élevé selon moi pour les plaisirs de la chair. Il a empoisonné le sang de Louise, et aussi, dit-on, celui de la plupart de ses bâtards. Je peux m'estimer heureux que des tares physiques m'aient été épargnées. Ma souffrance à moi est invisible, c'est dans mon âme qu'est le poison.

Aussi pouvais-je, en France – en dépit de certains événements antérieurs –, garder encore ma dignité. Lorsque je vins à la cour de François Ier, plus de dix années s'étaient déjà écoulées depuis la mort de César. On y parlait rarement de la dernière période de sa vie en Navarre, et jamais de sa fin sans gloire, du moins pas en ma présence. Lorsque son nom était prononcé, c'était en général dans le cadre de la politique italienne du moment ; comparé à ceux de mes compatriotes qui appuyaient la cause française, César apparaissait sous un jour favorable en dépit de sa duplicité en paroles et en actes, car lui du moins s'était montré *hardi homme* *. En de telles occasions, je remarquais toujours à quel point son nom, sa

* En français dans le texte *(NdT)*.

10

personnalité frappaient les imaginations. A cette époque déjà, César était plus qu'un simple souvenir, il était une légende ; le bien et le mal en lui avaient pris des proportions qui semblaient se soustraire à tout jugement humain. Dans les écrits et en paroles, on le désignait par ses titres français, l'on n'oubliait pas non plus que les lys des Valois ornaient son blason et que sa fille, Louise, était mariée à l'un des plus éminents personnages du royaume.

Tous ces faits édulcoraient les éventuelles connotations négatives du nom de Borgia. A cela s'ajoute que j'avais été présenté à la cour de France par Alphonse d'Este en personne et que, en outre, je ne m'appelais pas officiellement Borgia, mais duc de Nepi et Camerino. Un titre ronflant mais creux, une forme sans contenu, des noms, rien de plus, car j'avais été dépossédé des biens et des droits qui s'y rattachaient lorsque Jules II, l'ennemi juré des Borgia, avait été élu pape ; il rendit les territoires aux anciens propriétaires, les Varano et les Colonna. Mes beaux titres, dignes d'un prince du sang, je les devais au pape Alexandre, le géniteur de César et de Lucrèce. En ma qualité de bâtard du fils illégitime d'un ancien vicaire du Christ sur terre, je pouvais en un sens me croire membre d'une dynastie.

Pendant les premières années de mon séjour en France, je vécus conformément au style de la cour : j'avais ma place permanente parmi d'autres jeunes nobles dans la suite du roi, j'exerçais une fonction honorifique et recevais une rente annuelle, mais la fonction aussi bien que la pension n'avaient qu'une valeur purement symbolique. La plupart de ceux qui partageaient mon sort servaient le roi pour la gloire ; leurs familles avaient des biens tangibles, de l'argent, des châteaux, des domaines, et les noms qu'ils portaient étaient de longue date illustres en France, leurs blasons étaient sans tache. J'étais pauvre, étranger, sans fortune, sans revenus, si l'on excepte la poignée de ducats qui m'était allouée au nom du roi et les cadeaux que Lucrèce m'envoyait. Après sa mort en 1519, je ne reçus plus rien de Ferrare. Mis à part un cheval et un valet de chambre, je ne possédais rien qu'un coffre rempli de vêtements, des livres et quelques objets de valeur. Je participais aux chasses royales, j'assistais aux banquets, avais ma part dans les machinations diplomatiques et les aventures galantes, comme tous les autres.

La vie dans les salles et les parcs d'Amboise et de Chaumont, Poissy, Chambord et Fontainebleau s'écoulait dans l'euphorie. Tout était jeu et nous le savions. Le cortège royal : une suite chamarrée de camerlingues, de maréchaux, sénéchaux, chanceliers, prévôts, majordomes, évêques, chevaliers, nobles, valets, cuisiniers et bouffons, sans oublier une compagnie triée sur le volet de belles et galantes dames. Nous nous mesurions les uns aux autres avec une élégance courtoise, attaques et ripostes, assauts et retraites, tant en amour que dans la lutte sans fin en matière de rang et de préséance pour obtenir les faveurs du roi. Mais cela se passait dans le respect des formes et avec maîtrise ; intrigues et manœuvres ressemblaient aux figures d'un ballet exécuté avec des accolades, des révérences et en termes choisis. Se montrer trop sérieux, étaler la passion au grand jour était condamné comme étant du dernier mauvais goût. Au début, mon sang mêlé, espagnol et italien, me joua des tours ; plus tard, j'appris à m'adapter. Je n'oubliai jamais que le monde ne s'arrêtait pas aux murs des palais et à l'horizon d'un parc princier.

Comment eût-il pu en être autrement ? Je portais en moi le souvenir de ma jeunesse : les premiers temps avec César en Romagne et au château Saint-Ange, la réclusion au château escarpé de Bari, les longues errances qui suivirent. La nuit surtout, événements et visages me revenaient en mémoire. Mes années d'enfance défilaient devant moi comme une cavalcade échevelée à la lueur des flambeaux ; la plus grande partie se perdait dans une vapeur rouge sang, mais, par instants, apparaissait, dans une lumière éclatante, une image que je reconnaissais : la silhouette de l'archange saint Michel dominant la citadelle de Rome et se dressant très haut sur un fond de ciel éclairé par le soleil couchant aux couleurs menaçantes, les séries d'étendards suspendus au faîte de la grande salle du château de Camerino, un paysage, aperçu de la fenêtre d'un palanquin, de décombres calcinés encore fumants, les têtes de suppliciés aux yeux caves, grimaçant au-dessus de la porte de la ville. Des visages d'hommes et de femmes de la suite de César : sa mère, *madonna* Vannozza, lourde, fanée, la lèvre supérieure ombrée d'un duvet, mais princière dans son port et ses gestes ; le farouche, coléreux Gioffredo, le plus jeune frère de César, qui n'était à son aise qu'avec un enfant ou un animal ; son architecte et ingénieur, messire Léonard de Vinci, l'homme au regard pénétrant, capable de créer à la craie sur les murs, à partir de taches d'humidité et de moisissures, des paysages et des silhouettes ; Micheletto, conseiller et bras droit de César ; Agapito, son secrétaire ; et enfin les enfants, mes camarades de jeux, Camilla, Carlotta et naturellement Rodrigo, mon ami de cœur, qui partagea mon sort pendant toutes mes jeunes années.

J'avais cinq ou six ans à l'époque. Je me rendais compte que nous étions exposés à des dangers, mais j'en ignorais le pourquoi et le comment. Beaucoup plus tard seulement, j'ai compris ce qui s'était passé. Dans le silence nocturne, dans les antichambres et les alcôves des palais du roi de France, incapable de trouver le sommeil, étendu à côté des nobles s'agitant et ronflant, dont je devais partager le lit, j'ai eu tout loisir d'établir le rapprochement entre les faits que j'avais appris au cours des ans et mes souvenirs, ces bribes et lambeaux de ce que j'ai vu et entendu étant enfant.

Ce n'est pas sans raison que je souhaite écrire ici toutes ces choses, mes aventures de jeunesse, ma vie à la cour de France et les expériences que j'ai vécues depuis et continue à vivre au quotidien.

Un homme qui se sent menacé et espionné de toute part, qui sait ne pouvoir se confier à personne ni acquérir aucune certitude quel qu'en soit l'objet, n'a pas d'autre ressource que de compter sur lui-même. Exprimer ses pensées, même les chuchoter, est hors de question. Les galeries du Vatican sont aussi pleines de monde que les rues un jour de marché ; ici, les murs ont des yeux et des oreilles, en outre, seuls les bouffons, les prisonniers solitaires ou les fous sont capables de s'entretenir à haute voix avec eux-mêmes. Que j'écrive n'étonne personne, cela fait partie de mes tâches. Presque journellement, assis à un pupitre, je passe mon temps à couvrir de mots une feuille après l'autre dans la bibliothèque pontificale : modèles de lettres ou de discours à l'usage des diplomates de moindre importance de Sa Sainteté Clément VII. *Orator* pontifical : singulière fonction pour qui a été élevé en gentilhomme, a combattu au service de la France en Navarre et devant Pavie.

On suppose sans doute ici que je brigue la pourpre, ou du moins un chapeau rouge. Compte tenu de mes origines, toutes les suppositions sont possibles, je pense. Évidemment, aucun homme à la cour de Rome ne s'aventurerait à me demander ouvertement quelles sont mes intentions. On n'ose pas – à ce stade du moins – se montrer ouvertement pour ou contre moi. Mon nom crée un espace, un terrain neutre entre moi et les autres ; Borgia : ne dirait-on pas un signe avertisseur sur la porte d'une maison où sévit la peste. On se tient à distance, encore que je ne puisse clairement dire pourquoi. Je n'ai que des présomptions, car ce qui pourrait être entrepris contre moi reste provisoirement dans l'ombre. On me laisse en paix parce que l'on croit que je suis dans les bonnes grâces des favoris de Sa Sainteté. Mais j'ai conscience de devoir mettre à profit cette période de calme, ce répit. L'incertitude rend très vulnérable. Mon premier objectif est de découvrir quelles raisons l'on croit avoir de m'éviter. Le poison se cache dans ce nom : Borgia. Ils ignorent qui je suis, ce que je veux, quelles sont mes fréquentations, quels parents et amis je peux protéger, à quels ennemis je peux nuire. Ils en savent moins que moi, et que sais-je moi-même ?

La date et l'année de ma naissance ne sont pas établies ; je ne sais pas davantage qui étaient mon père et ma mère. Il doit exister à Ferrare des documents faisant état de mes origines, mais je ne les ai jamais vus et je n'en connais le contenu que par ouï-dire. J'ai environ vingt-huit ans, mon nom est Giovanni Borgia, ou, pour utiliser le titre espagnol auquel j'ai droit, *don* Juan de Borja y Llançol. Enfant, je considérais César comme mon père, sans doute parce que personne n'avait jamais prétendu le contraire et parce que je vivais dans son entourage immédiat, avec Carlotta et Camilla, deux de ses autres bâtards. Plus tard, vint nous rejoindre Rodrigo, le fils de Lucrèce ; nous savions que César l'avait recueilli parce que Alphonse d'Este ne voulait pas de l'enfant à sa cour de Ferrare, ne souhaitant pas que sa présence lui rappelât le mariage précédent de son épouse.

César nous emmenait tous les quatre partout avec lui, nous avions notre place fixe dans sa suite, avec les femmes engagées pour s'occuper de nous. J'ai passé les premières années de ma vie dans des chaises à porteurs et des carrosses, des tentes de camps militaires, des salles de châteaux en Romagne, qui venaient tout juste d'être conquis ou abandonnés en hâte par les occupants. Je ne me souviens plus des noms. Plus tard, j'ai entendu parler d'Imola et de Forli, de Cesena et de Sinigaglia. J'y ai probablement séjourné. Je me rappelle seulement Camerino, parce que j'y jouai un rôle lors de la cérémonie solennelle à l'occasion de la prise de possession des lieux. Les anciens propriétaires du château et des terres avaient été assassinés ou chassés par César ; une bulle du pape Alexandre me conféra à moi, descendant masculin de la lignée Borgia, le titre de duc de la principauté. Je reçus en même temps la ville voisine de Nepi et les châteaux et terres domaniales ayant appartenu à la famille Colonna, à peu de chose près la moitié de la Romagne. A cette époque-là, c'est à peine si j'étais conscient de l'honneur qui m'était échu.

J'étais assis en selle, devant César ; entourés de soldats, nous parcourûmes les étroites rues abruptes de la ville. La bannière de César était plantée sur la tour endommagée du château. « *Duca ! Duca !* » criait la foule amassée dans les ruelles et sur les toits des maisons. La main gantée de fer de César reposait sur mon genou.

Dans une salle obscure, pleine de gens en armes, il me prit sous les aisselles et me souleva en l'air. « Voyez votre nouveau seigneur de Camerino, le premier duc par la grâce du pape Alexandre. » Il me glissa au doigt un anneau lourd et trop grand, et me fit fermer le poing. C'est ainsi que – avec le sceau de César, qui était aussi le mien – je scellai pour la première et jusqu'à ce jour la dernière fois de ma vie des documents officiels en qualité de duc de Camerino. On fit frapper des pièces à mon effigie. En France, j'en possédais encore une, un carlin en argent portant sur le listel : *Joannes Bor. Dux Camerini*. Mais j'ai dû le perdre quelque part.

L'année suivante mourut le pape Alexandre, que je croyais être mon grand-père. Avec lui s'éteignit à jamais la puissance de César en Romagne, ce qui entraîna du même coup la perte de mon duché.

Lorsque je revins à Rome, il y a deux mois, je ne reconnus pas le Vatican. Les salles où vit habituellement le pape Clément me sont étrangères. Cherchant les appartements des Borgia, je ne trouvai que des portes closes. La partie du palais autrefois réservée à Alexandre, et où César séjournait de temps à autre, n'est plus utilisée. L'on prétend que, depuis l'époque du pape Jules, personne n'y a plus pénétré. Je n'ai pas encore demandé l'autorisation d'y entrer, ne fût-ce que pour ne pas révéler un souhait secrètement caressé des années durant. Debout dans la cour du Belvédère, je lève parfois les yeux vers les galeries ouvertes qui délimitent les appartements à l'extérieur. Les salles du rez-de-chaussée étaient réservées à Alexandre, l'étage au-dessus avait été aménagé pour César. Lorsque ce dernier s'installait temporairement au Vatican, Rodrigo et moi habitions une demeure du quartier de Ponte, sous le contrôle de deux cardinaux espagnols à qui avait été confiée la tutelle.

Des nombreuses visites que nous fîmes au Vatican – Alexandre ne se lassait pas de nous voir lorsqu'il nous savait dans le voisinage –, je n'ai gardé que le souvenir de ces appartements pontificaux.

Dans une salle aux murs vivement colorés, étincelants de dorures et d'émail bleu azur, un gros vieillard était confor-

16

tablement calé dans les coussins d'une cathèdre. Il nous tendait sa main à baiser, une main large, douce, toujours très chaude, parfois aussi l'anneau qu'il portait à l'index ; il se penchait en avant et nous pressait sur son cœur tandis que son souffle s'accélérait sous l'émotion ; des plis de sa cape de velours se dégageait un remugle de musc et d'encens. « Vous voilà revenus, mes garçons, mes beaux et courageux petits garçons, mes faucons, mes louveteaux... toi, Rodrigo de ma belle Lucrèce, et toi Giovanni, *Giannino mio*, mes petits ducs ; je vous ferai riches et puissants, vous régnerez sur l'Italie comme des rois, des rois Borgia ! » Il nous embrassait et nous caressait, posait sa main sur nos têtes d'un geste bénisseur, la plongeait dans une coupe remplie de fruits confits toujours posée à côté de lui et nous jetait à la volée des sucreries. Parfois aussi, il nous lançait un ducat, un bijou ou quelque autre objet de ce genre et nous laissait folâtrer et nous chamailler à qui le saisirait. Battant des mains, nous encourageant de la voix, il attisait notre ardeur jusqu'au moment où Rodrigo et moi, jubilants, échauffés, au mépris du lieu et des circonstances, nous nous laissions rouler à travers la pièce, entraînant des tapis, renversant des candélabres. Les personnes présentes – ombres à l'arrière-plan, prélats, nobles, une poignée de laquais – souriaient et applaudissaient, faisant écho à la joie enfantine que prenait Alexandre à nos ébats. Mais César, qui nous accompagnait le plus souvent lors de nos visites à son père, ne nous regardait jamais, ne manifestait aucun enthousiasme, ni en gestes ni en paroles. A présent, après toutes ces années, je sais que son regard fixe, ténébreux, se portait uniquement sur Alexandre. Lorsque je songe à César, je le revois avec cette expression sur son visage, un regard à la fois narquois, méprisant et amusé, le sourire grinçant, condescendant, de celui dont la patience a été trop longtemps mise à l'épreuve.

Ces visites au Vatican ont dû avoir lieu dans les derniers mois précédant la mort d'Alexandre, c'est-à-dire pendant l'été de 1503. J'avais environ six ans. Les convocations qui d'ordinaire nous parvenaient tous les jours d'Alexandre ou de César – ordre de nous conduire au palais pontifical – cessèrent brusquement. Après quoi, nos tuteurs, les cardinaux, ne se montrèrent pratiquement plus pendant un certain temps dans la maison de Ponte, froide et sombre comme un tombeau, où l'on prétendait que Rodrigo et moi étions à l'abri des fièvres des marais, fréquentes au mois d'août.

Finalement, nos servantes vinrent en hurlant et gémissant nous rapporter des rumeurs dans lesquelles il était question de poison : le pape Alexandre agonisant, César gravement malade, le Vatican en rébellion, Rome un lieu de perdition pour tout ce qui se rattachait aux Borgia. L'agitation parmi les gens de maison nous gagnait aussi. Tandis que l'on verrouillait les portes et condamnait les fenêtres du rez-dechaussée en clouant les volets, Rodrigo et moi nous nous étions réfugiés, morts de peur, dans l'obscurité, derrière les courtines de notre lit, l'oreille tendue vers les bruits du dedans et du dehors : voix feutrées tout près de nous, ou résonnant plus loin dans les galeries, pas précipités au-dessous et au-dessus de nous, caisses et meubles que l'on déplaçait, hennissements des chevaux dans le *cortile*.

Lorsque les courtines furent brutalement tirées, nous nous attendions à voir surgir l'assassin redouté. Mais à la lueur des chandelles que les femmes accourues tenaient en l'air, nous vîmes apparaître *don* Michele Corella, ou Micheletto comme chacun l'appelait, le capitaine de César, son ami et confident, chef de ses gardes du corps, son compagnon de toujours et souvent son remplaçant : un Vénitien aux yeux et à la peau si foncés qu'on le tenait partout pour un Espagnol. Nous avions appris à le respecter ; il nous apparaissait comme une partie de César lui-même, aussi inséparable de lui que son ombre, mais une ombre de chair et de sang, un sosie, une créature issue de César, obéissant à la volonté tacite de ce dernier et à ses pensées les plus secrètes. La chambre était pleine de monde, valets et femmes qui décrochaient les tapisseries du mur, jetaient du linge et de l'argenterie dans des coffres ; par la porte ouverte, entrait la rumeur d'hommes armés dans les corridors et sous les portiques.

Entourés par les troupes de Micheletto, nous parcourûmes à cheval une Rome nocturne, insolite. La lune, qui venait de se lever, brillait jaune, enflée à travers la brume translucide que la chaleur du mois d'août fait planer jour et nuit sur la ville. Accompagné par le piétinement des sabots des chevaux, les craquements et les secousses des voitures, les cris, les jurons et autres bruits confus, le cortège réussit à se frayer un passage le long d'un labyrinthe de ruelles. Derrière nous, entre les maisons, les églises et les hauts murs aveugles des palais, s'élevaient en spirale des nuages de poussière noire.

Plus tard, je m'éveillai dans un lit que je ne connaissais pas. Sur les rideaux faits d'un tissu raide et luisant grimpaient, en lignes parallèles, des séries de taureaux Borgia. A côté de moi, comme d'habitude, Rodrigo respirait paisiblement dans son sommeil. Je tournai la tête vers la lumière. Près d'une fenêtre ouverte, dans la fraîcheur de l'aube, se tenait *madonna* Vannozza, la mère de César. Je l'appelai par le nom que son fils lui donnait parfois en notre présence, *matrema*, « petite mère ».

Elle vint à moi, froufroutant dans ses vêtements noirs, d'un pas si rapide et agité qu'on eût pu croire qu'elle avait attendu mon réveil.

« Pas un mot, tu m'entends, tu vas réveiller Rodrigo. Reste couché. »

Elle me repoussa sans douceur contre mon oreiller. Je n'avais jamais compris pourquoi elle aimait Rodrigo et pas moi.

« Y a-t-il du danger, *matrema* ?

– Oui, danger pour les Borgia », répondit Vannozza, en insistant sur le dernier mot.

Tout en repoussant sous sa coiffe des mèches grises rebelles, me tournant à moitié le dos, elle ne me quittait pas des yeux par-dessus son épaule. Elle avait les paupières gonflées, les ombres aux commissures des lèvres s'étaient creusées. De Vannozza, je me rappelle surtout les yeux et la bouche : les étincelles qui s'allumaient et s'éteignaient alternativement dans les pupilles noires, les rides qui prolongeaient de chaque côté la lèvre supérieure charnue, large, légèrement velue, et donnaient à son visage une expression d'orgueilleuse amertume. Son regard dur, fureteur, m'effrayait. Elle me traitait toujours avec hargne et rancœur, comme s'il lui en coûtait de se dominer. Elle ne me touchait que quand elle ne pouvait faire autrement et, là encore, avec une répugnance évidente. Ce comportement, pour lequel je pourrais trouver aujourd'hui une explication, me remplissait alors d'angoisse et d'insécurité.

De tout le temps que j'ai passé dans le voisinage immédiat de Vannozza, cette heure matinale au lendemain de la mort d'Alexandre est ce qui m'est resté de plus vivace. Sans dire un mot, elle demeurait immobile près de la fenêtre ouverte, me tournant le dos, tandis que le soleil montait dans le ciel vaporeux et que les cloches de Rome sonnaient à tour de rôle ou ensemble. Avec la lumière du jour entrait aussi la chaleur, de la ville s'élevait une odeur fade, écœurante, de marécages. De loin me parvenait un murmure que je ne connaissais pas. Il avait déjà dû être audible depuis mon réveil, mais je n'en avais pas encore pris conscience. Ce n'était pas celui de la mer ou du vent, qui pouvait croître et décroître ; c'était un bruissement continu, comme celui de la pluie ou le clapotis d'un ruisseau.

« Qu'est-ce qu'on entend dehors, *matrema* ? »

Avant même que Vannozza pût répondre, je compris qu'il y avait un rapport entre la rumeur lointaine et l'immobilité crispée avec laquelle elle tendait l'oreille.

« Des cris et des huées sur la place, devant Saint-Pierre. Ils ont dû venir de Rome cette nuit par milliers, dès l'annonce de la nouvelle.

— Pourquoi crient-ils, *matrema* ?

— Tu retiens mal ce qu'on te raconte ! Que répondit Fra Baccio dans l'histoire de l'étranger qui lui demandait quand la joie éclate le plus à Rome ? "Quand un pape est mort."

— Où sommes-nous maintenant ?

— Dans ma maison du Borgo. Tais-toi, à présent. Couche-toi. Et que je ne t'entende plus. »

Le son rauque de sa voix m'affola encore plus que sa sévérité. Je fus soudain inondé de sueur dans l'espace étouffant, entre les courtines. Je n'osais pas bouger, repousser la couverture. Rodrigo dormait et je sentais que la femme, près de la fenêtre, surveillait tous mes gestes, bien qu'elle ne me regardât pas.

Le lit dans lequel j'étais couché était le sien, j'en avais soudain la certitude. Dans l'odeur qui montait de l'oreiller, je reconnaissais celle de Vannozza, de son corps, mais mêlée à une autre odeur déjà éventée, volatile et pourtant tenace comme seul peut l'être le souvenir : effluves d'un passé, effluves de musc et d'encens, et par bouffées, fade, une étrange effluence animale, excitante et repoussante à la fois. Les draps étaient propres, blanchis au soleil, parfumés, mais ni l'air du dehors ni tous les baumes d'Arabie n'auraient pu chasser de leurs plis ce relent d'une volupté morte. Sans savoir pourquoi, je me sentais oppressé jusqu'à la suffocation dans ce lit. Je m'enlisais lentement dans le matelas et l'oreiller comme dans des sables mouvants, sous la courtepointe de brocart, j'étais ensorcelé, condamné à l'immobilité. Où que se portât mon regard, au-dessus, devant et de chaque côté de moi, je voyais sur les courtines, scintillant de tout leur or sur un fond écarlate, les taureaux des Borgia grimper en une interminable procession vers un but caché.

Je décris ces événements tels qu'ils émergent du fond de ma mémoire, tels que je les ai vécus enfant. En ce temps-là, je n'étais pas en mesure d'en saisir les causes profondes, même si, dans mon entourage, bien des questions importantes durent être discutées. Je sais à présent pourquoi Micheletto nous amena à bride abattue au château du Borgo. Les coffres transportés par des chevaux de bât et à dos de mulets dans le cortège nocturne contenaient, outre nos propres biens, de l'or, de l'argent et des objets précieux provenant du trésor pontifical, soustraits au Vatican sur ordre de César par Micheletto, poignard au poing, dès l'annonce officielle de la mort d'Alexandre.

21

César lui-même, affaibli par le poison ou quelque maladie intestinale – personne ne savait le fin mot de l'affaire –, prit depuis son lit les mesures nécessaires pour prévenir des insurrections et des attaques organisées par les Colonna, Orsini et autres seigneurs qu'il avait chassés de la Romagne. Ses troupes occupèrent le Borgo, qui fut transformé en forteresse. Je me souviens que Gioffredo, le frère cadet de César, et sa femme Sancia d'Aragon, cette harpie lubrique, aux réactions imprévisibles, s'enfuirent eux aussi de leur palais situé de l'autre côté du Tibre pour se réfugier chez Vannozza, terrifiés par la foule menaçante, assoiffée de vengeance, qui vociférait nuit et jour devant leur porte.

A cette époque, nous ne voyions ni le soleil, ni la lune, ni les étoiles. Derrière les volets clos et les portes verrouillées, nous, les Borgia, nous attendions le résultat des pourparlers de César avec les envoyés espagnols et français et le collège des cardinaux. Vannozza récitait vite et à haute voix son rosaire sans nous perdre de vue un instant. Sancia cherchait des noises à tout le monde ou bâillait. Gioffredo se rongeait les ongles en silence. Rodrigo, Camilla, Carlotta et moi, nous nous amusions tant bien que mal dans les pièces étouffantes, pénombreuses, avec un jeu de dés, une balle ou le bichon de Sancia. Sans cesse étaient annoncés et introduits des visiteurs : messagers de César venus du Vatican, Micheletto, les cardinaux espagnols. Disputes, altercations, reproches, fulminations tempêtaient au-dessus de nos têtes. Nous entendions tout sans y prêter attention. Je n'ai retenu que le récit relatif à Alexandre sur son lit de mort et à ses funérailles, sans doute parce que certains détails avaient fait sur moi une forte impression : le cadavre noir bleu, enflé, déjà putrescent, que personne n'avait voulu toucher, que l'on avait traîné par les pieds jusqu'à Saint-Pierre de Rome et entassé dans le cercueil à coups de poing ; le chien noir – l'âme d'Alexandre ou le diable déguisé ? – qui avait continué à errer sans répit à travers la basilique tant que le corps n'avait pas été enseveli.

Au début de septembre, nous quittâmes à nouveau Rome

en un cortège interminable ; des hommes armés, à pied et à cheval, protégeaient la colonne de voitures et la litière, portée avec peine par des hallebardiers, dans laquelle César était couché derrière des rideaux noirs, trop faible pour monter à cheval. Notre destination était la forteresse de Nepi, qui m'appartenait encore à ce moment-là et restait donc dévouée à César. Nous ne restâmes pas longtemps à Nepi. Avant même que les caisses eussent été déballées, elles furent à nouveau chargées sur les dos des chevaux et des mulets. Le retour à Rome était une fuite, je l'avais déjà compris à l'époque. Les barons assoiffés de vengeance nous poursuivirent jusque-là. Par précaution, César logeait dans les palais de cardinaux amis, tantôt ici, tantôt là. A peine les lits dans lesquels nous couchions nous étaient-ils devenus familiers, à peine commencions-nous à trouver notre chemin dans une série de salles inconnues, que le signal du départ était à nouveau donné. A nos questions, Vannozza répondait, distraite et revêche, que les agissements des Colonna, Orsini, Varano, et autres ennemis jurés des Borgia, risquaient de rendre extrêmement périlleux un séjour prolongé chez l'hôte du moment.

Dans mon souvenir, cette période de confusion et d'incertitude semble avoir été interminable. En réalité, elle ne dura que quelques semaines. Un matin, nous fûmes éveillés en hâte avant l'aube et nous quittâmes la maison, enroulés dans des manteaux. Cette fois, aucune litière ne nous attendait. Des cavaliers nous installèrent devant eux sur leurs selles. A la lueur de flambeaux, je vis César enfourcher sa monture, soutenu par des palefreniers. Nous parcourûmes Rome au trot. Le cavalier qui me tenait cria quelque chose à un compagnon par-dessus ma tête. J'entendis « Ostie », « navires », « la mer ». Mais avant même que j'eusse compris le sens de ces mots, un tumulte s'éleva de la troupe. Le cri de guerre des Orsini se répercutait entre les maisons, à l'avant-garde la bataille faisait rage. Cela ne dura pas longtemps. Notre cortège fit demi-tour et repartit à bride abattue par une autre route, cette fois en franchissant le Tibre pour entrer dans le

Borgo, jusqu'à l'endroit où les édifices du Vatican et de la basilique se dressaient sur le ciel doré par les feux de l'aurore. Tandis que derrière nous s'enflaient les cris menaçants – « Morts ou vifs ! » – et le martèlement des sabots des chevaux, nous nous engouffrâmes dans une avant-cour du palais pontifical. Je fus brusquement arraché à la selle, à moitié traîné, à moitié porté, parmi des soldats qui se précipitaient épaule contre épaule le long de galeries et de portiques où les échos des cris affolés de Carlotta et de Camilla se multipliaient à l'infini. Soudain, nous nous trouvâmes à ciel ouvert. Je voulais hurler lorsque, ayant été soulevé sans m'y attendre, je découvris par-dessus un parapet les toits de Rome à mes pieds. Mais, m'étant retourné sur les épaules de l'homme qui me portait, je vis, au bout d'un étroit passage découvert, les contours du château Saint-Ange et, au pinacle, l'ange éclaboussé de lumière dans les rayons du soleil. Je compris que nous fuyions par le corridor qui relie le Vatican au château.

Je sais à présent que César croyait y être en sûreté, hors d'atteinte de ses ennemis, protégé par le pape Pie III, successeur d'Alexandre, un vieil homme égrotant, pusillanime, qui – par pur intérêt, du reste – nous avait pris, nous autres Borgia, sous sa protection. En fait, dans le château Saint-Ange, César était tombé dans une souricière. Nous étions là depuis à peine cinq jours lorsque Pie III mourut des suites, dit-on, d'une intervention chirurgicale. Avec lui, César perdait son dernier appui, il ne pouvait plus compter que sur lui-même, sa ruse et son discernement. Je n'ai rien su – à l'époque du moins – de la lutte acharnée que mena César pour sauver sa peau.

Les appartements du château Saint-Ange dans lesquels nous logions avec Vannozza étaient bas de plafond, sombres et froids, situés autour d'une cour en demi-lune. Sur les corniches et les portes, et sur les murs du puits de la cour, étaient représentées les armoiries d'Alexandre : le taureau, la tiare et les deux clés croisées. C'est là que nous jouions tous les jours, parmi les symboles de la puissance des Borgia.

Que cette puissance fût anéantie, nous en avions à peine conscience. Pendant ces semaines, nous vîmes rarement César. Il vivait caché dans la partie de la forteresse où il s'était installé, écrivait des lettres, recevait des intimes, négociait avec des messagers du Vatican et des envoyés de l'étranger.

Vannozza restait des heures durant plongée dans un mutisme revêche, assise près d'une fenêtre donnant sur la cour. Tantôt elle priait, tantôt elle faisait glisser machinalement entre le pouce et l'index les grains de son chapelet. Elle se laissait parfois emporter par des accès de colère et de désespoir ; elle nous faisait venir, punissait même les fautes les plus anodines par des gifles et des coups de pied, ou invoquait avec des gémissements l'aide d'une kyrielle de saints en nous enjoignant de prier avec elle. Par moments, elle éclatait en jérémiades ; elle choisissait alors Rodrigo, son préféré, comme objet de sa compassion : « Mon garçon, mon enfant, *duchetto mio*, qu'adviendra-t-il de toi ? Ton père a été assassiné, ses parents sont nos ennemis, ta mère n'a pas le droit de t'avoir auprès d'elle, notre famille est ruinée, notre puissance est brisée, *ohimé, ohimé*, nous sommes tous perdus. » D'autres fois, elle cédait à des sentiments moins compréhensibles. Les yeux clos, la tête renversée, se balançant à droite et à gauche comme si elle souffrait, elle marmonnait d'une voix blanche des reproches, des supplications, des malédictions dont nous n'étions pas l'objet.

Le séjour dans cette citadelle fut soudain interrompu. Nous n'en fûmes pas bouleversés, habitués que nous étions maintenant à des voyages et des déménagements impromptus. On nous conduisit auprès de César pour lui faire nos adieux. Il était allongé sur un lit de repos, les jambes croisées. Je le regardai avec curiosité. Je ne l'avais plus revu depuis notre installation au château Saint-Ange. Je cherchais à lire dans son regard, son comportement, sur sa physionomie une explication aux mystérieuses lamentations de Vannozza. Des plaies rugueuses, squameuses – consécutives à sa dernière

25

maladie –, tranchaient violemment sur sa peau jaunâtre alté-rée par de vieilles cicatrices. Il avait maigri ; dans ses yeux vacillait par instants une lueur inquiète. Cela me semblait d'autant plus étrange que ce qui caractérisait César autrefois, c'était justement la fixité de son regard sombre, sans éclat. Je pense que d'autres que moi l'ont aussi constaté. Plus tard, je ne fus pas surpris d'entendre dire qu'il avait le mauvais œil. Bien des personnes – spécialement celles qui avaient des raisons de le craindre – durent croire que ce regard pouvait lire leurs pensées et leurs sentiments les plus secrets. Lorsque je le vis pour la dernière fois, dans ses sombres appartements du château Saint-Ange, ce pouvoir magique semblait avoir quitté son regard. Comme toujours, il était parfaitement maître de son corps et des expressions de son visage.

Il était couché sur le côté, s'appuyant sur le coude gauche ; sur la paume de sa main il faisait aller et venir d'un geste machinal une boule contenant du parfum. Derrière lui, à une table, deux prélats de sa suite jouaient aux cartes. Nous res-tâmes peu de temps, je ne sais plus quels propos furent échangés. Vannozza geignait doucement et lui murmurait des choses à l'oreille, mais lorsqu'elle voulut l'étreindre il la repoussa. Il fit un signe d'adieu de la main, un instant il posa un regard absent, indifférent, plein d'une agitation secrète, d'abord sur Rodrigo, puis sur moi. « Emmène-les », finit-il par dire en haussant les épaules.

Cette même nuit, nous quittâmes le château par une porte dérobée ; notre départ devait rester ignoré des ennemis de César au Vatican. Les deux fillettes restèrent à Rome, sous la surveillance de Vannozza, mais Rodrigo et moi partîmes en hâte avec nos tuteurs, les cardinaux, en direction du sud, vers Naples.

Je me demande qui est cet homme au visage insolent, qui tous les jours se promène un certain temps dans la chancelle-rie, et s'attarde, de préférence semble-t-il, dans le voisinage de mon pupitre. Il est à nouveau là en ce moment, vêtu avec ostentation comme un comédien, et littéralement imbibé de musc. A première vue, il pourrait passer pour un noble, mais son visage, son maintien, ses manières le trahissent. Un laquais enrichi, un artiste, un favori, ou même le Ganymède de l'un des puissants de la cour ? Il est clair qu'il est très infatué de sa personne. Il va et vient comme un paon qui fait la roue, empestant l'air de son parfum. Il connaît tout le monde, salue à droite et à gauche, il sait en virtuose, avec même une certaine drôlerie pour qui aime la comédie, exprimer d'un signe de la tête, de la main, ou d'une courbette, à quel niveau social – haut ou bas – il situe la personne en question. Un cabotin vaniteux, et sans aucun doute un intrigant. Cela se voit à la façon empressée, obséquieuse, accompagnée de mille ronds de jambe, dont il approche les personnes de haut rang qui passent ici en se rendant dans les salles d'audience de Sa Sainteté.

Hier, l'homme le plus puissant de la cour, l'archevêque de Capoue, visitait la chancellerie avec sa suite. Il va de soi que quiconque en a l'occasion s'avance et salue. Mon ami en bleu paon se jeta littéralement aux pieds de monseigneur, débita avec une éloquence époustouflante un chapelet de flatteries et se conduisit ensuite comme s'il faisait partie de la compagnie.

Quel qu'il puisse être – parasite, pantin, aventurier –, il est indéniable que chacun croit avoir intérêt à être son ami. Dès qu'il a tourné les talons, c'est un échange de regards et de remarques, mais, sauf erreur, tous le redoutent. J'aimerais savoir qui il est. Bien qu'il parle et plaisante avec tout le monde, il semble n'appartenir à aucun groupe ; en dépit des manifestations d'empressement et de jovialité, il est accueilli avec une méfiance évidente. Il occupe une position exceptionnelle et, sur ce point, lui et moi sommes semblables. A cette différence près que *lui* est visiblement un familier de la cour. Personne ne peut s'offrir le luxe de l'ignorer. En ce qui me concerne, dans les deux mois de mon séjour en ces lieux, je m'en suis tenu au strict nécessaire dans les paroles échangées avec qui que ce soit. Je dois avouer que j'ai intentionnellement gardé mes distances. Il n'est pas dans ma nature de me livrer rapidement. Je sens que tous mes faits et gestes sont attentivement observés, mais, encore une fois, j'ignore par qui et pourquoi, même si j'ai certains soupçons.

Naturellement, avant de venir à Rome, j'ai tenté de me mettre au courant des situations et des rapports régnant à la cour, je me suis fait citer les noms de personnages influents. Je pensais que ces informations pourraient m'être utiles. Le contraire est vrai : la cour de France est composée selon certains principes immuables, chacun y a une place détermi-née, appartient à un groupe bien défini. Les règles du jeu sont complexes, mais elles sont observées en toutes circonstances. Ici à Rome, je me sens, pourrait-on dire, enveloppé dans la peau d'un caméléon. Il y a constamment des changements. Titres, bénéfices, nominations, nouveaux partis apparaissent et disparaissent avec une rapidité qui laisse pantois. Il faut sans cesse s'adapter : le puissant d'hier a perdu aujourd'hui les faveurs et inversement ; et jamais il n'est possible de pré-voir de quel côté soufflera le vent le lendemain. La cour pon-tificale : un grouillement confus de fonctionnaires cléricaux et séculiers, tous avec leur propre suite, leurs parents, amis, protégés, serviteurs et parasites. Petit à petit, j'ai appris à reconnaître les cardinaux les plus importants ; ces messei-gneurs, tout nombreux qu'ils soient, se distinguent du moins de la masse. Mais que dire du reste : prélats, chambellans, secrétaires, maîtres de cérémonies, camerlingues, officiers de la garde et autres personnes aux fonctions plus ou moins spé-cifiées ? Cet essaim se presse de l'aube au couchant dans les enfilades de salles du Vatican. La moitié de Rome semble avoir ici ses entrées.

L'on prétend en outre que l'animation y est plus grande que de coutume, moins du fait de l'année sainte – les consé-quences de la bataille de Pavie se font aussi sentir, dans la mesure où peu de pèlerins quittent la province pour venir à Rome – que par suite de l'arrivée incessante de légations. Il ne se passe pas un jour que des pourparlers n'aient lieu avec des ambassadeurs de Venise, Milan, Florence, Ferrare. Évi-demment, les représentants officiels et officieux de France et d'Espagne sont des hôtes familiers. Les événements de Pavie ont semé une grande confusion dans les rapports existants. Ici aussi, la défaite des Français fut une surprise totale. Il semble que le pape Clément ait failli en mourir de peur. Rien d'étonnant à cela, s'il est vrai qu'il avait spéculé sur une victoire du roi François – cette fois sans se ménager une porte de sortie.

A Rome, on commence à comprendre que l'Italie est à la merci de l'empereur du Saint Empire, Charles Quint. Selon les nouvelles apportées par les envoyés, qui ne cessent d'affluer et de repartir, la défense des principautés et des villes se passe très mal. Les troupes impériales ont souffert peu de pertes – on pouvait même déjà le constater dans la confusion qui suivit immédiatement la bataille – et ne sont toujours pas démobilisées. Qui oserait nier que cela cache un grave danger ? L'empereur ne cesse de répéter qu'il a les meilleures intentions du monde, qu'il veut la paix, rien que la paix. Pour autant que je puisse en juger, personne à Rome n'est assez naïf pour ajouter foi à ces affirmations. On raconte ouvertement qu'il projette de se rendre en Italie pour donner une leçon à Sa Sainteté. Admettons que l'empereur ait accueilli la nouvelle de la victoire de Pavie avec humilité, en récitant une prière d'action de grâces. Aucun mortel ne connaît ses pensées, ses aspirations les plus secrètes. Tous les princes sont ambitieux et il est rare qu'une victoire les rende plus modestes. Il est sûr en tout cas que ses conseillers, et spécialement ses représentants ici à Rome, tentent de le pousser à entreprendre de nouvelles actions.

Des luttes partisanes déchirent les États du Saint-Siège. Rome, plus que n'importe quelle autre ville, est contaminée par cette calamité que sont les dissensions politiques. A la cour, les points de vue antagonistes sont incarnés dans les deux plus importants conseillers de Sa Sainteté, les véritables détenteurs du pouvoir : le dataire Giberti, ami d'enfance et favori du pape, un francophile déclaré, et l'archevêque de Capoue – un Flamand ou Allemand d'origine du nom de Schomberg –, qui met à profit son influence pour apporter son appui à l'empereur. Le pape ne sait quel parti choisir ; il se tourne tantôt vers l'un, tantôt vers l'autre. Ces hésitations, ces louvoiements semblent avoir gagné tout l'entourage de Sa Sainteté. A cela s'ajoutent la méfiance réciproque, la crainte de la trahison, un climat d'insécurité générale. On ne cesse de parler de la situation, réunions, discussions et audiences se succèdent sans déboucher sur des actes. Pourtant, Rome ne doit pas manquer d'hommes compétents et sagaces. J'entends à droite et à gauche de sombres pronostics formulés par des initiés, ou ceux qui prétendent être au courant, ce qui – autant que je puisse en juger – revient au même dans les circonstances actuelles.

Je n'ai toujours pas trouvé à cette cour un homme que je voudrais suivre, un groupe auquel je souhaiterais me rallier. Je préfère voir venir. Sur cette mer agitée, traversée par des courants et des contre-courants, je suis un navigateur inexpérimenté. J'ai besoin d'en savoir davantage, d'avoir vu et entendu plus de choses avant de m'aventurer à choisir sur quelle destination mettre le cap. Celui qui, comme moi, sans fortune, sans protecteurs, ne peut compter que sur lui-même, n'est jamais assez prudent.

Un heureux hasard m'a conduit à Rome. La plupart de mes compagnons d'armes, amis français, ont été tués, blessés ou faits prisonniers devant Pavie. Je ne sais toujours pas dans quel sens je dois tenter ma chance. Jadis en France, j'avais un but bien défini : je voulais faire carrière dans l'armée du roi. Je crois posséder toutes les vertus requises pour le métier des armes : courage, adresse, faculté d'adaptation ; j'avais de l'autorité sur mes hommes et savais obéir à mes chefs.

Il semble que derrière mon pupitre de la chancellerie pontificale je sois contraint de faire provisoirement une croix sur ces projets. Aussi étrange que cela me paraisse encore maintenant, je suis *orator*, je revêts une fonction qui n'est habituellement réservée qu'à des savants ou prétendus tels. Je dois ce poste à la protection de l'évêque Aleandro, qui fut longtemps nonce apostolique à la cour de France. Il sait que je parle le français et l'espagnol, que je possède quelques notions de latin et que j'ai une assez belle écriture. Je suppose qu'il n'est pourtant pas venu à l'esprit de ce saint homme de me procurer une activité plus conforme à mes aptitudes. Quoi qu'il en soit, me voici donc là, pour le compte de l'un des secrétaires du secrétaire particulier de Sa Sainteté, occupé à élaborer des discours destinés à être lus en public par le podestat sur la place de quelque hameau : « Braves gens, les taxes ont encore augmenté, le pain coûtera encore plus cher. »

Que fais-je parmi les clercs ? Rares sont les laïcs qui exercent ce métier ; ceux qui le font le considèrent comme une fonction honorifique, empochent la rente annuelle et engagent un moine pour exécuter les tâches. Si je trouvais l'occasion de mieux occuper mon temps, je suivrais leur exemple.

L'homme en bleu paon, cette cassolette ambulante, appartient-il à cette catégorie ? Je l'ignore. Réflexion faite, je crois qu'il n'est pas le hâbleur superficiel pour lequel je le tenais. Il n'est pas sot. Cette affabilité tapageuse, cette forfanterie joviale, tout cela n'est qu'une comédie destinée à détourner l'attention du fait qu'il n'a pas les yeux ni les oreilles dans sa poche. Il est habité par la curiosité, avide de la moindre nouvelle, de la moindre rumeur. Il me considère moi aussi comme une proie, je le remarque. Lorsque je lève les yeux, je vois les siens fixés sur moi : un regard étincelant, insolent, qui me contrarie. Un homme d'honneur n'a pas coutume de dévisager quelqu'un de la sorte. Je veux savoir qui il est et ce qu'il manigance.

Borgia, Borgia. Sous les voûtes du Vatican, mon nom n'a plus la même résonance. Jamais je n'ai éprouvé un besoin aussi impératif, obsédant, d'évoquer des images de mes jeunes années. A quoi tient cette soif de retourner sans cesse en pensée vers un passé qui ne m'a apporté que trouble et confusion ? En France, je pouvais pour la première fois bannir le doute qui m'avait toujours secrètement accompagné. Une fois admis à la cour du roi François, je me sentis délivré des ombres et des spectres. Les hommes m'acceptaient parce que j'étais bon cavalier, bon chasseur et que je savais me battre, les femmes parce que ma façon méridionale de les courtiser leur plaisait. Qu'avais-je besoin d'être un autre que moi-même ? Je me dépouillais de mon agitation comme un serpent se défait de son ancienne peau desséchée. Peut-être la présence de Louise m'aidait-elle à retrouver la conviction que j'avais dans mon enfance d'être le fils de César.

Je m'habituais à vivre avec la lie du dégoût au fond de l'âme. La conscience de cette présence – qui n'était sans doute pas là sans raison – me poussait à me montrer plus formaliste dans mon comportement et mon maintien. Je constatais les mêmes tendances chez Louise. A la cour frivole, elle menait une vie exemplaire, se cuirassant dans une orgueilleuse réserve. Nous nous efforcions tous deux de nous approprier la rigide courtoisie espagnole, un style de vie qui correspondait mieux à notre tempérament que la grâce des Français, et le panache des Italiens.

Cela me rappelle un incident remontant à l'époque où je combattais dans les Pyrénées au service du roi François. C'était en 1521, au début des hostilités entre le roi et l'empereur. Les Espagnols occupaient la Navarre. Sous le commandement du duc de l'Esparre, nous nous lancions à la reconquête de ce territoire. L'armée se composait essentiellement de Gascons, de Basques et de Navarrais ; je faisais partie des *gens d'armes** envoyés par le roi.

Après les escarmouches devant la ville de Pampelune, mes hommes trouvèrent dans les buissons longeant la route un Espagnol blessé par une mousquetade. Je m'adressai à lui dans sa langue, lui demandai son nom et d'où il venait.

Il écouta attentivement, me toisa de la tête aux pieds de son regard pénétrant. « Vous êtes un noble espagnol comme moi, dit-il enfin, pourquoi vous battez-vous du mauvais côté ? »

A la réflexion, je considérai sa remarque comme un compli-

* En français dans le texte *(NdT)*.

ment. Sous l'influence d'Alphonse d'Este et de mes amis français, je condamnais à l'époque la politique espagnole. Je savais déjà en outre qu'en Espagne la lignée Borgia était définitivement tombée en disgrâce. Néanmoins, à partir de cette rencontre, je pris la résolution d'adopter le comportement d'un hidalgo. J'estimais que j'avais reçu la meilleure part de l'héritage des Borgia.

Plus tard, l'Espagnol fut libéré contre une rançon. Je me souviens de son nom ; il s'appelait Ignace de Loyola.

Il existait une constante interaction entre le sentiment nouveau de ma propre dignité et la vie de soldat que je menais. Les voyages et les marches pleines de dures épreuves le long des frontières sud et sud-est de la France, les sièges et les batailles, la fréquentation de militaires aguerris m'avaient endurci physiquement contre toutes sortes de désagréments et me cuirassaient moralement contre des sentiments que je croyais avoir à jamais bannis au tréfonds de moi-même. Je ne pouvais me douter qu'ils continuaient à proliférer. A présent que je respire l'air de Rome, ils croissent en moi comme une plante vénéneuse. L'homme que j'étais pendant ma vie d'action, en plein air, chevauchant, combattant, sans être entravé par l'incertitude, n'existe plus. En ôtant ma cuirasse et mon haubert, je renonçais du même coup à ma personnalité de chevalier. L'*orator* en habits de cour, qui n'a plus pour tout horizon que les salles et galeries, les cours intérieures symétriquement aménagées du palais pontifical, est un étranger auquel je ne m'identifie qu'à contrecœur. Qui et que suis-je ? Pour le savoir, il faut d'abord que je découvre comment me voient les autres.

Je n'ai pu me présenter à la cour sous le nom de duc de Camerino. Aleandro m'a informé avec beaucoup de tact que je m'attirerais de graves ennuis si je le faisais. Celui qui maintenant porte ce titre, Giammaria Varano, est à Rome, semble-t-il. Mais, même si ce n'était pas le cas, il n'est pas ici âme qui vive qui soit disposée à reconnaître mes revendications. A vrai dire, je ne crois pas moi-même pouvoir faire valoir mes droits au duché. Varano, héritier légitime d'une famille qui, de mémoire d'homme, a toujours résidé à Camerino, est naturellement le détenteur légal des terres et du titre. Qu'ai-je jamais été d'autre qu'un usurpateur ? En faisant allusion au rôle que j'ai joué brièvement lorsque j'étais enfant, sans que l'on m'eût demandé mon avis, inconscient de la situation, je ne ferais que me rendre ridicule.

Dans cet entourage, le nom de Borgia a une signification qui dépasse de loin ce que je suis en mesure de découvrir pour l'instant. L'on ne me voit pas en tant qu'homme ; tout ce que l'on voit, c'est un Borgia. Si je pouvais savoir à quels faits, quelles rumeurs, légendes et catastrophes inventées, ou à demi oubliées, on m'identifie, je pourrais du moins prendre position, me défendre. Mais, autour de moi, on fait le silence. Révérences courtoises, salutations affables, empressement à me faire participer à des entretiens superficiels, ce n'est pas cela qui manque. Personne ne m'a encore accordé sa confiance, nul n'a tenté de m'associer aux actions et intrigues de groupes existants. En revanche, on m'a également épargné les plaisanteries de mauvais goût dont on gratifie habituellement les nouveaux venus. Journellement, dans les jardins du Belvédère, un courtisan de fraîche date bascule dans une fosse creusée à cet effet, remplie d'immondices et cachée sous des branchages. Jusqu'ici, personne n'a osé m'inviter à une telle promenade surprise.

Pietro l'Arétin
et Giovanni Borgia

« Ah, messire, veuillez m'excuser ! Dans cette bousculade, on ne sait où poser le pied. Ce ne serait pas un luxe si l'on élargissait cette galerie. Qu'en pensez-vous, messire ? Ces messieurs qui sont reçus en audience par Sa Sainteté peuvent du moins attendre dans les antichambres ; les gens de leur suite bloquent continuellement les loggias. Une cohue et un tapage comme sur un marché au poisson ! Écoutez-moi cela... vous entendez parler ici tous les dialectes de l'Italie. Ce ne sont que débats, fanfaronnades, boutades... Ces joueurs de cartes et de dés là-bas perdent leur temps d'une manière plus amusante. Allez-y... que l'argent roule, messieurs, avant longtemps vous sortirez vos couteaux. Hier encore les gardes du corps ont dû intervenir. Des laquais des légations de Venise et de Sienne menaçaient de se trancher mutuellement la gorge. Plus tard, sur la piazza San Pietro, ils ont vidé leur querelle... J'ignore comment cela s'est terminé... Messire, pourquoi cette attitude hostile ? Me garderiez-vous rancune de vous avoir marché sur les pieds ?

— Je suis pressé, messire.

— Sûrement moins que ces deux monsignors, là-bas. Voyez donc, les gardes du corps dégagent le passage pour les toges rouges. Les personnages moins puissants, comme vous et moi, doivent s'effacer, n'est-ce pas ?... Je vous conseille d'attendre un instant, messire... si du moins vous ne voulez pas recevoir un coup dans la poitrine avec le bout contondant d'une hallebarde. Ces suisses n'ont pas la main tendre.

– Je vous prie de ne pas me retenir, messire. J'ai l'ordre de me rendre immédiatement chez le secrétaire du dataire.

– Ah, tiens... chez Berni ? Holà, messire, restez debout sur vos jambes. Vous avez failli trébucher sur la pourpre. Aujourd'hui, les péripatéticiennes les plus riches de Rome et de Venise portent des traînes moins longues que celles des cardinaux.

– Merci de votre assistance. Ayez la bonté de me laisser poursuivre mon chemin.

– Bien volontiers. Mais c'est trop tard. Une nouvelle compagnie sort de la salle d'audience. Vous devrez patienter jusqu'à ce que ces messieurs soient passés. Que dis-je ? Cette fois, des femmes sont du nombre. Je vois de qui il s'agit... la marquise de Pescara. Regardez passer la seule femme vertueuse de Rome, messire. Elle paraît rarement en public lorsque Son Excellence son époux est au loin, dans l'armée de l'empereur. *Je serai aussi souvent auprès de toi que Pescara auprès de sa Vittoria.* C'est le refrain persifleur d'une chanson populaire, sur un homme désireux de se débarrasser de sa maîtresse. Je dois le reconnaître, Son Excellence la marquise supporte son destin avec une patience admirable. Une belle femme, qu'en dites-vous ? Un peu froide, peut-être, trop austère à mon goût, mais quel port, quels yeux, messire ! Une statue antique, non, pas une Aphrodite, plutôt une Artémis, ou une Athéna Nikê. Descendante des Colonna, sang noble, race fière ! Votre serviteur, madame. C'est une femme devant laquelle on s'incline, même si l'on est sûr qu'elle ne répondra pas à votre salut. Voyez donc, Varano condescend cette fois à me remarquer !

– Varano ?

– Cet homme-là, qui marche sur les talons de Son Excellence la marquise. Cette grande femme au visage chevalin à côté de lui est son épouse, Caterina Cibo, une nièce du pape.

– Varano, duc de Camerino ?

– C'est exact, messire... Tous deux sont très amis de Son Excellence la marquise. Ils se sont installés chez elle au palais d'Ascanio Colonna. Je me suis laissé dire que les divertissements de cette noble compagnie consistent à lire ensemble les Épîtres de l'apôtre Paul et à assister aux réunions de la *Compagnia del Divino Amore*. Est-il un passe-temps plus édifiant ? Vous allez dans la mauvaise direction, messire, vous suivez le cortège. Si vous devez vous rendre chez Berni, mieux vaut emprunter la galerie des fresques. Que vous êtes donc pressé... je peux à peine vous suivre.

– Je ne vous ai pas demandé de m'accompagner, messire.

– Que Varano et son épouse aient rendu visite à Sa Sainteté ne me surprend nullement. Les familles Médicis et Cibo sont deux têtes sous le même bonnet, comme on dit. Mais que signifie la présence de la marquise ? Pescara est un partisan plus fervent de l'Espagne que les Espagnols, et depuis des années les Colonna sont à couteaux tirés avec tous les papes ; ce sont des gibelins de la plus belle eau. De surcroît, Son Excellence la marquise est en disgrâce depuis un an.

– Le duc de Varano a-t-il une fonction à la cour ?

– Curieusement, non, messire. Ses relations avec Sa Sainteté lui permettraient d'obtenir tout ce qu'il veut, pourrait-on dire. Sans doute manque-t-il d'ambition. Lui et son épouse s'intéressent plus aux affaires spirituelles qu'aux affaires temporelles. On prétend qu'ils patronnent un nouvel ordre de frères mendiants. Ce n'est pas la première fois qu'ils viennent ici demander des faveurs pour leurs protégés... Mais Son Excellence la marquise ? Si elle cherche un rapprochement avec le pape, il va de soi que Varano servira de médiateur... Ah, maintenant je devine vos desseins, vous voulez couper à travers le cortège... Alors, venez par ici, entre ces piliers, de là vous pourrez voir une fois encore passer la compagnie.

– La place est déjà prise, messire. Faites-moi la grâce de laisser cet homme en paix. Je n'ai pas l'habitude de jouer des coudes pour être au premier rang.

– S'il s'agissait d'un autre, je dirais : Faites taire vos scrupules. Avoir la préséance est une question d'habileté. Dans le cas présent, il est séant que nous nous effacions. Savez-vous qui est cet homme, messire ? Je vois que vous ne le connaissez pas. Miteux, poussiéreux, négligé comme de coutume, toujours excentrique, inabordable, notre Michel-Ange Buonarroti. Mais un grand homme. On doit pouvoir lui passer bien des choses. Tout le monde n'a pas les idées aussi larges que moi... Il a beaucoup d'ennemis à Rome. Fruste jusqu'à la grossièreté, n'ouvrant pas la bouche pendant des jours, ombrageux, sauvage. Que ne raconte-t-on pas sur lui !... Qu'il encaisse des avances, mais ne remet pas son travail dans les délais prévus, ou ne le livre pas du tout, court après les jolis garçons, et cela pas seulement pour les immortaliser dans la pierre ou en peinture... Mais c'est un grand artiste, messire, un géant parmi les géants... Je sais ce que je dis... je m'y connais en matière d'art.

— Qui êtes-vous et que faites-vous vous-même, messire ? Un guide qui, sans y être invité, fournit des explications sur tout ce que l'on peut voir ici ?

— Ah, je vois, vous me considérez comme un intrus ! Je vous importune. Mais ne niez pas que vous aimeriez en savoir plus long sur le duc de Camerino. Quelle chance que je me sois trouvé là pour satisfaire votre curiosité. Sans me vanter, je peux dire que je sais tout sur le monde de la cour. Il vous suffit de poser des questions.... Je suis à votre service.

— Votre nom, messire ?

— Voulez-vous prétendre ne pas me connaître ? Éloignons-nous de cette foule. Par ici, messire, empruntons cette galerie, elle est étroite, le grand public n'y vient pas. Vous avez pourtant dû entendre parler de moi. Je suis Pietro l'Arétin, depuis peu chevalier de Rhodes, poète, rhéteur, pamphlétaire, panégyriste et censeur, auteur satirique, hagiographe, médiateur dans l'achat d'œuvres d'art antiques et modernes, homme de confiance et correspondant de personnages importants à Rome et au-dehors, pour vous servir.

— Vous êtes extraordinairement sûr de vos mérites, ce me semble.

— Aussi sûr que deux et deux font quatre ; aussi sûr que le fait d'être en ce moment dans la galerie des sculptures, aussi sûr que l'envie qui me prend de réduire en miettes cet hypocrite visage de pierre, là... Qui est-ce donc ?... San Onofrio, San Pasquale... quelque obscur martyr !

– Reprenons donc notre marche avant que vous ne vous laissiez entraîner à quelque méfait. Je suis pressé.

– Sérieusement, messire, trouvez-vous réussies les trognes de cette galerie ? Manque d'expression, de vie, travail fait sur commande, datant d'une époque où les sculpteurs ne savaient pas encore comment s'y prendre pour donner chaleur et souffle à la chair. Voyez plutôt les œuvres de messire Michel-Ange, que nous venons de croiser. Ce qu'il fait vit, est éloquent...

– Je ne suis pas surpris que vous donniez la préférence à un art éloquent.

– Ah, ah ! Vous voulez me faire marcher, messire. Figurativement, vous n'y parviendrez pas, mais au sens propre, bien volontiers. Par ici, à droite, attention aux faux pas, au tournant, certaines marches sont perfides. Je peux voir que vous ne vous sentez pas encore parfaitement à l'aise dans le labyrinthe pontifical, messire Giovanni Borgia.

– Manifestement, vous savez aussi qui je suis.

– Je sais sur vous tout ce qui vaut la peine d'être connu. Vous venez de la cour de France, vous avez combattu dans les armées du roi François à Pavie, vous avez été fait prisonnier par les Impériaux, mais libéré vingt-quatre heures après, parce que vous avez eu la sagesse de vous joindre à l'escorte du nonce, Son Excellence Geronimo Aleandro, prisonnier lui-même, mais naturellement, par égard pour le pape, réexpédié à Rome sur-le-champ avec toute la courtoisie d'usage.

– Vous êtes étonnamment bien informé.

– Ma spécialité, messire ! J'ai le nez fin. Vous êtes venu à Rome avec Aleandro et, par ma foi, ces jours de voyage n'ont pas été en pure perte s'il est vrai que vous devez vos fonctions actuelles à l'intercession de Son Excellence. Au temps du pape Léon X, il était très facile d'obtenir un office. Celui qui savait tenir une plume et avait assez de cervelle pour ne pas lire un livre à l'envers était casé ; c'était ici un foisonnement d'individus qui osaient se dire savants et

hommes de lettres. Maintenant, ce n'est plus si simple...
sans de puissants appuis, on n'arrive plus à rien, on n'a
aucune chance. Le pape Clément VII est économe et manque
de goût, mais il se laisse bien conseiller avant de consacrer
de l'argent aux arts et à la science. Que vous, qui n'êtes pas
poète de profession, ayez pu devenir *orator* pontifical prouve
en tout cas votre habileté et votre persévérance... ou suppose
les faveurs spéciales de personnages influents...

— Pourquoi ne serait-ce pas une preuve de mes mérites
personnels ?

— J'ai pris la liberté de demander à voir quelques-uns
de vos projets de discours. Le style est très correct, tout y est
conforme aux consignes, mais terne, sans feu, sans inspiration. Sans allure, sans inventivité dans la présentation du
sujet, dans le titre, les métaphores, les formules terminales.
Il ne s'en dégage pas l'ombre d'une expérience du cœur
humain, vous ignorez comment manipuler les sentiments
des lecteurs et auditeurs. Il faut les flatter, les séduire, les
aiguillonner, piquer leur curiosité, les conduire par des voies
que vous avez choisies... vous devez les froisser, les bafouer,
les braver, selon les circonstances. Vous ignorez les secrets
de la vraie rhétorique. Vous n'êtes pas possédé par la passion
des mots. Bref, messire, vous n'avez pas un grain de talent.
Si vous avez obtenu cette charge, c'est pour d'autres raisons.

— Raisons que, bien entendu, vous connaissez également...
Je ne sous-estime pas votre flair.

— Ah, voilà qui promet de devenir une conversation inté-
ressante...

— Pas aujourd'hui, messire. Je suis déjà en retard à mon
rendez-vous.

— Vous avez raison... ne faites surtout pas attendre Berni
inutilement. Il est très fâcheux de l'avoir pour ennemi, j'en
sais quelque chose. C'est un honneur qu'il vous fait en vous
convoquant, messire. Peut-être pour une tâche que souhaite
vous confier le dataire ?

— Je ne sais rien de tout cela.

— Il faudra que nous nous revoyions sous peu. Vous êtes

étranger ici, sans doute aimeriez-vous avoir des lumières sur toutes sortes de sujets. Je suis à votre disposition. Je suis au courant de tout et j'ai d'excellentes relations. Je peux vous mettre au fait de tout ce qui se passe au Vatican et à Rome. Vous voudrez voir la ville, je présume. Je vous conseille de ne pas y aller seul ; surtout dans les quartiers du Transtévère, de Ripa et de Saint-Ange, qui sont infestés de canailles. Ce qu'il vous faut c'est un guide fiable, un ami, un homme du monde, qui connaît les bonnes adresses et peut vous procurer des introductions. Pantasilea, Antea, Tullia, nos grandes courtisanes, je les connais toutes personnellement. Il vous suffit de me faire signe et Rome est à vous.

– Merci de votre offre, j'y songerai. Permettez que je vous salue, messire...

– L'Arétin, Pietro ! Peut-il y avoir à Rome un homme qui ne me connaisse pas ! ? Hé ! holà, messire... ou faites-vous le sourde oreille ? Nous nous reparlerons. »

Michel-Ange Buonarroti

Les mains dans le dos, il parcourait d'un pas rapide les galeries latérales désertes. Au loin, derrière lui, résonnaient des voix et des pas entre les colonnades du grand portail, un flot ininterrompu de bruits. Les échos se prolongeaient jusqu'à l'endroit où il se rendait. A sa gauche, une longue rangée de portes closes décorées de ferrures en or et en bronze ; à sa droite, une cour intérieure apparaissait sans cesse à travers de hautes arcades. Sur les dalles au soleil, des arbustes fleurissaient dans des pots. Un groupe d'ouvriers restaurait un mur sous la surveillance d'un architecte. Des morceaux de mortier écroulé, de vieilles pierres, des écailles de stuc décoloré jonchaient le sol de la galerie. Ici régnait le silence, comparativement à l'animation dans les loggias longeant les salles d'audience du pape. Pas de visiteurs, de pèlerins, d'étrangers curieux, de camelots, de mendiants, seulement de temps à autre un courtisan suivi de ses laquais, un fonctionnaire ou un prélat domestique reconnaissable de loin au froufrou crissant de sa toge de taffetas. Dans l'air flottait une odeur d'encens, de bois vermoulu et de mets très épicés, de salles qui n'avaient pas été aérées depuis long-temps, de tapis sentant le renfermé et de parfums rances, de boue du Tibre, de lauriers-roses en fleur, de fruits blets et de fumier de cheval.

Il était venu à Rome à contrecœur. La peste avait éclaté dans la ville ; parmi les artistes de la cour, son ennemi, Bandinelli, faisait la pluie et le beau temps ; de plus, il avait dû interrompre à Florence le travail qui le passionnait, dont il était possédé. Cette perte de temps le remplissait d'amertume. L'affaire pour laquelle il avait été mandé était trop compliquée pour pouvoir être réglée en quelques jours. Il avait exposé son point de vue à de nombreuses reprises dans des lettres et des messages. Que néanmoins le pape l'eût obligé à assister en personne à la longue enquête où s'affrontaient l'attaque et la défense lui apparaissait comme une offense personnelle. Les faits étaient effectivement connus, les pièces concernées étaient déposées à la chancellerie. Dans le contrat qu'il avait conclu jadis, en 1513 ou 1514, avec les héritiers du pape Jules II, il n'avait été question que de poursuivre les travaux relatifs au monument funéraire commandé par le défunt. La date d'achèvement des travaux n'avait jamais été fixée. Il n'avait pas violé cet accord en donnant temporairement la priorité à un autre ouvrage. En outre, il pouvait prouver que ce dernier avait été exécuté sur les ordres du pape Léon X. Il avait effectivement touché une grande partie des dix-sept mille ducats qui devaient couvrir les frais de matériel et de salaire, mais beaucoup moins que ne le prétendaient les sieurs Della Rovere. Quiconque prenait la peine de venir voir la statue de Moïse, les blocs de marbre et les réserves de bronze destinés au monument, devait pourtant comprendre à quoi il avait consacré cet argent. Le pape Clément aurait pu sans problèmes régler cette affaire à la satisfaction générale. Qu'il eût opté pour des pourparlers interminables, pour un jeu d'auditions des deux parties à la limite du grotesque, prouvait une fois de plus l'incapacité de Sa Sainteté à trancher.

L'honnêteté l'obligeait à nuancer ces pensées acrimonieuses. Il se savait coupable du malentendu né entre lui et les héritiers du pape Jules. Lorsqu'il travaillait à une tâche, il ne se souciait pas du règlement financier d'une commande. Plus tard, il ne se souvenait plus des conditions exactes de l'accord. La hâte et l'impatience le poussaient à faire des promesses dont il ne mesurait pas l'ampleur. Il avait envoyé une partie de la fameuse avance à son père et à son frère ; qui pouvait le lui reprocher puisque chacun savait qu'il devait entretenir toute sa parenté ? Avait-il par hasard reçu en argent comptant une somme supérieure à celle qu'il avait maintenant à l'esprit ? Il maudissait sa négligence, le désordre de ses comptes. Il savait seulement que durant dix, douze ans, il avait travaillé jour après jour, et le plus souvent même la nuit, à la fois au monument funéraire et aux nouvelles commandes de Florence – une torture, parce qu'il ne pouvait plus se contraindre à se consacrer à la première ni à abandonner un seul instant la seconde, ne s'accordant même pas une seule heure de liberté.

Il était légitime qu'on lui demandât maintenant des comptes. Mais que pouvait-il avancer pour sa défense ? Il était prêt à s'avouer coupable, à satisfaire à l'obligation de rembourser ce qu'il avait reçu ou de terminer le monument dans un bref délai, pourvu que désormais on le laissât en paix. Il n'osait pas espérer la réalisation de son vœu le plus cher : être déchargé d'une tâche qui ne l'inspirait plus, qui était devenue pour lui un supplice, un joug qui pesait lourdement sur lui, un boulet qui l'entraînait dans les profondeurs du désespoir.

Ces jours à Rome étaient une source de tourments infinis. Il n'avait rien à faire, devait être toujours prêt à répondre à une convocation possible. Il visitait les ateliers des peintres, sculpteurs et ferronniers d'art au service du pape, y trouvait beaucoup de savoir-faire, souvent des formes et des couleurs d'une perfection indéniable, mais pas une trace de l'inspiration qui, au temps de Raphaël, du Pérugin, de Francia, Bramante et Signorelli, avait sanctifié ce lieu. Partout où il allait, il se heurtait à l'hostilité de Bandinelli, épigone et pourchasseur de succès faciles, qui régnait sur le troupeau de sommités de troisième ordre. Estimant l'œuvre de Bandinelli méprisable, il refusait de se laisser intimider par certaines rumeurs persistantes. Même dans ses accès de profond découragement, il ne pouvait croire que le pape lui retirerait une commande importante au profit de Bandinelli. Dès son arrivée à Rome, il avait senti les remous, l'agitation qui trahissent la présence de courants sous-jacents. Il fermait ses oreilles aux échos de ces intrigues ; mais pendant la durée de son séjour à la cour, ils ne cessèrent de l'entourer – un bruit accompagnateur, irritant comme un bourdonnement de mouches.

Il savait qui était responsable de la plus grande partie de la critique, des calomnies et des oppositions auxquelles il était confronté depuis plusieurs années. A l'instant, entre les piliers proches de la porte de bronze, l'Arétin, cette sangsue, un rat renifleur parmi les ordures, une vermine qui ne peut prospérer que dans la puanteur et la décomposition. Dès qu'il vit ce regard, entendit cette voix, il se sentit pris de dégoût et de rage. Vénal et pourri, tel est cet individu qui vend sa plume au plus offrant, qui traque les secrets d'alcôves et de confessionnaux, qui ramasse de l'argent à la pelle en exploitant la passion et le désespoir des autres, moins capables que lui de cacher leur jeu. Pour celui qui a coutume de se commettre avec des gitons du plus bas aloi, l'admiration presque idolâtre qu'inspirent un noble visage ou un corps parfait ne peut être que l'expression d'appétits charnels.

Il cracha rageusement sur le sol. Il se sentait souillé, brutalement arraché à la concentration qu'exigeait l'ouvrage abandonné à Florence. Le désœuvrement forcé : la pire torture. Rester physiquement actif et réfléchir, réfléchir... sans ce contrepoids, il sombrerait dans la folie. En vain tentait-il de se persuader qu'il avait asservi le désir charnel, qu'il n'en était pas devenu lui-même l'esclave. Ce désir ne pouvait être écarté, il entachait chaque triomphe. Aussi se savait-il vulnérable aux rumeurs que répandait sans retenue l'Arétin, comme si la calomnie était une vermine capable de se multiplier à l'infini. En cet homme, cet aventurier du Verbe, il voyait comme dans un miroir déformant ses propres sentiments grotesquement mutilés. A quoi bon se défendre ? Il pouvait affirmer en conscience n'avoir jamais pratiqué la sodomie au sens habituel du terme avec aucun ami ou modèle. Comment faire comprendre à autrui que le jeu des lignes d'un corps masculin ou féminin pouvait le transporter de joie, le plonger dans une extase que l'élan créateur ne suffisait pas à expliquer ? Éros subjuguait ses sens, mais c'était

Éros le divin, l'Éros ailé, l'Éros-Phénix, surgi des cendres de sa sensualité aveugle.

La voix intérieure, ce démon qui lui refusait la paix, l'obligeait à descendre jusqu'au tréfonds de lui-même. Non pas les amis, qu'il avait en haute estime, ni les jeunes hommes qui lui servaient de modèle – leur beauté, qu'il considérait comme divine, créait une distance –, mais les tailleurs de pierre, les peintres, ses compagnons qui dormaient sous le même toit que lui. Des individus habitués aux plaisirs les plus grossiers, aux plaisanteries les plus obscènes. Susciter et assouvir la lubricité, avec ou sans femmes, actes accomplis machinalement, répondant aux seuls besoins du corps, comme des bêtes en chaleur...

*
*   *

Cette souillure m'accompagne où que je sois, où que j'aille. Ce sentiment d'infériorité me serait-il inconnu si j'osais approcher les femmes ? Mes cheveux ont blanchi sans que j'aie connu cette forme d'amour. Mais une femme vénale est une offense à la nature, une horreur sans égale. Les autres, les filles et sœurs vierges, les mères et épouses honorables, sont pour moi des étrangères, des êtres appartenant à un monde inconnu, des êtres que je peux observer, recréer, mais que je ne peux comprendre jusque dans les profondeurs de leur chair, comme je m'appréhende moi-même ainsi que mes semblables...

Il est symbolique que justement messire l'Arétin se soit jeté entre moi et cette femme impressionnante, splendide, là-bas, dans la galerie. D'une main, elle retenait les plis d'un voile sur sa poitrine. Un bijou fixé au-dessus de son front, à la limite des cheveux, scintillait au rythme de ses mouvements. La peau lisse, luisante, tendue sur les pommettes, les tempes et le menton. Les lèvres pleines, que la maîtrise de soi réduisait à une

47

ligne sévère. Un corps gracile, souple sous le poids des jupes de velours et de soie. Les membres longs, des proportions harmonieuses, la démarche fière, un équilibre parfait, la tête droite, les épaules dégagées. C'est une belle et saine créature, Aurore, Déméter, la Victoire ailée. Extérieurement du moins. L'âme que recouvrent ces formes superbes reste un mystère.

*

* *

Il était devenu un étranger à Rome. La ville lui semblait un coquillage vide, une forme admirable sans contenu. Le profil de cette Rome nouvelle, qu'il avait vu construire dix ans plus tôt, était resté le même, mais les palais, les basiliques et les ponts baignaient dans une lumière stérile, froide, d'où la vie s'était envolée.

Il passait son temps de préférence dans la partie du Vatican jouxtant la chapelle Sixtine. Entre les échafaudages des maçons et des peintres occupés chaque jour à niveler des murs, à créer de nouvelles baies, à restaurer des fresques, il pouvait au moins réfléchir. Il cherchait lentement son chemin le long de galeries désertes, de dallages affaissés, de tas de bois et de pierres. Parfois, il s'arrêtait pour tracer hâtivement du pouce quelques lignes dans la couche de poussière d'une balustrade. Il les regardait, les essuyait d'un revers de manche et poursuivait sa route. Un peu plus loin, il recommençait à griffonner, traçait des croix, des triangles, des potences, des ébauches de constructions de lattes dont il aurait besoin pour réaliser des modèles en argile. De temps à autre, il laissait échapper un juron, son visage se contractait comme sous l'effet d'une crampe. La tâche qu'il avait dû abandonner, les œuvres inachevées qui l'attendaient, son impuissance à faire ce dont il s'était chargé étaient autant de pensées aussi douloureuses que l'effleurement d'une blessure à vif. En dix longues années, il n'avait pu mener à son terme aucune commande. Le temps avait passé sur lui, ne lui laissant rien, pas le moindre résultat tangible de son épuisant labeur, aucune satisfaction, pas un instant de sérénité.

La cour des Borgia, et le cortile della Sentinelle : des taches de soleil d'un blanc éblouissant en forme de losanges. Pas une brise ne soufflait des collines, aucune fraîcheur à l'ombre des corridors et des portiques. En plein été, il serait impossible de fuir la chaleur, même sous les voûtes les plus obscures de l'ancienne partie du palais.

Il salua la sentinelle postée près de la porte latérale de la chapelle. Comme toujours à cet endroit, il éprouva un certain malaise, pareil à celui d'un nageur sur le point de plonger dans une eau dont il n'a pas jaugé la profondeur. Il s'arrêta, indécis. Son désir, tourment et délectation à la fois, l'emporta sur la sagesse qui l'incitait à faire demi-tour. Il poussa les battants de la porte capitonnée de cuir et entra.

Appuyé contre le mur, les bras croisés sur sa poitrine, il leva les yeux. Du haut de la coupole et depuis les arcs surmontant les fenêtres, prophètes, sibylles, titans, atlantes, angelots candides supportant les colonnes le regardaient : ses propres créatures, nées du chaos intérieur que lui-même n'osait sonder. Il savait ses doutes, son désespoir, son amertume et son inquiétude incarnés en eux. A cette distance, il avait du mal à distinguer les physionomies, le jeu subtil des gestes. S'il voulait se plonger dans les détails, il devait fermer les yeux : regard et attitude, l'arrondi des muscles sous la chair, l'éclat des yeux et des boucles de cheveux, les plis des vêtements.

Au cours des années pendant lesquelles il avait été allongé comme un supplicié sur les hauts échafaudages, gémissant sous la crampe presque intolérable de son bras tendu vers le haut, et des doigts qui tenaient le pinceau, chaque partie de sa création s'était gravée à jamais dans sa mémoire. Nées de lui, vers lui revenues, ses créatures existaient sous un double aspect : là-haut, sur la coupole, visible, l'esprit devenu forme ; et en lui : insaisissables par les sens, accessibles seulement au prix d'une extrême concentration, elles redevenaient étroitement liées aux ténèbres magiques d'où elles avaient puisé leur origine. Les images au-dessus de sa tête, aussi intangibles que le ciel étoilé, lui étaient devenues étrangères. Seule leur image spéculaire, qu'il portait en lui, semblait encore pleine de feu et de vie, encore animée par la force de sa passion.

Le visage inondé de sueur, de larmes et de gouttes de peinture, la gorge et les narines irritées par la poussière et les fins gravats qui voltigeaient toujours en nuages autour de l'échafaudage, grommelant, jurant, priant, murmurant des exorcismes à la matière encore sans âme, il souffrait les affres d'une femme en gésine. De l'aube au couchant, tant que la lumière du jour était favorable : l'isolement sur sa plate-forme ; et la nuit : la torture de l'insomnie. Son corps tenaillé par l'épuisement, son esprit par le doute. Le matin, il escaladait l'échafaudage, écœuré de son impuissance, possédé par la volonté de détruire, d'effacer irrévocablement l'œuvre ratée. Accroupi sous le plafond, il mélangeait le plâtre, l'eau et le sable pour faire un nouveau fond. Ensuite, il s'étendait sur le dos, cherchant à tâtons brosses et pinceaux.

Venu des profondeurs du ciel, Dieu le Père descendait sur lui telle une tornade, des anges curieux se cachaient dans Son manteau violet, bruissant, gonflé par le vent ; le soleil, la lune et les étoiles reculaient. Adam dormait, tourné vers la terre ; un corps pétri dans l'argile et la poussière, parfait de forme, mais privé de conscience, plongé sans défense dans l'état onirique qui précède la vie et semble aussi profond, aussi immuable que la mort. Le Tout-Puissant tendait son doigt vers lui : « Lève-toi ! » Mais Adam ne pouvait se lever, il dormait, la joue appuyée contre la terre, fruit arrivé à terme mais qui ne peut encore se détacher du sein maternel.

Lorsque, après des jours d'un labeur désespéré, des nuits entières de lutte intérieure, il considéra un matin l'ensemble de la fresque, il comprit soudain à quoi tenait l'échec. La création de l'homme : le corps était créé, l'âme ne s'était pas encore révélée. Seul importait l'instant décisif où la nouvelle créature va se distinguer pour la première fois de la matière morte et des animaux, se tourne vers Dieu, sort de son sommeil et se dresse.

Il avait recouvert de plâtre et de sable l'ébauche d'Adam endormi, jusqu'à ce qu'il ne restât plus qu'une tache informe, incolore. A présent, appuyé au mur, il levait les yeux vers l'illustration qu'il avait faite au plafond seize ans plus tôt, d'après une nouvelle esquisse. Il était absolument seul dans la chapelle, chétif insecte au fond d'une châsse précieuse. A chaque souffle, il aspirait l'odeur douceâtre, pénétrante, de l'encens. Maintenant que les portes menant au portail étaient fermées, aucun son du dehors ne pénétrait plus dans le saint lieu.

Les rapports entre Dieu et l'homme, entre l'homme et ce qui avait été créé avant lui, le monde. Le dernier jour de la Création, le Tout-Puissant sentit s'éveiller en lui le désir de produire un être capable de sonder le sens de Son œuvre. Mais l'univers était parfait dans toutes les sphères ; dans les formes archétypales des choses, Dieu ne pouvait plus rien trouver qui pût lui servir de modèle pour une nouvelle créature. Il fit l'homme à son image et lui insuffla la vie. « Lève-toi, Adam. Je ne te donne ni une sphère fixe, ni une figure inchangeable, ni une tâche définie. Toutes les autres créatures sur terre ont été pourvues d'une nature propre, doivent obéir aux lois de leur espèce. Pour toi, Adam, aucun lien, aucune limite, aucune restriction, sauf celle de la volonté que j'insuffle en toi. Tel que je t'ai créé, tu n'es ni céleste, ni terrestre, ni mortel, ni immortel. En toi dort la semence de toutes les formes de vie. Tu peux dégénérer, sombrer dans la bestialité, tu peux renaître au divin. A toi le choix, Adam, lève-toi ! »

Adam, tendant le bras vers Dieu, le genou plié, les yeux ouverts, était pour la première fois conscient de sa volonté. Il voulait se lever.

Le silence qui régnait sous les voûtes peintes sembla soudain troublé par une rumeur, un remous pareil à celui d'une multitude en proie à une terreur mortelle : une horde s'approchant, grondante, plaintive, un déferlement d'angoisse qui allait s'enfler.

51

L'homme en bas, près de la porte, se ramassa sur lui-même, s'aplatit contre le mur, leva les mains au ciel dans l'attitude défensive de celui qui est attaqué par surprise, bien qu'il sût que cet océan de bruits ne grondait qu'en lui-même. Ce n'était pas la première fois qu'elles l'appelaient, ces créatures de son imagination, encore à naître, êtres sans forme, sans visage, dont il ignorait le sort. Il entendait seulement leurs voix, ce chœur de damnés qui éveillait un écho jusque dans les fibres les plus intimes de son cœur. Les visionnaires qui, là-haut, avec leurs regards courroucés, leurs gestes d'admonestation, effarouchés, désespérés, ou plongés dans un sombre silence, montaient la garde auprès de la chute d'Adam et de sa race semblaient vouloir le contraindre à répondre à une question qui l'enfermait lui-même dans un dilemme : « Explique cette peine intérieure, ce désir qui nous tourmente. Quels sont le mobile de nos pensées, le son caché que nos oreilles tentent de capter, l'invisible vers lequel nous tendons de tout notre être ? Explique la tension qui nous oppresse comme une malédiction. Pour combien de temps encore et pourquoi, pourquoi ? »

Pourquoi ? Il écarta les mains de ses yeux. Comme d'innombrables fois auparavant, l'agitation de ces êtres, là-haut, le remplissait d'épouvante et d'un sentiment d'impuissance. Les prophètes et les sibylles, solitaires dans leurs niches, lui lançaient un défi, l'obligeant à prendre conscience de la tragédie qu'il avait osé représenter.

*
*   *

Qui suis-je... comment puis-je me connaître moi-même ? Votre ordre : « Lève-toi ! », retentit nuit et jour à mes oreilles, l'écho de Votre voix habite en moi. Mais je ne puis me lever, je suis enchaîné à mes désirs, mon orgueil, ma déraison. Usant de son libre arbitre – le cadeau que Vous lui fîtes à sa naissance –, l'homme a choisi le mal. En nous, vit l'ardent désir d'être séduits et damnés, un désir que Vous ne pouvez pas avoir créé en nous, mais qui existe, indéniable, et corrompt la vie sur terre. L'argile de la Création était-elle polluée ?

*

* *

Là-haut, se reflétait la crainte de la chute qui ne l'avait jamais quitté depuis que, jeune homme, il avait entendu à Florence Fra Jérôme Savonarole prêcher avec une passion surhumaine la damnation proche. Nus, ayant tout perdu dans leur fuite devant le Déluge, rassemblés en un troupeau comme des bêtes, les contemporains de Noé voient la mer monter jusqu'à leur dernier refuge. Le vent glacial qui pénètre jusqu'à la moelle des os, l'odeur de mort de cette mer sans rivages. Seigneur, Seigneur, faut-il que le Déluge réapparaisse sans cesse pour laver la terre de nos traces ?

Il ne supportait pas la tension que la confrontation avec cette œuvre éveillait en lui. Il se maudissait parce qu'il aurait pu s'y attendre. Toujours, les choses s'étaient ainsi passées. Au-dessus de sa tête étaient inscrites les projections de l'angoisse et de la culpabilité qui l'habitaient, tels des nuages dans un ciel d'orage, ici tournoyant comme dans un cyclone, là propulsés les uns sur les autres, lourds d'éclairs et de pluie. La tourmente devait encore éclater, mais quand, quand ?

Il fit demi-tour et quitta précipitamment la chapelle Sixtine à l'aveuglette, trébuchant à chaque pas.

Vittoria Colonna

Le cortège se scinda devant le pont du Tibre. Tandis que Giammaria Varano et son épouse choisissaient la direction du Transtévère – ils voulaient visiter la basilique de Sainte-Marie-Majeure –, la marquise de Pescara repartit avec sa suite vers le palais Colonna. Elle passa le reste du jour dans ses appartements privés.

*
* *

Mieux eût valu m'abstenir de rendre visite au pape. Son affabilité : un masque. Une trop grande méfiance nous sépare. Rien ne pourra jamais faire oublier Pavie. Il me reproche l'échec des plans de paix, aussi absurde que ce soit. Je m'y suis consacrée totalement à l'époque, Giberti sait avec quel dévouement. Non pas par ambition ou par goût de l'intrigue, mais par un besoin sincère de voir finir cette misère. Mon vœu le plus cher : servir de médiatrice, créer un climat offrant aux adversaires la possibilité d'un rapprochement. Sans une trace d'intérêt personnel, plutôt à mes dépens, car Ferrante rejetait mes idées. Faire l'unanimité sur un plan qui permettrait même à des ennemis de se tendre la main, tel était mon but, l'unanimité au nom du Christ. Je ne pouvais me douter que Sa Sainteté et Giberti exploitaient une fois de plus cette devise dans un dessein purement politique. Ils ont vu en moi un instrument propre à gagner Ferrante à leur cause. Ma déception la plus amère est bien d'avoir dû, après coup, reconnaître que sa méfiance était justifiée. Mais jamais je n'ai moi-même songé à un jeu diplomatique. C'est seulement dans l'intérêt de la paix que j'ai été un maillon entre le pape et les partisans de l'Espagne.

Pourquoi Sa Sainteté désirait-elle ma présence lors de l'entretien ? Il a parlé presque exclusivement à mes amis de Camerino. Ce qu'il finit par me dire était on ne peut plus courtois, mais sa voix restait froide, ses yeux étaient rivés sur moi. Quand mon époux devait-il revenir de Navarre ? Combien de temps pensait-il rester à Rome ? Les blessures reçues à Pavie étaient-elles guéries ? Un jeu purement formel de questions et de réponses. Sans chaleur, et conventionnel après le ton familier des lettres qu'il m'avait envoyées l'année précédente. Juste avant la fin de l'entretien, il lança une pique : « Votre Excellence doit maintenant désirer la paix plus passionnément que jamais, ne fût-ce que pour pouvoir enfin connaître les joies d'un bonheur conjugal sans nuages. Sa Majesté l'empereur accapare trop votre époux... Espérons qu'il saura récompenser comme il convient les mérites du marquis de Pescara. »

*
*   *

En peu de mots, un monde de significations. Le pape, Giberti, toute l'assistance connaissaient trop bien les circonstances dans lesquelles elle vivait pour se laisser tromper par un sourire de complaisance. Le sang reflua vers son cœur, ses lèvres devinrent froides et pincées. Elle n'avait pas répondu.

Le « bonheur conjugal » : une expression qui sonne bien, un mot de poètes. Existait-il vraiment, ce bonheur, hors du cadre des discours louangeurs, des panégyriques, des pastorales idylliques ?

56

Elle avait dix-sept ans lorsqu'elle fut donnée en mariage à Ferrante Francesco d'Avalos, marquis de Pescara. Cette union : un contrat aux conditions favorables pour les deux parties. Elle avait passé son adolescence au château appartenant à des parents de Ferrante à Ischia, un soulagement après une prime jeunesse pleine d'agitation et de dangers. Chassés de leurs terres par le pape Alexandre Borgia, dépouillés de leur part d'héritage – Nepi, en Romagne –, les Colonna s'étaient enfuis à Naples. Le père de Vittoria était commandant au service du vice-roi. Il savait qu'il ne pouvait acquérir de l'influence dans le Sud, favorable aux Espagnols, qu'en se faisant des relations parmi les éminentes familles de sang castillan. Les Avalos furent alléchés par le nom ancien et la gloire militaire des Colonna. Ferrante et Vittoria avaient le même âge ; ils étaient tous deux jeunes et sains, bien tournés et parfaitement éduqués. Les négociations relatives au mariage ne suscitèrent aucun problème.

Vittoria passa les années séparant la signature du contrat de la célébration effective du mariage chez une tante du fiancé. Ferrante lui rendait visite de temps à autre. En ces occasions, ils se parlaient peu ; seule la duègne voyait les regards secrets de Ferrante et la rougeur sur les joues de Vittoria. C'est aussi sur ses conseils que le mariage ne fut pas trop longtemps différé.

Parmi les citronniers en fleur du parc de la *casa* d'Avalos se dressait la statue d'une divinité antique. Des pêcheurs l'avaient trouvée dans la baie de Naples. Elle était d'un marbre jaune, lisse, parfaitement intacte : une figure de jeune homme ailé, les yeux clos, qui tient un doigt avertisseur sur ses lèvres. Lorsqu'elle fut apportée, des algues et du varech pendaient encore le long de son corps, pareils à une bave vert foncé, des coquillages s'étaient fixés sur elle comme des ventouses. Souvent, la jeune Vittoria s'arrêtait longuement devant ce dieu mystérieux. Elle voulait voir en lui Éros, mais Ferrante maintenait que la statue représentait Morta, la Mort. Plus tard, cette double apparence lui sembla se justifier. A quel moment l'amour était-il devenu une mort sans cesse répétée ?

Un jour, c'était encore au début de son mariage, elle avait compris que la présence de Ferrante, ses étreintes ne lui suffisaient pas. Dans ses bras, il restait un étranger, refermé sur lui-même, inaccessible, intouchable. Ils partageaient une brève jouissance, le transport tumultueux des sens, qui ne laissait aucune trace. Vittoria savait qu'elle aurait dû être satisfaite. Son époux était bienveillant à son égard, l'honorait, venait chaque nuit la rejoindre dans sa couche. Quelle jeune épouse princière pouvait en demander davantage ? Elle ne comprenait pas le désir qui la tourmentait. Pourquoi était-elle condamnée à la solitude ? Elle se laissait séduire par un regard, un sourire, des promesses qui n'étaient jamais tenues et ressemblaient à s'y méprendre à la langue secrète dans laquelle s'exprime entre amants la chaleur de l'âme. Le comportement de Ferrante était susceptible d'interprétations diverses. Derrière sa maîtrise castillane, Vittoria devinait des traits de caractère qui la fascinaient d'autant plus qu'elle ne pouvait les jauger. Elle cherchait sans cesse, avec mille précautions, à découvrir ce qui restait caché. Ce côté secret était la seule chose qui lui parût désirable. Elle n'en parlait jamais parce qu'elle ne trouvait pas les mots pour le dire.

Lorsque Pescara remarqua que sa femme devenait froide, difficile à gagner, plus difficile encore à satisfaire, il s'éloigna d'elle. Une liaison avec la vice-reine de Naples le fascina bientôt à tel point qu'il oublia son dépit momentané. Il ne comprit jamais que les souffrances endurées par Vittoria lorsqu'elle apprit son infidélité avaient leurs racines dans une passion tenue secrète. Le respect qu'il éprouvait pour elle n'avait pas changé ; il se montrait compréhensif à l'égard de sa stérilité, admirait sa beauté, sa dignité, son intelligence. Qu'elle pratiquât ses devoirs religieux avec zèle, se plongeât dans les travaux de savants et de poètes, préférât l'isolement aux dîners et aux bals lui semblait en parfait accord avec sa nature, ce qu'il y avait en elle d'austère et de chaste, qu'il estimait grandement, mais qui ne pouvait plus le séduire.

Lorsqu'elle fit placer le dieu ailé aveugle dans sa chambre, où elle souhaitait désormais dormir seule, il eut un sourire nuancé d'ironie : ce geste, pensa-t-il, trahissait l'exaltation qui, chez elle, était si dangereusement proche de l'austérité et du dévouement.

Dans l'automne de 1511, Pescara partit pour la guerre contre les occupants français de Lombardie, sous la bannière du pape Jules II. Il resta loin de son foyer plus de quatre ans.

*
* *

« Bonheur conjugal ! » Sa Sainteté sait choisir ses mots. Depuis des années, Ferrante évite de vivre sous le même toit que moi, et Dieu sait combien plus proche de lui je me sens dans la solitude. Les lettres qu'il m'écrit ne tuent pas cette illusion : *Votre Altesse, ma chère épouse, apprendre que Votre Excellence est en bonne santé comble mon vœu le plus cher...*

Nous avons tant d'intérêts communs. La gestion des possessions d'Ischia, de Marino, de Bénévent. Les questions financières, les affaires de famille. Bref, tout ce qui concerne Alfonso, notre fils adoptif, neveu, l'héritier et successeur de Ferrante, qui grandit sous notre toit. Écrivant à Ferrante, lisant ses lettres, j'ai le sentiment que nous sommes réunis. Le revoir, lui parler, effleurer sa main : cette perspective me remplit de pensées que je n'ose sonder. Une répétition de son retour en 1515 – jamais, jamais ! Je préférerais m'enfuir à l'autre bout du monde.

*
* *

Pescara fut fait prisonnier par les Français à la bataille de Ravenne. Des années s'écoulèrent entre sa libération et son retour à Naples. Il passa la meilleure partie de cette période à

59

Mantoue, à la cour des Gonzague, avec qui il s'était lié d'amitié. Ce n'était un secret pour personne qu'il prolongeait son séjour jusqu'aux extrêmes limites de l'hospitalité, pour l'amour de la belle dame d'honneur de la marquise. Il ne fallut pas moins que la mort du roi d'Espagne et les questions de succession y afférentes pour le décider à revenir dans le Sud. Vittoria le reçut avec un calme trompeur. Elle ne trouva pas de mots assez forts ni de gestes assez éloquents pour exprimer sa profonde amertume. Pescara ne vit que la froideur, la maîtrise. Plus par obligeance que par désir, il reprit, les premières nuits, son ancienne place dans la couche de son épouse. Au pied du lit, le dieu ailé exhortait à se taire, à fermer les yeux.

*
* *

Nous fûmes les invités d'honneur aux épousailles de Bonne Sforza, à Naples. Nous n'avions pas le droit de manquer une seule de toutes ces cérémonies. Jour après jour, une partie de chaque nuit, nous étions assis côte à côte comme deux étrangers. Masques souriants, costumes d'apparat sur des corps sans vie : le marquis et la marquise de Pescara. Les appartements qui nous avaient été attribués, à Ferrante et à moi, étaient très éloignés les uns des autres ; en outre, par manque de place, nous devions partager l'hébergement la nuit avec des membres de notre famille. Nous n'étions pas un instant seuls. Nous ne voulions pas non plus être seuls, à aucun prix. La répugnance de Ferrante était palpable dans toutes ces cérémonies. Ces fêtes : un enfer ; pourtant je ne souhaitais pas en voir la fin. Reprendre la vie commune dans le silence de la *casa* d'Avalos au château d'Ischia était impensable. Il n'y avait plus de place pour Ferrante dans mon existence, je n'étais pas faite pour partager la sienne. Dès cette époque, il était plus proche de moi dans les lettres qu'il m'écrivait,

60

dans les conversations que j'avais à son sujet avec
Alfonso. Ce Ferrante-là : une ombre, mais proche de
moi. Sa présence réelle signifiait – et signifie encore
aujourd'hui – une atteinte à la paix de mon âme. Lui
et l'image que je me fais de lui lorsque je suis seule
ne se supportent pas. Triompher du désir physique est
possible. Être privée de cette consolation que j'ai moi-
même créée me serait intolérable.

*

*   *

Après 1517, les époux s'étaient rarement rencontrés. Pescara s'élevait rapidement dans la faveur de l'empereur. Dans
la lutte contre les Français en Lombardie, il se distinguait par
son courage, sa volonté et ses talents d'organisateur. Vittoria
entendait vanter en lui le plus compétent chef militaire de
son temps. Elle n'était pas aveuglée par les louanges et les
flatteries. Elle apprit plus vite à déchiffrer le caractère de
l'homme qui venait la voir pour deux ou trois jours une ou
deux fois par an que celui du Ferrante dont la présence
constante l'avait plongée dans la confusion. Sous le panache
espagnol sévère, elle reconnaissait les traits propres au caractère de Pescara : l'ambition, un sentiment très vulnérable de
sa propre valeur, un esprit froid, calculateur. Sans un mot,
elle le suivait secrètement du regard. Elle connaissait chaque
ligne de ce visage, de ce corps : les lèvres minces, hautaines,
les balafres sur la joue et le front, la manière dont il bougeait
le torse tout en parlant, l'habitude qu'il avait d'appuyer une
argumentation en frappant du plat de la main de petits coups
sur un dossier ou une table, sa démarche à pas raides et
mesurés, une main sur la hanche, reposant sur la poignée de
son épée.
   Pescara trouvait sa femme déconcertante, tant dans sa
vivacité nerveuse que dans son silence tendu. Il ne pouvait
plus se contraindre à lui manifester du désir. La jeune dame
d'honneur mantouane, Delia Equicola, dominait ses sens et

ses pensées. Le plus souvent, elle était auprès de lui dans sa ville de garnison ou dans les forteresses dont il avait le commandement. Sans complications, chaleureuse, sensuelle, elle lui était en outre attachée corps et âme. Elle lui donnait des enfants. Vittoria était au courant de son existence ; ni elle ni Pescara n'y faisaient allusion. Mais sans que son nom fût prononcé, invisible, Delia était partout et toujours la troisième présence : non pas les paroles de Ferrante, mais les gestes de son corps, son regard lorsqu'il était plongé dans ses pensées tiraient du néant l'autre, la femme désirée, féconde.

*
*   *

A moi sont réservés le formalisme, la patience froide, l'ironie. Lorsque, sous l'effet du vin et de la musique, au cours d'une danse ou après une partie de chasse échevelée, ses yeux se troublent, je sais qu'il pense à *elle. Elle* est la cause de sa fébrilité lorsque son séjour ici se prolonge. Non pas que je doute de son estime ; il s'en remet à moi pour tout, me donne pleins pouvoirs pour agir comme bon me semble. Peu de temps après la bataille de Pavie, il m'envoya cette lettre pleine de louanges : « ... si notre neveu Alfonso a attiré sur lui l'attention par son courage et son digne comportement au combat, il le doit en premier lieu à la manière dont Votre Altesse l'a formé et guidé au cours des ans. J'ai été très souvent absent et n'ai pas pu contribuer à son éducation autant que je l'eusse voulu. Je serai toujours profondément reconnaissant à Votre Altesse de m'avoir donné un successeur digne en la personne d'Alfonso, marquis du Guast. »
Sans aucun doute, un respect sincère lui inspirait ces paroles. Il était dans la forteresse de Novare lorsqu'il les écrivit. Était-*elle* derrière lui, près de lui ? A l'avenir, je ne pourrai plus non plus rencontrer Alfonso sans me rappeler qu'il a vu ensemble Ferrante et l'autre.

Alfonso, mon pupille, qui donna pendant des années un sens à mon existence, fut étroitement associé au seul temps de véritable paix que j'aie jamais connu. Tandis que je l'élevais, Ferrante occupait constamment mes pensées. Je le possédais davantage à mesure que le lien qui m'unissait à Alfonso se resserrait. Alfonso n'aurait pu être plus à moi si je l'avais moi-même mis au monde. Ferrante l'a reconnu lui-même. A présent, Alfonso est adulte, indépendant de moi. Les circonstances le poussent vers Ferrante. En tant que successeur et héritier, il aura plus de pouvoir que moi dans la gestion de l'argent et des biens. Je l'accepte sans réserve. Mais comment pourrai-je supporter l'idée d'être devenue superflue ?

*
* *

Lorsque, en 1521, Alfonso la quitta pour se joindre aux troupes impériales, Vittoria voua toute son énergie à la difficile tâche de combler le vide de sa vie. Tantôt elle résidait à Naples, tantôt elle allait à Rome pour rendre visite à son unique frère, Ascanio. Elle se retirait de préférence au château d'Ischia, où elle avait passé les premières années de son mariage. Ce qui jadis n'avait été pour elle qu'un passe-temps, un jeu conventionnel, était devenu un besoin. Elle rassemblait autour d'elle un cercle de poètes et de savants, leur confiait des tâches, achetait leurs œuvres pour sa bibliothèque personnelle, les invitait à des réunions sous les cyprès et les lauriers de son parc. Elle se contraignait à considérer son mécénat comme une affaire sérieuse.

Plus tard, elle se souvint de cette époque comme d'une période de repos stérile, d'une paix cultivée artificiellement. Les œuvres poétiques qui lui étaient consacrées, l'éloquence des débats : techniquement parfaits, mais tout aussi fades, rigides et léchés que les statues parmi la verdure des allées. Elle se rappelait aussi, non sans une rancœur secrète, les sonnets et les *canzones* qui la glorifiaient dans le style courtois, et les nuits d'insomnies qu'elle passait, allongée sur son lit solitaire, avec dans les oreilles l'écho de ces louanges enflammées et de cette vénération exaltée. Les déclarations d'amour littéraires de Sannazzaro, de Britonio, de Gravina et d'une demi-douzaine d'autres poètes de cour lui avaient laissé un arrière-goût d'amertume. Le fossé entre le jeu et la réalité était trop profond. Muse de flagorneurs professionnels : Pallas Athéna, Aphrodite et Artémis réunies en une seule personne, rivale du soleil et de la lune, souveraine régnant sur le Parnasse.

Mais ce lyrisme était moins difficile – ô combien – à chasser de ses pensées que les sarcasmes d'une rengaine populaire saisie au vol un jour qu'elle passait en voiture dans les rues de Naples, aux côtés de Ferrante :

> Ma bien-aimée,
> je serai aussi souvent à tes côtés
> que Pescara près de sa Vittoria.

*
* *

Pour ne pas sombrer dans le marasme, je devais jouer le jeu. J'étais contaminée par le mal qui m'a toujours fait horreur : l'aveuglement. Je m'enivrais de mots. J'exaltais en vers le bonheur conjugal, la fidélité conjugale. Quelle merveilleuse satisfaction ensuite d'entendre vanter ouvertement Ferrante et moi-même comme le couple idéal. J'écrivais des strophes mensongères, ampoulées, sur l'amour qui unissait le héros combattant au loin et son épouse l'attendant patiemment. Je les envoyais à Ferrante. Il me faisait toujours savoir très précisément qu'il avait reçu les feuillets en bon ordre. Rien de plus. Et ce silence m'ouvrit les yeux. J'étais saturée de cette langue doucereuse, malade de solitude. J'allai retrouver mon frère Ascanio à Rome.

*

* *

A la cour de son frère, elle rencontra pour la première fois le couple ducal de Camerino, Giammaria Varano et sa femme Caterina Cibo. Les familles Varano et Colonna avaient autrefois lutté conjointement contre la puissance des Borgia. Cette alliance se maintint, même lorsque le nom de l'ennemi ne fut plus qu'un souvenir. Les Camerino venaient régulièrement à Rome. Deux personnes graves, qui se distinguaient par la sobriété de leurs vêtements aussi bien que de leur train de vie. Ils n'assistaient à aucune fête, se montraient rarement en public. Ils recevaient des amis ou allaient avec une modeste escorte à certaines réunions privées, le véritable but de leur voyage. Vittoria avait bien entendu parler de la *Compagnia del Divino Amore*, mais elle ignorait quelles personnes s'y rendaient et ce que leur participation impliquait.

Caterina Cibo était une femme encore jeune, au visage long et maigre, aux yeux caves, petits ; au repos, elle passait inaperçue, mais elle était impressionnante lorsqu'elle défendait les convictions qui dominaient sa vie. Varano était plus doux, plus prudent, plus porté qu'elle au compromis. Dans sa jeunesse, fuyant devant les assassins au service de César Borgia, il avait subi de graves blessures corporelles ; depuis, sa santé fragile l'obligeait à transiger, à se montrer patient, à pratiquer la diplomatie, l'arme de celui qui ne peut recourir à la force. Lorsqu'il retourna dans son patrimoine Camerino après des années d'exil, il trouva les forteresses et les villages partiellement en ruine, les champs à l'abandon, la population rendue indifférente par la peur et le dénuement. Il invita au château les paysans montagnards en les priant de lui présenter leurs doléances et leurs requêtes. Ils vinrent moins nombreux qu'il ne s'y attendait : il était devenu un étranger, on se méfiait de lui.

Un moine franciscain du monastère de Montefalcone, Fra Matteo del Bascio, qui pendant la disette et la peste avait secouru les habitants de Camerino au péril de sa vie, possédait infiniment plus d'autorité que Varano. Ce bienfaiteur était en odeur de sainteté, sa parole faisait loi, le jugement qu'il portait sur le couple ducal pouvait exercer une influence décisive sur le comportement de la population. Varano invita le moine, le remercia et lui promit de l'aider dans ses bonnes œuvres. Il tint parole. De cette manière, sans démonstration de force, sans menaces, il s'assura l'obéissance des habitants de la région. Ils identifièrent les protecteurs de Fra Matteo à Fra Matteo lui-même : une trinité inviolable. Varano se félicita de cette trouvaille.

Chaque visite à Rome les confirmait dans leur opinion que la paix de l'âme est le fruit d'une réflexion impitoyablement honnête de l'homme sur ses propres errements. A travers les salles et les galeries du palais d'Ascanio Colonna retentissait la voix puissante, un peu rauque, de Caterina dans son jeu rhétorique de questions et de réponses : Où commence la catharsis ? Dans notre esprit. Qui revendique le droit de former et de guider cet esprit ? L'Église, qui se nomme elle-même sainte. Pour mériter ce qualificatif, elle devrait elle-même être pure comme l'eau de source, vierge comme la neige, purificatrice comme la flamme. Mais l'Église est devenue un foyer de corruption. Le rituel a dégénéré, ne s'intéresse plus qu'au paraître. Cardinaux et évêques, prélats du haut en bas de l'échelle s'adonnent aux jouissances et à l'ambition profanes. Dans les monastères, triomphent la paresse et la dépravation, les moines volent, mendient et se livrent à la fornication. On vend les sacrements. Les dix commandements se résument à une seule exigence : donnez-nous de l'argent. Rome tout entière respire la corruption.

L'Église nous donne des pierres au lieu de pain. Que s'ensuit-il ? Qu'elle a perdu son autorité, que son nom est utilisé comme injure et invective. Aussi devons-nous commencer par le commencement. Il faut passer le balai dans la curie, les ordres, les monastères. Voilà ce que dit Fra Matteo, et il a raison...

La passion enflammait le visage d'un brun jaunâtre, durci

par les intempéries, de Caterina. Elle étira ses membres, planta un regard impératif dans les yeux de Vittoria. Varano hocha longuement la tête, comme pour souligner l'importance des paroles de sa femme.

« Fra Matteo dénonce les abus que chaque homme sensé considère comme une abomination. Nos amis de la *Compagnia* visent le même but. Il n'y a rien de nouveau sous le soleil. Aussi loin que remontent mes souvenirs, des voix se sont élevées qui exigeaient des réformes. Mais aujourd'hui l'heure est venue d'agir. Nous n'allons pas aussi loin que les têtes brûlées allemandes, qui par pur mécontentement rejettent aussi bien l'autorité que les dogmes de l'Église. Comprenez-moi bien : ni les membres de la *Compagnia*, ni Fra Matteo, ni Caterina et moi, nous ne songeons à cela. Nous souhaitons soutenir les fondements de l'Église et non pas en saper les bases. Nous nous attaquons à la débauche et à la corruption, à la dépravation des mœurs et à l'indifférence morale, comme s'il s'agissait d'une maladie contagieuse. Nous voulons retourner à la source pure, aux paroles du Christ et de ses apôtres, et, à partir de ces origines, inspirer à nouveau les lois et usages de l'Église ; des personnalités haut placées dans l'entourage direct du pape en voient la nécessité. Le dataire Giberti lui-même est le moteur, dans les réunions de notre *Compagnia*. Ce que nous faisons influe sur l'opinion publique, et c'est là un point essentiel. Donner l'exemple a plus d'effet que les entretiens stériles des conciles. »

Vittoria avait peine à trouver des mots pour exprimer ses propres pensées.

« Je sens qu'il doit être possible de faire le don de soi à Dieu pour le servir. Mais comment ressentir cet amour ? Nul ne peut servir deux maîtres à la fois. Celui qui veut donner son amour à Dieu doit renoncer à tout. Celui qui est lié par une passion terrestre ne peut s'élever jusqu'à Dieu. Dites-moi comment je peux y parvenir. »

Caterina vint à elle et la serra dans ses bras. Vittoria s'abandonna à cette étreinte puissante, protectrice : sous sa joue, le soutien de l'épaule maigre, forte, de Caterina, et contre elle, sensibles à travers le vêtement et la peau, les battements lents, réguliers, lénifiants, du cœur de Caterina.

« Je n'en peux plus, montrez-moi le chemin, dites-moi ce que je dois faire pour trouver la paix.

– La paix est là où est Dieu, en nous. Tous les désirs se taisent, s'apaisent en Dieu. Quiconque cherche à se satisfaire en dehors de Lui est pareil à celui qui veut étancher sa soif en prenant du sel.

– La seule voie est donc de renoncer au monde, de s'enfermer dans une cellule pour prier, de porter la bure et le capuchon ?

– Cela aussi ce n'est qu'apparence. Le lieu et l'habit sont sans intérêt pour qui a le courage de transformer toute sa vie. Qui veut juguler les désirs et les mauvaises pensées n'a pas besoin de se faire raser la tête. Qui est plein de la pensée de Dieu n'a pas besoin de réciter des prières jour et nuit. Qui sert Dieu n'a pas à redouter la puissance des hommes. La *volonté*, tout est là. Pour quelle autre raison avons-nous obtenu de Dieu notre volonté, sinon pour vouloir Dieu ?

– J'ai peur de la puissance de la nature, qui agit en nous secrètement, qui mine la volonté, empoisonne le sang.

– C'est précisément notre tâche, soumettre la nature et la mettre au service de Dieu.

– Enseignez-moi comment m'y prendre, et je le ferai.

– Ne la mettez pas sur une fausse piste, dit Varano. Nous ne pouvons que stimuler notre volonté, chacun doit faire seul son parcours. Que sais-je de votre cheminement, que savez-vous du mien ? N'est-ce pas là le point crucial de notre conviction, que chacun à sa manière doit apprendre à connaître Dieu en lui-même. Invitez *madonna* à nous accompagner dans les réunions de notre *Compagnia*, à être notre hôte à Camerino ; ce qu'elle y verra et entendra trouvera peut-être un écho dans son cœur. »

*
* *

Ma vie a-t-elle foncièrement changé depuis que j'ai assisté aux réunions de Santi Silvestro e Dorotea ? Les premiers temps, je l'ai vraiment cru. Après les entretiens ingénieux mais stériles à Ischia, le vide et la solitude à Rome, le sérieux et la simplicité de la *Compagnia* m'avaient semblé un réconfort. Giberti, Sadolet, Contarini : je connaissais ces noms, mais là-bas, dans le Transtévère, j'avais le privilège de les fréquenter comme de vieux amis. J'appris à les estimer pour leur savoir, leur fermeté de caractère, leur dévouement ; leurs objectifs devinrent les miens ; nos rencontres hebdomadaires dans la petite église au flanc du Janicule, à l'endroit où Pierre est mort en martyr, le renouvellement hebdomadaire du serment d'entrée dans la *Compagnia* : nous consacrer à la méditation et à la pratique de la charité, suivre l'enseignement du Christ en paroles et en actions. Ai-je été fidèle à ce serment ? Je distribue des aumônes aux pauvres, j'aide les hôpitaux, je fais pénitence dans les monastères. Je vis dans la simplicité. Je m'absorbe dans les œuvres de Paul et d'Augustin.

Mais je n'ai pas le calme de Varano, ni la ferveur de Caterina. Ma vie a changé dans sa forme, non pas dans son contenu. Sous la surface, la passion n'a cessé de me guetter, prête à éclater au premier signe, à m'attaquer par surprise. Que m'importent les idées de ce lointain Fra Matteo, la *Compagnia*, les livres édifiants sur mon prie-Dieu, maintenant que je sais que Ferrante peut arriver d'un moment à l'autre. Je ne l'ai plus revu depuis 1521. Il y a trois, quatre ans de cela… une éternité. Il m'écrit que les blessures reçues à Pavie sont maintenant refermées. Mais d'autres échos me parviennent. Le messager qui a apporté sa lettre a fini par faire quelques révélations : « Le marquis souffre, marche difficilement, il n'est plus le même. » Dieu veuille que je réussisse à le convaincre de rester quelque temps auprès de moi. Pas à Rome... le bruit court que les quartiers longeant le Tibre sont contaminés par la peste. Je veux aller avec Ferrante à Marino, à Ischia. J'accepterai même qu'il fasse venir l'autre s'il désire sa présence.

Ce n'est donc ni à la paix ni à la guerre que je dois sa présence. Ironie du sort, une manière de bafouer mes efforts visant à opérer une réconciliation entre les partis. En aurais-je eu l'idée sans l'influence de Giberti ? Après coup, j'aurais tendance à penser qu'il est intervenu dans cette affaire. Il me poussait dans une certaine direction sans que je le remarque. Nous sommes devenus amis dans la *Compagnia*. Il avait ma confiance. Pendant les premières années, nous avons eu souvent de longs entretiens sur les catastrophes en Italie, la nécessité absolue de retrouver la paix. C'est aussi lui qui me mit en contact direct avec Sa Sainteté. Dans une lettre, je suppliais le pape de collaborer à une réconciliation avec les puissances ennemies, dans l'intérêt de l'Italie et de la foi. Sa Sainteté m'envoya à Pâques une palme bénie de sa main. J'y vis un symbole, une promesse. J'informai Ferrante de mes espoirs. Je lui demandai de bien vouloir plaider la cause de la paix auprès de l'empereur.

*

*   *

Ferrante lui fit savoir que, en tant que chef militaire au service de l'empereur, son devoir à ce stade n'était pas de s'occuper de la paix, mais de la guerre. Ses stratagèmes eurent le résultat escompté, attirèrent les armées françaises sur le champ de bataille. Escarmouches, sièges, brèves épreuves de force ici et là en Lombardie aboutirent finalement à la bataille de Pavie. A partir du jour où fut connue à Rome la victoire des armées impériales, Giberti évita la compagnie de Vittoria. On lui fit savoir qu'elle était tombée en disgrâce auprès du pape. Ni les bonnes œuvres ni la méditation ne purent lui faire oublier cette amère expérience. Rome était partagée entre l'abattement d'un côté, la griserie de la fête de l'autre. Ascanio Colonna pavoisa aux couleurs impériales et reçut les partisans de l'Espagne dans un grand déploiement de festivités.

Au cours de ces journées, Vittoria ne quitta pas ses appartements. Dans des lettres à Pescara elle parla de ses blessures plus que de son triomphe. Elle crut constater que ses réponses à lui ne traduisaient pas non plus une humeur victorieuse. Elle lut entre les lignes l'insatisfaction, l'apitoiement sur son propre sort. Il lui annonça sa venue à Rome « dès que ces maudites lésions seraient guéries ».

Sur les collines, les amandiers et les citronniers étaient en fleurs, les magnolias, les lauriers-roses et le chèvrefeuille embaumaient, les anémones teintaient les champs d'incarnat et de blanc.

Les Colonna possédaient, hors de la ville, au milieu de ruines antiques, un manoir entouré de vignes et de champs d'oliviers. Vittoria allait souvent y passer quelques jours et quelques nuits. Le silence, l'air pur : un bienfait après un long séjour à Rome. Solitaire, elle allait et venait dans le jardin soigneusement aménagé, le long des étroits sillons bien alignés qui séparaient les ceps ; solitaire, elle passait des heures à l'ombre, sous une tonnelle faite de pampres ligaturés. Parfois, elle suivait un sentier à l'abandon qui menait entre des bosquets et des buissons aux vestiges d'un temple. Une seule colonne cannelée se dressait encore au milieu de blocs de pierre, de fragments, de tas de débris. Sous les herbes folles et les plantes volubiles, un vague bruissement, une pierre tombait, des feuilles bougeaient, le corps vert, brillant, d'un serpent se faufilait dans l'ombre. Les cigales stridulaient tout le jour dans l'herbe, pas d'autre bruit que le battement d'ailes de ramiers, le bêlement des chèvres qui paissaient plus haut sur la pente. Au pied des collines, Rome. Coupoles, tours, un océan de toits irréguliers, à peine pentus.

Dans la claire lumière d'avril, toutes les couleurs étaient fraîches, neuves, comme luisantes de rosée. Vue de haut, la ville semblait un jeu de surfaces jetées là au hasard, rouge brique et ocre, grises, blanc crémeux. Un méandre du Tibre en plein champ hors des murs de la cité miroitait, aveuglant. Les tas d'ordures nauséabonds, les bâtiments écroulés, les venelles resserrées, sordides, les endroits incultes restaient cachés au regard. Aucun signe de vie humaine, si l'on excepte la mince fumée qui s'élevait çà et là au-dessus des maisons. La statue couronnant le château Saint-Ange scintillait comme une étoile.

Pavie, l'inquiétude à propos de Pescara, la peur de l'avenir, le doute et le débat intérieur sombraient dans les couches plus profondes de sa conscience ; toujours présents dans ses pensées, comme les souvenirs de mauvais rêves, mais moins réels, moins torturants qu'à Rome. Peut-être serait-elle restée au manoir jusqu'au retour de Pescara si l'on ne lui avait pas appris que Giammaria Varano et son épouse étaient de nouveau venus de Camerino à Rome pour une brève visite au pape.

*
* *

Absolument inattendu, franchement inconcevable est le fait que j'aie été invitée à assister à cet entretien.
Preuve de pardon ? Je ne le crois pas. J'ai l'oreille exercée ; le ton affable du Saint-Père avait une consonance ironique, ses yeux restaient froids. Il devait savoir que ses paroles me blesseraient. Bonheur conjugal ! Estime de l'empereur pour les mérites de Ferrante ! Points sensibles auxquels personne ne doit toucher. Pour qui est-ce encore un secret que Ferrante et moi ne nous rencontrons jamais ou presque, que nous avons de lourdes dettes parce que l'empereur ne respecte pas ses promesses ? Giberti se tenait debout à côté du pape et ne me lâchait pas des yeux. Même pendant que

Sa Sainteté s'entretenait avec des amis de Camerino, j'étais consciente de son regard. Il se venge du fait que nous n'avons plus eu de contacts depuis longtemps. Au demeurant, l'audience fut de courte durée. Une importante légation est arrivée de Milan, dit-on : le chancelier Girolamo Morone et sa suite.

Jamais je n'ai vu une telle affluence dans les galeries du Vatican. Les gardes du corps devaient nous frayer le passage. Je crois avoir reconnu messire Michel-Ange Buonarroti. Ce ne peut être que lui. Un visage que l'on n'oublie pas facilement. Que fait-il ici ? Je croyais que jadis il était retourné définitivement à Florence. Cette rencontre m'a vivement émue, je ne saurais dire pourquoi. Je ne connais pas cet homme, je n'ai jamais échangé une parole avec lui. Sans saluer, il posait sur moi un regard bourru, affligé. Mais c'était comme si je passais devant une partie de moi-même. Avec un choc de surprise, je reconnus quelque chose que je ne saurais plus qualifier à présent.

Varano et *madonna* Caterina sont satisfaits de leur visite au pape. Je ne les ai pas accompagnés à la cérémonie de l'année sainte à la basilique de Sainte-Marie-Majeure, dans le Transtévère. Je ne me sens pas capable d'écouter plus longtemps leurs histoires sur Fra Matteo et ses visions célestes.

*
*　*

Elle était assise dans sa chambre à coucher et voyait les pans de lumière solaire se rétrécir sur le sol et finalement disparaître lentement par les renfoncements des fenêtres. Un livre était ouvert sur le pupitre, mais elle ne le lisait pas.

Vers le soir, le claquement de sabots de chevaux retentit dans le *cortile*. Un laquais vint annoncer la venue anticipée du marquis de Pescara. Vittoria attendait sur la plus haute marche de l'escalier d'honneur l'instant de l'accueillir. Elle ne le voyait pas encore, elle entendait seulement, sous le passage voûté menant à la cour, un pas inconnu, traînant, le bruit régulier d'une canne sur la pierre. Elle enfonça ses ongles dans la paume de ses mains en un vain effort pour vaincre le tremblement dont elle fut prise.

Nicolas Machiavel
à François Guichardin

Monsieur le Président de la Romagne, cher ami,

Je vous adresse cette lettre de Rome. Je suis arrivé ici il y a trois jours pour me présenter chez Sa Sainteté. L'audience fut une déception. J'avais fondé mon dernier espoir sur le pape, en ce qui concerne l'obtention d'un office qui fût plus en accord avec mes aptitudes et mes capacités que la fonction de courrier pour laquelle on m'estime suffisamment qualifié à Florence. Après tout, Sa Sainteté me connaît, elle s'est plus d'une fois montrée bienveillante à mon égard dans ses propos, bien qu'elle soit un Médicis. J'en ai tenu compte en lui dédiant le huitième tome de mon *Histoire de Florence*. Au début de l'année, j'avais pressenti Vettori sur l'opportunité de ma venue. Il n'a jamais été très encourageant. Lorsqu'il répondit que le pape avait lu une partie de l'*Histoire* et l'avait approuvée, je décidai de tenter ma chance.

L'accueil dépassa mon attente, Strozzi et Salviati promirent aussitôt d'user de leur influence pour m'aider. Je dois reconnaître que j'avais fermement compté sur une amélioration de ma condition. Cette fois-ci, on ne pourra pas dire que je me suis montré trop modeste. Ma requête était on ne peut plus claire. Je suis dans les difficultés jusqu'au cou. Nuit et jour, j'attends impatiemment l'occasion de servir ce pitoyable pays harcelé par les calamités. Que fait un homme de ma trempe dans cette ferme de San Casciano, parmi les poulets, les chèvres et les manants ? Je vous ai souvent raconté comment je passais mes journées : à traîner entre mon verger et l'auberge, à boire du vin et faire des parties de trictrac, et à lire, lire, lire, les œuvres de mes amis grecs et romains qui n'ont qu'un défaut, c'est d'être morts depuis plus de quinze cents ans. Cher François, vous connaissez mes mérites. Dans cette oisiveté forcée, je deviens rance et amer comme un fruit que l'on laisse à sécher dans un grenier. Est-ce là une existence ? Je vous le demande.

Mes pensées ne cessent de me tourmenter. Je vois que l'Italie court à sa ruine et que la stupidité et la corruption révoltantes de nos seigneurs et maîtres accélèrent encore cette chute. Je pourrais leur apporter mes conseils. Je suis l'apothicaire qui fournit la potion amère, l'ultime remède. Je ne garantis pas la guérison, mais quand la détresse est extrême, tout effort est le bienvenu. Que n'ai-je l'autorité nécessaire ? Vous dirai-je comment les choses se passent ? Ils veulent bien avaler la potion quand cela les arrange, mais sans respecter les prescriptions. Je vois le premier charlatan venu distribuer des drogues qui peuvent devenir du poison entre les mains de personnes compétentes. Que puis-je alors faire d'autre que de considérer ce drame navrant comme une farce, aussi absurdement fidèle à la réalité, aussi poignante que ma comédie *La Mandragore* qui, si j'en crois ce que vous m'écriviez dans votre dernière lettre, vous a fait rire aux larmes, vous et votre entourage ? J'en ai été très heureux. Par ma foi, ce n'est pas tous les jours qu'un ex-envoyé de Florence, ex-intime de princes et de prélats, fait carrière en tant qu'auteur de comédies. Sa Sainteté elle-même a eu la bonté de m'adresser quelques remarques flatteuses : la comédie l'avait vivement divertie, elle songe à la faire représenter à la cour, sans doute pour redonner, à la dernière minute, un semblant de lustre aux célébrations de l'année sainte. Pas un mot ne fut dit sur une charge appropriée, des émoluments convenables pour l'auteur – qui pourtant, Dieu m'est témoin, a fait ses preuves en politique et dans la diplomatie.

C'est donc la mort dans l'âme que j'offris l'*Histoire de Florence* à Sa Sainteté, car à ce moment-là la cérémonie officielle de remise de l'ouvrage me semblait un geste futile. Je n'ai rien reçu de plus que la vague promesse d'une gratification – quand? comment? Pas un mot ne fut dit sur ce point. En revanche, j'ai entendu déclarer, à mon grand étonnement, que Sa Sainteté envisageait de faire imprimer *Le Prince* sur les presses du Vatican. Reste à savoir s'il y songe sérieusement. Mais si ce projet devenait réalité, cela signifierait la réalisation de l'un de mes vœux les plus chers. Qu'ils aient donc une bonne fois noir sur blanc devant les yeux ce que signifient les mots puissance, autorité, régner, maintenir l'ordre, savoir se défendre, vigilance, en un mot, être prince. Qu'ils s'inspirent de cet exemple, ces messieurs qui ne savent pas ce qu'ils veulent et qui, s'ils le savaient, seraient incapables de convertir leur volonté en actes. Dieu veuille que le gâchis ne s'éternise pas. La situation laisse à penser qu'il nous reste peu de temps pour passer aux actes. Si rien n'est fait *maintenant,* nous sommes perdus.

Je présume que vous – sans doute plus que quiconque – vous êtes au courant de l'action que le dataire Giberti et messire Alberto Pio, l'ambassadeur de France, ont mise sur pied pour constituer une nouvelle ligue forte contre l'empereur. Qu'est-ce que cela va donner? Un pacte indissoluble destiné à combattre la dangereuse puissance de Sa Majesté? Combien de pactes indissolubles n'avons-nous pas vu se forger au cours des vingt-cinq dernières années, aussi bien *pour* que *contre* la puissance impériale? Je ne les compte plus, mon cher! Et ce nouveau projet ne m'inspire pas davantage confiance. Il est dans la nature d'une ligue que le résultat n'apparaisse qu'à la longue, surtout lorsque l'on s'attaque aux problèmes de la manière habituelle, en échangeant des écrits et des discours interminables, sans même parler des rivalités internes et des intrigues mutuelles. Dans l'état actuel des choses, il faut intervenir sur-le-champ. L'attitude de Sa Sainteté – tourner en rond éternellement – aurait un sens si elle avait pour but de gagner du temps en vue d'une action efficace, mais elle est absolument irresponsable maintenant que la ligne de conduite ne repose sur aucune base solide.

Ses décisions, qui viennent trop tôt ou trop tard, ou pas du tout, ou sont carrément fausses, gâchent le peu de chances de succès qui nous reste. Nous pouvons tout attendre des mercenaires espagnols et allemands agités qui n'ont pas reçu leur solde. Qui défendra Florence, Venise, les États du Saint-Siège le moment venu ? Une étincelle dans la poudrière, et ensuite ? *Actum erit de libertate Italiae.*

Je sais que vous partagez mon opinion. Giberti et Alberto Pio poussent le pape à fonder une ligue, mais dans cette affaire, vous n'hésitez pas, vous non plus, à payer de votre personne. Giberti est très capable, c'est un homme noble, mais peu entreprenant ; Pio est une girouette diplomatique ; dans ce jeu, les mises géniales doivent venir de vous, François. Vous ne pouvez pas fermer les yeux, un homme qui a votre expérience et vos antécédents ne peut pas se le permettre. Pour notre défense, nous ne devons pas dépendre d'étrangers. L'appui de la France ne signifie rien. Tant qu'ils seront en pourparlers avec Madrid pour négocier la libération de leur roi, les Français ne nous enverront pas un cavalier, pas un fantassin, pas un ducat. Et quand bien même ils le feraient, à quoi cela servirait-il ? Vous ne m'apprendrez rien sur les armées de mercenaires. On ne sait jamais si elles viennent et, dans l'affirmative, à quel moment ; elles nous apportent plus d'ennuis que d'avantages, rien d'autre que la solde ne les lie à notre cause, et s'ils la trouvent insuffisante, ils abandonnent la lutte ou passent à l'ennemi. Que disent ces prétendus alliés, lorsque l'instant crucial est venu ? Qu'a dit récemment le porte-parole anglais ? *Quid ad nos Italia !* (Que nous importe l'Italie !...) Ils se battent dans leur propre intérêt, non pas pour notre liberté. Enfin, quant à l'Italie elle-même, combien de querelles fratricides et entre voisins ne devrions-nous pas d'abord vider avant que les Vénitiens et les Florentins, les Milanais et les Napolitains se fient les uns aux autres ?

Si nous voulons que notre lutte pour l'indépendance ait des chances de réussir, nous devons nous y prendre d'une tout autre manière. Vous souvenez-vous de mon idée d'une milice populaire ? C'est notre salut, du moins quelque chose de ce genre. Nous devons nous défendre nous-mêmes. Il est évidemment impensable qu'à court terme cent villes et États agissent d'un commun accord. Mais il faut un commencement, un noyau. S'il existe, si cela s'avère possible, tous viendront s'y joindre. Ce qui fut possible jadis à Florence doit pouvoir se faire en Romagne sous votre direction. N'y êtes-vous pas le grand homme ? Gouverneur civil et militaire, proconsul, disons sans crainte le maître absolu. Le pape ose-t-il jamais s'opposer aux mesures que vous prenez ? Armez et entraînez la population. C'est le premier point. Suit une seconde et au moins aussi importante condition à la réussite d'une telle entreprise. Ce dont nous avons un besoin urgent, c'est un chef. Pas le premier venu. Un homme qui nous inspire confiance et pour qui les Impériaux eux-mêmes éprouvent du respect. Bref, un homme de grande allure, courageux, rusé, capable de prendre des décisions lourdes de conséquences. Un commandant génial. Est-il besoin, après Pavie, que je mentionne un nom ? En ce moment, parmi nous les chefs-nés sont plutôt clairsemés. Ce que je vais vous dire vous semblera peut-être téméraire ou même ridicule, parce que vous savez que celui auquel je pense se bat du mauvais côté. Mais notre époque exige des manœuvres audacieuses. La politique utilise des moyens qui lui sont propres et emprunte des voies qui n'ont aucun rapport avec ce que vous et moi nous qualifions de bien et de mal dans notre vie personnelle. Un seul critère compte : l'efficacité.

Le chancelier de Sforza, messire Girolamo Morone, est venu de Milan à Rome. Il a eu un long entretien avec Giberti et, plus tard, avec le pape. Berni, le secrétaire de Giberti, m'a rapporté des échos de cette visite. Depuis, je ne puis plus penser à autre chose. François, je n'insisterai jamais assez : il s'agit ici d'une affaire de la plus haute importance, étroitement liée à la question soulevée ci-dessus. Selon mes renseignements, il se trouve que l'homme sur lequel tomberait mon choix si je devais désigner un chef est considéré, également dans les cercles compétents, comme la personne la plus qualifiée pour prendre la direction des opérations dans notre lutte pour l'indépendance. Vous comprendrez que je ne puisse pour le moment m'étendre davantage sur ces questions. Faites en sorte que j'obtienne le poste de chargé d'affaires entre vous et la cour de Rome. J'ai moi-même entrepris des démarches dans ce sens, mais que puis-je faire ? Je n'actionne pas les fils des marionnettes pontificales. Seule votre influence peut aboutir à un arrangement. Il est urgent que nous nous rencontrions sans témoins dans le plus bref délai.

Rien n'a changé à Rome depuis la dernière fois que je m'y trouvais, sinon que la cour y est moins brillante qu'au temps du pape Léon. J'ai parlé et échangé des souvenirs avec beaucoup de vieilles connaissances. Au secrétariat de Giberti, j'ai fait une singulière rencontre. Tandis que je suis là, à parler avec Berni, un jeune homme s'annonce : messire Giovanni Borgia. Un nom que l'on n'entend pas d'ordinaire prononcer si innocemment. Un nom lié à bien des souvenirs. Un morceau de passé, une période décisive de ma vie, incarnée en un homme. Ce Giovanni était autrefois l'un des enfants de la suite de César Borgia. Le petit duc de Nepi et Camerino. Si je ne me trompe, des bruits couraient sur son compte. De nombreuses explications contradictoires étaient fournies sur la présence de ce garçon. Je ne veux pas ranimer les anciennes rumeurs – laissons-les dormir dans leurs tombes avec les Borgia.

Quoi qu'il en soit, depuis cette rencontre chez Berni, je ne cesse de repenser à l'époque où j'étais un envoyé auprès de César en Romagne. C'était le temps où je pouvais encore espérer et croire, parce que je pensais que l'Italie avait trouvé en lui un vrai chef. Vous, François, vous êtes le premier à savoir que dans le comportement de César envers tous les tyrans et tyranneaux de la Romagne j'ai cru voir se lever l'aube de notre unité et de notre indépendance. S'il avait pu mener à bien ce qu'il avait commencé avec tant de discernement et d'actions soigneusement calculées, jamais la France et l'empereur n'auraient eu le pouvoir de nous assujettir. On l'a accusé de bassesse et de trahison, on a dit de ses conquêtes en Romagne qu'elles avaient été une barbarie, un bain de sang. J'ai beaucoup réfléchi à tout cela, mais n'ai jamais compris de quelle autre manière il aurait pu atteindre son but. Dans toutes les affaires humaines, il apparaît sans cesse clairement qu'en général on ne peut vaincre le mal que par le mal. Une cruelle nécessité force parfois un homme à prendre des mesures qu'il n'aurait pas prises s'il s'était basé uniquement sur la raison et la réflexion. La fin justifie les moyens.

Je ne me suis jamais dissimulé que César Borgia visait avant tout son propre intérêt. Ce que j'admirais en lui : son sang-froid, sa capacité de taire ses projets, sa tactique de l'attaque par surprise. En comparaison, les autres princes et leurs condottieres étaient des dilettantes. C'est l'envergure qui compte ! Il était le gros serpent qui dévore les petits. Si, le moment venu, la nécessité s'était fait sentir de neutraliser le gros serpent, on aurait du moins détruit toute la vermine d'un seul coup. Je maintiens que de telles mesures sont indispensables pour parvenir à faire un tout homogène de cette mosaïque qu'est aujourd'hui l'Italie. C'est aux stupides querelles et rivalités des Colonna, Orsini, Montefeltro, Baglioni et consorts que ce pays doit sa faiblesse, et cette faiblesse nous conduit au déclin.

J'ai dû reconnaître, vous le savez, que César Borgia n'était pas l'homme pour qui je le tenais à l'origine. La mort de son père ruina sa puissance, ce qui ne joue pas en sa faveur. Il aurait dû envisager toutes les possibilités, y compris celle-ci : qu'à la mort du pape Alexandre, lui-même ne serait plus en état d'agir par suite de sa maladie. Des revers lui firent perdre son assurance et ce fut le commencement de la fin. Je lui rendis encore une visite au château Saint-Ange en 1503 – c'était la dernière fois que je le voyais –, lorsqu'il y attendait le résultat du conclave. J'étais en effet à Rome comme ambassadeur de la *Signoria*. César savait que son ennemi Della Rovere serait élu pape ; il avait lui-même appuyé ce choix par diplomatie : un faux calcul, incompréhensible à mes yeux. Comment pouvait-il, lui qui était habitué à violer ses promesses quand bon lui semblait, se fier à celles d'un adversaire ? Malgré tout, ses actions en Romagne restent la mise en pratique d'idées que j'ai formulées depuis dans cet ouvrage de ma main que vous connaissez.

A quelles considérations peut mener une brève rencontre ! Des années durant, je n'ai plus pensé à César Borgia. Du reste, ce jeune homme, croisé à la chancellerie, ne lui ressemble pas, malgré son teint foncé et ses yeux noirs, comme jadis ceux du pape Alexandre. Celui qui ignore son nom ne devinera pas immédiatement sa parenté. Il est la preuve vivante de la rapidité avec laquelle tourne la roue de la Fortune. Ses prédécesseurs, des grands de ce monde, lui-même, un modeste clerc à la cour pontificale. Les duchés et principautés qu'il reçut en partage dans sa jeunesse sont partis en fumée. S'il est ambitieux, il aura du fil à retordre. Mais que nous importe à vous et à moi cet homme, qui ne changera rien de rien au destin de l'Italie ?

J'aimerais pouvoir échanger des idées de vive voix avec vous à propos de messire Girolamo Morone et de l'affaire qu'il vient défendre. C'est notre intérêt à tous. Dieu veuille que je puisse vous parler sous peu. J'ai fondé tous mes espoirs sur votre médiation dans la question qui m'intéresse. Votre voix peut être décisive. Malgré toute l'amertume que je ressens, j'ai en tout cas cette consolation de savoir que le sort vous a prodigué ce qu'il m'a refusé : l'influence sur ceux qui font notre politique.

Une longue lettre cette fois. Répondez-moi vite, j'attends impatiemment des nouvelles, que j'espère favorables. Je vous salue.

L'humble serviteur de Votre Excellence,
Nicolas Machiavel
à Rome

Giovanni Borgia

Depuis l'entretien avec Berni, il semble que me soit attribuée une fonction supplémentaire. Sans savoir du reste pour quelle raison, je fais soudain partie de la suite de messire Girolamo Morone, le chancelier de Milan en personne, qui vient ici pour divers rendez-vous. Je ne comprends pas encore quels services on attend de moi. Cette nouvelle fonction a-t-elle une signification ou s'agit-il d'un rôle purement décoratif? Berni a parlé en termes vagues de choses et d'autres, mais m'a promis de généreux émoluments. Il m'a accordé tout au plus cinq minutes de son temps. L'antichambre du secrétariat de Giberti était remplie de visiteurs qui attendaient leur tour, l'un d'eux était déjà d'ailleurs auprès de lui lorsque je fus annoncé et introduit. Ce visiteur se montra surpris en entendant mon nom. Pourquoi? Tandis que je parlais avec Berni, il ne cessait de m'observer depuis un coin de la pièce. Plus tard, j'ai demandé à l'un de mes confrères de la chancellerie qui pouvait être cette personne. Un certain messire Machiavel de Florence, diplomate, poète, philosophe, un original fougueux, dit-on, qui veut changer le monde. Je crois avoir déjà entendu ce nom, mais je ne sais plus où ni quand.

Certes, je peux tout apprendre sur son compte, si je me renseigne auprès de mon étrange ami en bleu paon, messire l'Arétin. Naturellement, ce n'est pas par hasard que je l'ai rencontré dans la loggia. Il était à l'affût, ou il m'avait suivi. Dès ses premiers mots, je compris quelles étaient ses intentions : il voulait m'accrocher au passage. Cet homme se cramponne à vous comme une sangsue. Cette rencontre a néanmoins servi à quelque chose. Sans la faconde de messire l'Arétin, je n'aurais pas su que le duc de Camerino venait de passer devant nous. Étrange sensation que d'entendre désigner quelqu'un d'autre par le nom que j'ai porté, à tort ou à raison, pendant un certain temps. Ce Giammaria Varano doit être celui qui jadis fut le seul de sa famille à échapper au guet-apens tendu par César. Un bonhomme fluet, au visage mou, rêveur. Un vieillard : il doit avoir une cinquantaine d'années. Protecteur des Frères mendiants, hôte quotidien de la *Compagnia*.

Mais Camerino, forteresse située dans des montagnes escarpées, est un héritage destiné à un guerrier, non pas à quelqu'un qui étudie les Épîtres des Apôtres avec un groupe de femmes et de savants, et dont le passe-temps consiste à vouloir réformer l'Église.

Je suivis le cortège pour voir une fois encore Varano, afin de pouvoir le reconnaître à l'avenir. Mais à l'instant décisif je n'avais d'yeux que pour cette femme, Vittoria Colonna, l'épouse de Pescara. C'est la seconde fois que je la trouve par hasard sur mon chemin. La première fois, c'était à Naples, en 1517. Chevauchant à côté de Pescara, elle passait devant moi dans un cortège princier. A l'époque, j'avais quitté Bari depuis plus de trois ans et n'étais plus sur un pied d'égalité avec les grands de Naples et des environs. J'étais dans la rue, au milieu du petit peuple, spectateur sans nom. Le marquis et la marquise furent accueillis avec des cris de joie et des applaudissements. Il était considéré comme le héros des batailles de Lombardie, et, en elle, on voulait honorer son père, Fabrizio Colonna, le grand capitaine de Naples. Je poussais des vivats avec la foule. Je venais tout juste de servir pendant quelque temps parmi les mercenaires qu'entraînait Fabrizio Colonna pour les Impériaux ; j'avais une admiration sans bornes pour ce guerrier compétent, ce grand chef militaire. Dans mes années d'errance, c'était *son* étoile que je suivais. C'est avec cet exemple sous les yeux que j'ai choisi d'embrasser le métier des armes. C'est pour lui que j'acclamais aussi cette femme. Pour le reste, cette belle poupée figée, couverte de bijoux, ne m'intéressait pas.

Récemment, dans le péristyle du Vatican, elle a fait sur moi une plus grande impression. Une bouche sévère, des yeux pleins d'ombre. Ce qui a surtout retenu mon attention : sa ressemblance frappante avec la femme à la cour de laquelle j'ai été élevé, ma mère adoptive, Isabelle d'Aragon. La ressemblance tient dans le port et le regard. Lorsque je la vis venir, lentement, les yeux baissés, avec, aux commissures des lèvres, ce que j'appellerai faute de mieux un sourire, il me sembla que le temps s'était arrêté.

Je m'inclinai très bas lorsqu'elle passa devant moi, là, sous les portiques du palais pontifical. Un instant, je crus que son regard se posait sur moi. Mais, selon toute vraisemblance, elle ne m'a même pas remarqué. Par-dessus son épaule, elle regardait celui qui marchait devant moi dans la cohue, cet homme qui, comme ne manqua pas de me le signaler messire l'Arétin, se trouvait être le peintre et sculpteur Michel-Ange. Je sais peu de chose sur les artistes et les œuvres d'art. La première fois que j'eus l'occasion de voir les peintures décorant la voûte de la chapelle Sixtine, je m'imaginais qu'un homme capable de représenter de telle manière le corps humain devait être lui-même particulièrement bien fait. Mais le contraire est vrai : le dos courbé, des mains grossières, larges, osseuses, la barbe et les cheveux gris en broussaille. L'os du nez est cassé, ce qui lui fait un visage de travers. Lorsque messire l'Arétin lui adressa la parole – « Son Excellence la marquise semble vouloir vous honorer d'un salut » – il ne répondit pas. Il passa deux ou trois fois rapidement ses doigts écartés sur sa bouche et son menton, comme pour essuyer quelque chose, et nous lança un regard oblique, méfiant. D'un geste gauche, il se fraya brusquement un passage dans le public. Plus tard, tandis que je me rendais au secrétariat de Giberti, je l'aperçus, marchant au loin. Il accélérait le pas. Sans doute ne tenait-il pas à être rattrapé et interpellé par messire l'Arétin.

Le cortège de la marquise se tenait déjà sur le perron, hors des portes de bronze. Son époux, Pescara, est un grand homme. Sans lui, les Impériaux n'auraient jamais remporté la victoire à Pavie. Son énergie et son génie inventif sont inépuisables. C'est lui qui, en lançant des attaques, en provoquant des escarmouches, incitait les nôtres à rester constamment sur le qui-vive. Ses soldats élevèrent des remparts tout autour de notre camp. Chaque jour le cercle des fortifications se resserrait. Trois jours avant la bataille, il prit d'assaut nos bastions avec plusieurs milliers de fantassins espagnols, pénétra dans le camp, s'empara des canons, nous infligea de lourdes pertes. Finalement, le 24 février, jour de Pavie, de triste mémoire, ses mousquetaires firent une hécatombe décisive dans notre cavalerie. Pescara est plus qu'un bon soldat et un habile stratège. L'armée française n'a personne qui lui arrive à la cheville. Elle compte de brillants combattants individuels, mais pas un seul chef-né. Confusion, aucune vue d'ensemble de la situation, manque d'une direction ferme, tout cela nous a conduits à la défaite.

Quoi qu'il en soit, tôt ou tard, il faudra reprendre le combat. Si dans une nouvelle guerre le commandement des armées impériales est confié à Pescara, cela signifie que la France n'aura plus qu'à plier bagage.

J'aimerais combattre sous les ordres de cet homme. Cela vaut la peine de servir dans une armée victorieuse. Après tout, je voulais suivre les bannières de Pescara et de Colonna longtemps avant de venir en France.

Bien que j'aie servi la cause française pendant des années, je ne serais pas un transfuge si je tentais ma chance du côté des Impériaux. Je suis né et j'ai grandi en Italie. Mes compatriotes sont libres de choisir le parti qui présente le plus grand avantage. Je n'ai aucune obligation envers le pays et l'armée du roi François. Mais, sans l'aide et les conseils d'hommes influents à la cour de Rome, je ne veux rien entreprendre pour l'instant. Je reste dans une position d'attente. Peut-être messire l'Arétin pourra-t-il éclairer ma lanterne. Un homme peu fiable, mais digne d'intérêt, divertissant, et qui constitue en tout cas une relation utile. J'ai tenté de recueillir des renseignements sur lui aussi. A la chancellerie, personne n'a voulu répondre à mes questions. On dirait qu'ils ont une peur terrible de mon ami en bleu paon. Il est le protégé de Paolo Giovio, le directeur de la bibliothèque pontificale. L'avoir pour ennemi signifie le renvoi. Un clerc m'a suggéré de m'adresser au secrétariat du dataire pour demander ce que je veux savoir. De la bouche même de messire l'Arétin, j'ai appris récemment qu'il ne s'entendait pas avec Berni. Dans ce milieu, on se montrera donc probablement plus loquace.

J'ai acquis suffisamment d'expérience des hommes pour comprendre qu'il convient de se montrer prudent dans les rapports avec cet individu curieux et disert. Première tâche : découvrir pourquoi il recherche ma compagnie. Ce n'est pas sans raison qu'il est si empressé. Il souhaite me servir de guide dans le labyrinthe qu'est Rome. Est-ce pour me mener aux nouveaux palais édifiés par Bramante – que j'ai vus du reste quand j'étais ici en 1518 – ou aux ruines antiques et expositions de statues et de vases récemment exhumés ? Sans doute pour me guider dans les auberges et les lupanars. Il connaît, dit-il, les grandes courtisanes de Rome. Des femmes qui se font payer des fortunes pour deux ou trois nuits. A ma connaissance, il ne reste de ces baisers et de ces étreintes qu'un souvenir tangible, *il mal francese*.

Depuis mon arrivée ici, je n'ai pas touché une seule femme. Rome fourmille de prostituées à tous les prix. Dans la strada del Popolo et autour du Ponte Sisto, elles occupent des maisons porte à porte, se penchent aux fenêtres et crient leurs tarifs aux passants. Les entremetteuses viennent conclure des affaires jusque dans les galeries du Vatican. Mais après les dames d'honneur françaises chevronnées et les jeunes paysannes au teint bronzé, encore à demi sauvages, qui veulent bien accorder leurs faveurs au cavalier solitaire, les filles de bas aloi, qui vendent leurs charmes pour une poignée de *scudi*, ne me tentent guère. Les autres, celles qui sont belles, séduisantes et vivent comme des princesses dans des palais, invisibles, sauf pour les invités, sont encore hors de ma portée. Même une recommandation de messire l'Arétin ne me conduira sans doute pas plus loin que l'antichambre. Aujourd'hui, je l'ai à nouveau rencontré. Il m'a salué avec grâce, force révérences. Au passage, il m'a félicité de mon admission dans la suite de Morone. Visiblement, on n'a jamais rien de nouveau à lui apprendre.

La vue de la marquise de Pescara a réveillé en moi le souvenir de ma mère adoptive. Dans ma jeunesse, Isabelle d'Aragon était pour moi le symbole de la majesté offensée, impuissante, d'une résignation altière devant les coups du sort. Dans ses lettres, elle avait coutume de placer sous son nom : *unica in disgrazia* – « personne ne connaît le malheur comme moi ». Qui croisait son regard n'en doutait pas. J'étais en France lorsque je reçus la nouvelle de sa mort. Jamais je n'ai prié avec autant de ferveur pour la paix de l'âme d'un défunt. Rodrigo et moi n'avons connu d'autre amour maternel que ses soins attentifs. Le château solitaire de Bari, perché sur les rochers dominant l'Adriatique, fut notre foyer. N'étions-nous pas des exilés, tout comme Isabelle et ses deux filles ?

Après un bref séjour à Naples – d'abord sous la surveillance de nos tuteurs, les cardinaux, plus tard chez nos parents, Gioffredo et sa lascive Sancia –, nous fûmes conduits à Bari. Nous ignorions tout d'Isabelle d'Aragon, sinon qu'elle était une sœur de Sancia et du père de Rodrigo et qu'elle avait été l'épouse de Gian Galeazzo Sforza, et duchesse de Milan. Lorsque nous passâmes à cheval les portes de la forteresse, je crus que nous y resterions prisonniers jusqu'à la fin de nos jours. Après tout, César, lui aussi, était incarcéré très loin en Espagne, gardé par des ennemis implacables. On nous fit traverser une série de petites pièces vides, obscures comme une taupinière. Rodrigo et moi, nous nous tenions par la main, je le sentais trembler de peur. Une porte s'ouvrit, laissant jaillir la lumière aveuglante du jour. Nous entrâmes dans une galerie entourée sur trois côtés d'étroites colonnes. Au-delà de ces arcades, l'étendue du ciel sans nuages, de la mer scintillant au soleil. Entre des arbustes en pots couverts de fleurs était assise une femme qui nous regardait d'un air grave. Elle était immobile. Dans la chaleur et le calme plat, pas un pli de son vêtement, pas une boucle de ses longs cheveux retombant sur ses épaules ne bougeait. Elle nous attira vers elle de son seul regard. A notre approche, les commissures de ses lèvres esquissèrent un sourire à peine perceptible. Elle tendit vers nous la paume de ses mains fraîches et saisit fermement les nôtres.

La vie chez Isabelle était paisible et régulière. Nous n'étions pas habitués à demeurer plus de deux ou trois semaines au même endroit. Nous n'avions jamais eu de leçons. Sauter, courir, nous bagarrer et nous livrer à toutes les espiègleries propres aux enfants qui s'ennuient étaient nos seuls jeux. En compagnie des filles d'Isabelle, Bonne et Ippolita, nous fûmes initiés aux civilités et aux divertissements de la vie de cour, le chant, la danse, l'art du luth ; nous apprîmes également à lire et à écrire. Rodrigo et moi avions chacun son propre précepteur ; le mien s'appelait Baldassare Bonfiglio et était aussi le bibliothécaire d'Isabelle. A la cour de Bari, on parlait aussi bien l'espagnol que l'italien, une habitude qui nous était familière depuis toujours.

Isabelle n'oublia jamais qu'elle était une Aragon ; ses origines espagnoles se traduisaient par son allure majestueuse, la grâce noble et austère, la passion maîtrisée des grandes héroïnes de romances espagnoles, *doña* Chimène et *doña* Inès. Le destin lui fournit l'occasion de montrer à quel point ces vertus s'étaient enracinées en elle. Jamais je n'ai entendu une plainte, une accusation, un reproche sortir de sa bouche. Nulle femme ne savait mieux qu'elle garder le silence. En ma présence, un envoyé de Milan fit un jour l'éloge de sa résignation dans le malheur. Elle répondit en souriant : « Pour moi, l'horizon s'est réduit à un unique point. C'est vers lui que sont orientés mes yeux, mes pensées. La foi déplace des montagnes, messire, et ma volonté est aussi forte que ma foi. Mais que signifie la volonté sans la patience ? » Il lui demanda quelle satisfaction lui apportait une attente qui devait lui paraître vaine. « La forme, le style. Et qui ose qualifier mon attente de vaine ? Je ne gaspille pas ma patience, messire. Vous pouvez sortir. »

Aujourd'hui, je sais que la conscience tardive d'avoir effectivement attendu en vain dut être la plus amère expérience de sa vie, plus difficile à accepter que l'humiliation, le bannissement, la mort de ses enfants, la solitude de ses dernières années.

Lorsque nous vînmes à Bari, Rodrigo et moi, Bonne avait quinze ans et était déjà en âge de se marier ; c'était une adolescente montée en graine, qui avait le nez busqué et le teint pâle, héréditaires, dit-on, dans la lignée des Sforza. Elle nous dominait, nous guidait dans nos jeux, nos leçons et autres activités. Son assurance et sa langue bien affilée lui donnaient l'autorité d'une adulte. La sollicitude d'Isabelle à notre égard se manifestait dans certaines directives, le choix des livres et de la musique, des mets qui nous étaient servis, des vêtements que l'on nous faisait porter, dans le comportement et les paroles des précepteurs, du maître d'armes, du maréchal et autres membres de la suite que nous rencontrions quotidiennement. Isabelle écoutait, observait, réfléchissait en silence sur la ligne de conduite à suivre. Il était rare qu'elle intervînt directement.

En revanche, Bonne réprimandait, punissait ou récompensait sur place, jouait le rôle d'arbitre dans les querelles, et de consolatrice dans les chagrins et les malheurs. Elle savait tout – ou faisait semblant –, et cela surtout nous impressionnait profondément. Parfois, dans un soudain besoin d'épanchement, elle nous faisait venir auprès d'elle, quelque part dans une pièce déserte ou dans les jardins d'un toit en terrasse, et nous racontait avec passion et force détails ce qu'elle se rappelait ou avait entendu dire sur le passé à Milan : comment son père, le duc légitime, avait été dépouillé de toute sa puissance et finalement empoisonné par un autre Sforza, son oncle Ludovic, dit le More, comment on avait offensé et humilié sa mère, comment son frère, encore enfant, avait été enlevé par la force et finalement mis hors d'état de nuire. « Le More, ce brigand, cet assassin, a attiré les Français en Lombardie pour asservir avec leur aide le reste de l'Italie et partager ensuite le butin. Il a cru pouvoir tromper et trahir le roi de France, comme il avait trompé et trahi mon père, mais il est tombé dans le piège, et maintenant, il est incarcéré en France, enchaîné comme un infâme voleur, et les Français règnent sur Milan, où mon frère devrait être seigneur et maître. Il ne pourra plus jamais revendiquer son héritage, car ils l'ont forcé à devenir prêtre lorsqu'il ne comprenait pas encore ce que cela signifiait. L'unique successeur des Sforza est abbé dans un monastère français et nous ici, ma mère, Ippolita et moi, nous sommes d'impuissantes proscrites. Dans toute l'Italie comme à l'étranger, il n'est pas un mortel qui embrasse notre cause et défende nos droits. Je suis l'aînée des enfants de mon père, que ne suis-je un homme ! Je deviens folle à l'idée que je devrai, ma vie durant, être le témoin de notre défaite sans pouvoir lever le petit doigt pour conjurer le malheur. »

Ce que disait Bonne ne tombait pas dans l'oreille d'un sourd. Je n'avais qu'un désir : être vite adulte, pour pouvoir chasser de Milan les occupants français et réhabiliter les Sforza. Je voulais les servir, donner ma vie au besoin, pour cette réparation d'honneur. Dans mes pensées, les récits de Bonne se confondaient avec les romances espagnoles que je lisais naguère sous la direction de messire Bonfiglio. Le château ducal de Milan – une série de palais entourés de gigantesques remparts, au dire de Bonne – hantait mes rêves. Je m'imaginais être intégré à jamais à la famille Sforza. J'oubliais que j'étais un Borgia. Tous les liens qui nous unissaient, Rodrigo et moi, à notre passé semblaient rompus, même si nous savions fort bien que Lucrèce envoyait tous les ans de Ferrare des cadeaux et de l'argent pour notre entretien. Je me considérais comme le paladin d'Isabelle, je ne pouvais me représenter un autre avenir qu'une vie chevaleresque consacrée à elle et à ses filles. Rodrigo répétait ce que je disais, mais, pour lui, tout cela était essentiellement un jeu.

Peu à peu, je pris conscience des tensions qui couvaient sous la surface apparemment calme de l'existence à la cour d'Isabelle. Cette paix était trompeuse. Au château régnaient un silence et un ordre exemplaires, chaque membre de la suite avait sa propre tâche quotidienne, qu'il accomplissait avec dévouement. Le parfum des fleurs dans les jardins suspendus, le son du luth accompagnant les chants remplissaient l'air. Isabelle évoluait parmi ces senteurs et ces accents, silencieuse, un vague sourire aux lèvres, méditant, les yeux baissés. Je compris au cours des ans pourquoi elle regardait si rarement quelqu'un droit dans les yeux : son regard la trahissait ; derrière un mince voile de mélancolie, il était perçant et tendu, inquisiteur en même temps que lucide et crispé. Toute la vie à Bari était placée sous le signe de l'attente. Isabelle et tous ceux qui partageaient son exil considéraient Bari comme une escale. Notre cœur, nos pensées étaient à Milan. Des messagers allaient et venaient, signalaient ce qui se passait en Lombardie, portaient des lettres d'Isabelle à des amis fidèles d'autrefois. En notre présence, elle ne parlait jamais ou presque de ces choses. Mais Bonne nous avait appris que sa mère entretenait des contacts avec les Milanais décidés à délivrer la ville du joug français. Son principal correspondant était Girolamo Morone, qui avait été le secrétaire du More mais était passé plus tard dans le camp des ennemis de ce dernier. Une trahison qui ne nous attrista pas, car à nos yeux le More, l'usurpateur, était un criminel et tout ce qu'on lui infligeait était une punition méritée.

« Mais à quoi bon, à quoi bon ? disait Bonne, tout en allant et venant devant nous avec des gestes gauches et rageurs. A quoi nous servent l'obstination de ma mère et les intrigues de messire Morone ? Nous sommes trop loin de Milan, sans amis, sans argent, sans soldats, sans rien, et même si les Français sont un jour chassés, jamais mon frère ne pourra être duc. Pourquoi continue-t-elle à espérer ? C'est absurde ! »

Néanmoins, cet espoir dominait la vie d'Isabelle. Le bruit du vent et de la mer, la vue – toujours la même – sur la ville de Bari et les chaînes bleues des montagnes au loin, le silence du château, la monotonie des activités quotidiennes ne détournaient pas son attention du but qu'elle s'était fixé.

En 1506, Ippolita mourut d'une affection aiguë de la gorge. Le deuil rendit Isabelle plus accessible. Maintenant que Bonne était adulte, elle n'avait plus d'autres enfants que Rodrigo et moi. Nous prîmes auprès d'elle la place du fils absent et de la défunte Ippolita. Lorsque nous étions entre nous, elle levait parfois le masque qu'elle offrait au monde extérieur. Elle riait rarement, parlait peu. Mais la femme qui nous accueillait dans l'intimité de ses appartements était tout autre que celle qui apparaissait en public parmi les courtisans et les serviteurs. Ceux qui n'avaient d'elle qu'une connaissance superficielle ne voyaient que froideur dans son silence et sa maîtrise de soi. A la cour de France, j'ai rencontré quelques personnages qui avaient gardé le souvenir d'Isabelle à l'époque de la première campagne du roi Charles VIII en Lombardie. Ils la qualifiaient de *sage et courageuse* *, mais vantaient encore davantage les charmes de Béatrice d'Este, la jeune épouse du More. Je ne suis pas surpris qu'à côté de l'éclat, proverbial à l'époque, de l'usurpateur et de la duchesse, les qualités d'Isabelle soient passées inaperçues. Rares étaient ceux devant qui elle laissait paraître que sous la cendre couvait encore un reste de braise. Peut-être faut-il avoir vécu aussi près d'elle que je l'ai fait pour le savoir. Aujourd'hui encore me poursuit le souvenir de son vague sourire insondable, de son regard rempli d'amertume, de mélancolie et de détermination. J'en ai retrouvé des traces sur le visage de la marquise de Pescara.

Pour gagner son approbation, je voulais me soumettre en tout point à ses normes. J'étais encore un enfant et n'avais pas d'opinions personnelles, je ne savais rien par moi-même. L'esprit chevaleresque, le fier sens de la dignité, la noble maîtrise de soi, j'adoptais toutes ces qualités, comme on se pare de vêtements inhabituels, mais d'une séduisante élégance. On les porte avec ostentation, sans se rendre compte qu'ils ne vous vont pas parce qu'ils ont été taillés pour un autre que vous. Sur ce point, je m'identifiais sans doute aussi

* En français dans le texte *(NdT)*.

en ce temps-là à Rodrigo, dont le physique et les allures de petit prince ressortaient encore mieux à Bari que dans l'ambiance de serre chaude de la demeure de Vannozza. J'oubliais que Rodrigo était un neveu en droite ligne d'Isabelle, le fils d'un Aragon, et moi pas.

Deux événements marquèrent un tournant dans ma vie : un voyage que je fis impromptu en compagnie de mon précepteur Bonfiglio et la visite à Bari d'Alphonse d'Este, époux de Lucrèce. Plus tard seulement, j'ai commencé à me douter qu'il avait dû y avoir un lien entre ces deux occurrences. Elles m'entraînèrent dans des situations que je ne comprenais pas, qui puisaient leur origine dans des faits dont j'étais ignorant. Le caractère énigmatique de ces circonstances faisait justement de ce voyage une aventure, mais je vis dès le début dans la visite d'Alphonse d'Este, duc de Ferrare, un signe de mauvais augure.

Un jour – je devais avoir neuf ou dix ans –, Isabelle me fit convoquer dans son *studiolo*, une pièce où elle conservait des livres, des peintures, des morceaux et fragments d'architecture antique. En entrant, je vis qu'elle remettait des lettres à messire Bonfiglio. « Voici *don* Giovanni, dit ma mère adoptive. Tenez-vous-en à mes ordres, messire, à moins qu'à Carpi d'autres décisions ne soient prises. » Je compris que ces mots signifiaient la fin d'un long entretien dont le contenu devait me rester inconnu. Messire Bonfiglio prit les lettres et quitta la pièce. Isabelle resta un moment à me contempler en silence. Finalement, elle dit que j'allais entreprendre un long voyage pour me rendre chez Alberto Pio, le seigneur de Carpi, une région située dans les environs de Ferrare. Elle me pria de ne pas poser de questions, elle ne pourrait m'expliquer ni le pourquoi ni le comment de cette entreprise.

« Si, là-bas, diverses situations te paraissent étranges, ne montre aucun étonnement. Dans ce cas, nous nous reverrons bientôt. Fais en tout point confiance à messire Bonfiglio. »

Je lui demandai si Rodrigo venait avec moi. Elle hocha la tête.

« Approche-toi. Regarde-moi. Que te rappelles-tu du temps d'avant Bari ? »

Si je suis capable de reproduire presque mot pour mot cette conversation, c'est surtout parce que je n'ai jamais oublié quelle violente réaction justement cette question avait déchaînée en moi. Avant de venir à Bari, toute ma vie avait été liée à César. Mes premières pensées furent pour lui.

« Est-il libre ? L'ont-ils relâché ? S'est-il enfui ?

— Il y a des gens que l'on ne relâche pas une fois qu'on les tient. Il est peu probable que tu le revoies jamais. Tu trembles d'excitation. Lui es-tu si attaché ?

— C'est tout de même mon père. »

Isabelle fronça les sourcils, baissa les yeux. Son silence me troubla car, de ce fait, mes paroles prirent soudain une plus grande signification. C'était la première fois que j'appelais ouvertement César « mon père ».

La perspective de faire un voyage en mer me remplit d'agitation. Je ne pouvais plus penser à rien d'autre. J'oubliai que j'ignorais pourquoi j'allais à Carpi et ce que j'allais y faire. La traversée se passa sans encombre, par temps clair, sur une mer calme. Pour messire Bonfiglio et moi, une tente avait été dressée sur le gaillard d'avant ; de jour, nous y étions à l'ombre ; la nuit, des tentures nous protégeaient du vent. C'était au mois d'août. Le soleil colorait le ciel de ses feux d'un bout à l'autre de l'horizon et, lorsque la nuit était tombée, les constellations scintillaient dans le noir. Nous naviguions toujours en vue de la côte. Dans la journée, tandis que messire Bonfiglio lisait ou dormait sous la tente, je regardais, abritant mes yeux sous l'arc de mes mains, la mer, les villages et forteresses sur les rochers, les marins sur le faux-pont, le mouvement régulier, ascendant et descendant, de la rangée de rames le long du navire, les dauphins qui jaillissaient des embruns en folâtrant. Enfin, avant même le lever du soleil, la galère jeta l'ancre à Tolle, à l'embouchure du Pô. Des valets armés d'Alberto Pio nous attendaient à terre avec des chevaux de selle. Suivit alors une longue et rapide chevauchée à travers un paysage plat, vert et saturé d'eau qui me parut aussi peu familier que si je m'étais trouvé à l'autre bout du monde. Vers le soir, nous traversâmes de vastes marais ; accompagné par le coassement monotone des grenouilles, je m'assoupis, penché sur l'encolure de mon cheval, si bien que je dormais quand nous arrivâmes à destination.

De notre séjour au château de Carpi, seuls quelques rares événements me sont restés en mémoire. Je ne vis Alberto Pio qu'une ou deux fois au cours de ces semaines. Il était à l'époque aussi important parmi les partisans de l'Espagne qu'il l'est aujourd'hui parmi les partisans de la France. Je l'ai vu passer récemment, tandis qu'il se rendait à la salle d'audience. Il est maintenant ambassadeur de France à Rome. Il a dû abandonner Carpi, occupé par les Impériaux. L'on prétend qu'il a de bons espoirs de récupérer ses possessions. Ce n'est pas la première fois, semble-t-il, qu'il passe d'un parti à l'autre, perdant du même coup son château et ses terres. Sans doute se souvient-il à peine de ma visite à Carpi ou préfère-t-il ne plus s'en souvenir. Il n'est pas sûr, du reste, qu'il puisse m'aider dans les circonstances actuelles, à supposer que je lui remette en mémoire notre rencontre de jadis.

Dans ce temps-là, il y a dix-sept ans, j'étais presque toujours en compagnie des jeunes fils de Pio. Nous allions à la chasse aux oiseaux dans les marais, nous jouions au javelot ou à la paume dans la cour, ou nous faisions de la musique avec les femmes et les filles de la famille dans une galerie donnant sur les jardins. Souvent, des parents et amis de Pio venaient en visite avec une grande suite, des chevaux et des chiens.

Un après-midi, Baldassare Bonfiglio vint me chercher dans les écuries, où je regardais avec les fils de Pio comment on ferrait un cheval. On me fit revêtir mes plus beaux habits, on m'aspergea de parfum, puis on me conduisit dans les appartements de la maîtresse de maison. *Madonna* Emilia ouvrit elle-même la porte. « Le voici, *Vostra Signoria* », dit-elle, s'adressant à une personne qui, au fond de la pièce, était assise au bord d'un lit d'apparat. On me poussa en avant, si bien que je trébuchai et tombai sur les genoux. L'étrangère se pencha vers moi pour m'aider à me relever. Ses gants sentaient le jasmin. Elle saisit mes poignets avec tendresse en souriant doucement. Un voile cachait son visage jusqu'au menton. Je vis vaguement ses yeux briller derrière la mince étoffe, mais ne pus rien discerner d'autre. Elle m'attira à elle d'un geste vif, impulsif. Son parfum me monta à la tête, je sentis ses lèvres bouger juste sous mon oreille. « Juan de Borja ? Giovanni, Gianni, Giannino ? »

Petits noms d'amour que j'interprétai comme une question. Ne comprenant pas ce qu'elle voulait dire, je restai devant elle, silencieux, confus. Elle portait au cou une chaîne à laquelle était suspendue, au creux de son décolleté, une pierre verte en forme de dauphin. Elle se mit à me questionner en espagnol : étais-je heureux, me plaisais-je à Bari, existait-il quelque chose que je souhaiterais avoir ? Aimais-je beaucoup Rodrigo, était-il plus petit que moi, me ressemblait-il, quelles étaient ses occupations préférées ? Je donnai les réponses que l'on attendait de moi. Messire Bonfiglio compléta ce que j'oubliais, ou que je taisais par un sentiment de honte inexplicable.

Plus tard dans la soirée l'inconnue entra dans la chambre que je partageais avec messire Bonfiglio. J'étais couché, dans un état intermédiaire entre la veille et le sommeil. J'entendais sa voix et celle de mon précepteur, mais je ne comprenais pas ce qu'ils disaient. Finalement, j'entrouvris les yeux. Ils étaient debout près de la table. Je vis que Bonfiglio lui remettait les lettres d'Isabelle et qu'à son tour elle laissait tomber des pièces d'or d'une bourse. Lorsque, ensuite, elle s'approcha du lit, je fis semblant de dormir. Bonfiglio écarta les courtines et tint haut le chandelier. « Ne le réveillez pas », chuchota la femme. Elle passa la main sur mon visage, mes cheveux, et repoussa précautionneusement le drap. La conscience d'être allongé tout nu et observé ainsi par cette étrangère me fit transpirer de confusion et de honte. Physiquement, j'étais bien développé pour mon âge, en présence de Rodrigo et d'autres camarades, au bain ou au jeu, je montrais généralement mon anatomie avec une certaine fierté. Mais ici, c'était autre chose. Je me sentais livré sans défense à ses regards, entraîné par un courant chaud et excitant. Finalement, la femme me recouvrit, lentement, me câlinant, mais sans une ombre d'amour maternel ; cela surtout fut une expérience nouvelle, troublante. Le dauphin effleura ma joue. Longtemps après qu'elle fut partie, l'odeur de jasmin qu'elle exhalait persista sous le ciel de lit. Je me demandai pourquoi elle avait éprouvé le besoin de cacher son visage derrière un voile, pourquoi elle avait parlé en espagnol. Pour la première fois depuis mon départ de Bari, je pris pleinement conscience du fait que j'ignorais le but de mon voyage. J'identifiai ce but avec la mystérieuse figure féminine. Plus tard, durant mes errances à Naples, alors que j'étais le plus torturé par le doute concernant mes origines, je me suis reproché cette acceptation inconditionnelle, infantile, de ces énigmes. Auparavant, je n'avais jamais cru sérieusement que la visiteuse, à Carpi, eût pu être Lucrèce, même si cette idée m'était parfois venue à l'esprit. En effet, pourquoi la mère de Rodrigo, notre parente et tutrice, ne m'aurait-elle pas révélé son identité ?

A Carpi, j'avais le sentiment que moi-même, messire Bonfiglio, la famille Pio et, à l'arrière-plan, ma mère adoptive, nous nous livrions à un jeu, l'un de ces jeux apparemment futiles, énigmatiques et compliqués, tels qu'ils se rencontrent dans les romans de chevalerie, et où le héros du récit doit, d'une manière ou d'une autre, faire ses preuves. Ce qui se cachait derrière était accessoire. L'essentiel dans cette affaire était la promesse que j'avais faite à Isabelle : ne pas manifester de surprise quoi qu'il arrivât. Aussi ne posai-je aucune question lorsque je constatai que la femme au dauphin avait disparu. Personne ne parla d'elle, on eût dit qu'elle n'avait jamais existé. Je compris que le silence formait un élément essentiel de ce jeu. Lorsque j'étais seul, j'avais l'occasion de repenser sans cesse aux expériences que j'avais vécues à Carpi. Ce voyage fut mon initiation au monde de la pensée, qui met un terme à la période inconsciente de l'enfance.

Nous repartîmes pour Bari, messire Bonfiglio et moi. Pendant la traversée, je ne cessais de regarder les dauphins. Messire Bonfiglio me raconta qu'ils jouaient toujours en couples dans les vagues. Si un dauphin perd sa compagne, il meurt de chagrin. Ils sont insouciants, amoureux, les fidèles accompagnateurs de Vénus Anadyomène.

De retour à Bari, Rodrigo m'apparut comme un petit garçon. Je vis aussi Isabelle sous un jour nouveau. Son visage n'était pas caché derrière un voile, elle n'exhalait pas non plus une senteur de jasmin ; ses mains ne caressaient pas, sa voix n'était pas câline. Maintenant que j'ai plus d'expérience dans ce domaine, je reconnais très vite ce rayonnement particulier, cette attirance physique suscités par une femme qui aime l'amour et se sait désirée. Isabelle ne possédait pas ce pouvoir d'attraction, pas plus que la marquise de Pescara. Ma mère adoptive ne m'interrogea jamais sur ce que j'avais vécu à Carpi. Lorsqu'elle me salua pour la première fois après mon retour, elle posa sur moi un regard scrutateur, mais ne me fournit pas l'occasion de poser des questions ou de parler de ce qui m'était arrivé là-bas. Ce que je prenais pour l'autorité d'une femme pleine de sagesse était en réalité de l'impuissance, un sentiment de malaise. Mais, à cette époque-là, je ne le comprenais pas. Rodrigo avait beau m'assaillir de questions, je ne voulais rien lui dire. Pour la première fois, j'avais pleinement conscience de la différence d'âge qui nous séparait.

La visite à Bari d'Alphonse d'Este, l'époux de Lucrèce, marqua définitivement la fin de mon enfance. Le but de sa venue était double : signaler que César avait trouvé la mort lors d'une expédition en Espagne et emmener Rodrigo à la cour de Ferrare. Mais Rodrigo refusa. Il ne se souvenait plus de sa mère, se méfiait d'Alphonse, qui l'avait si explicitement rejeté tant qu'il n'avait pas eu d'héritiers légitimes. La résistance de Rodrigo eut pour effet que son installation à Ferrare fut différée pour une durée indéterminée. De moi, il ne fut pas question. Jusqu'à ce jour, Rodrigo et moi avions été des égaux. Nous nous étions considérés comme des parents plus proches que de simples cousins, comme des frères issus du même couple. Nous étions traités de la même manière, avec les mêmes égards. Chacun de nous portait un titre ducal de régions conquises en Romagne par César, Rodrigo était appelé duc de Sermoneta et moi duc de Nepi et Camerino. Nous avions beau savoir que nous ne pouvions plus revendiquer ces territoires, il ne nous venait pas un instant à l'esprit de douter de notre droit à une éducation princière et à des hommages princiers. Dans le monde que nous connaissions, celui d'Isabelle, souveraine détrônée, fille exilée d'un roi, une personne ne perdait pas son prestige quand le sort lui était défavorable.

Je fus frappé de constater qu'Alphonse d'Este, sa suite, et, peu de temps après, par contrecoup, également la suite royale d'Isabelle donnaient la préséance à Rodrigo. Je compris que ce comportement n'était pas une simple marque de courtoisie envers le fils de la duchesse de Ferrare. Des regards, des allusions me concernant étaient échangés, que je ne comprenais pas. Il y avait, parmi les courtisans, des murmures qui s'interrompaient avant même que j'eusse pu entendre ce que l'on disait, mais reprenaient dès que je tournais le dos pour m'en aller. Plus blessante encore était pour moi la manière dont Alphonse d'Este me traitait. Lors de notre première rencontre, son attention s'était portée sur moi de la façon dont on juge un cheval ou un chien de chasse. Il se tenait debout au milieu de la salle, les jambes écartées, les pouces plantés dans son ceinturon. Un manteau aux manches bouffantes soulignait la largeur de son torse, la puissance de ses bras et de ses jambes. Les poils de sa barbe luisaient d'un éclat roux, comme de minces fils métalliques. Je l'abordai avec un profond respect. C'était déjà à cette époque un homme célèbre ; l'on disait qu'il coulait de ses propres mains ses canons et ses boulets, qu'il pouvait avec son cheval se soulever en l'air, accroché à une poutre transversale.

Sans dire un mot, il m'examina longuement et attentivement de la tête aux pieds. Il n'y avait pas la moindre trace de bienveillance dans son regard. J'attendais un geste, une parole d'accueil, comme il en avait gratifié Rodrigo. Mais il se retourna brusquement, me laissa planté là et alla vers Isabelle, spectatrice silencieuse de cet examen qui me rappela, sans que je pusse me l'expliquer, l'instant où, à Carpi, j'étais couché nu sous les yeux de la visiteuse nocturne.

Durant les jours qui suivirent, le duc de Ferrare se désintéressa de moi, bien que je fisse toujours partie de la compagnie. Mais ce qui me parut de loin le plus inexplicable fut le fait que ma mère adoptive et Bonne me traitassent aussi avec une réserve évidente. Sans y être préparé, j'avais été plongé dans la nuit et l'on m'y avait abandonné. Une fois les premiers sentiments de stupeur et de confusion passés, je résolus de découvrir la raison d'un tel traitement. Après la visite d'Alphonse d'Este, je commençai à trouver que moi-même, mon sort, les causes de ma situation exceptionnelle étaient infiniment plus importants que les heurs et malheurs d'Isabelle et de sa lignée. Je compris que mon premier devoir était de servir mes propres intérêts. Je m'estime heureux d'être parvenu si tôt à cette conclusion.

Des paroles saisies par hasard me mirent sur la piste : je devais chercher la clé de l'énigmatique comportement de mon entourage dans ma naissance, mes origines. Pour la première fois, je me rendis compte de la différence qui séparait ma naissance de celle de Rodrigo. Il était le fils légitime de Lucrèce et prince de la maison d'Aragon. Et moi ? César Borgia, pensai-je, devait être mon père. Quant à l'existence d'une mère, je n'y avais même jamais songé. Dans ma petite enfance, j'avais entendu parler de l'épouse de César, Charlotte d'Albret, qu'il avait laissée seule en France, après leur lune de miel. Il était clair qu'elle ne pouvait être ma mère. Ma naissance avait eu lieu à l'époque où César portait encore la pourpre. J'étais le bâtard d'un cardinal. Et puis après ? Le pape Alexandre m'avait jugé digne d'un duché. Pourquoi aurais-je dû être l'inférieur de Rodrigo ?

Chaque fois que j'en arrivais à ce point, les paroles et les attitudes de Vannozza me revenaient en mémoire. Elle m'avait détesté, m'avait toujours traité avec un secret mépris.

Elle ne me laissait manquer de rien, mais, en dépit de ses soins, son aversion était perceptible.

A ses heures, elle pouvait choyer Camilla et Carlotta, les autres enfants illégitimes de César, avec la même tendresse que Rodrigo, la prunelle de ses yeux. J'étais le seul qu'elle ne prenait jamais dans ses bras. Il y avait enfin ses étranges emportements pendant notre séjour au château Saint-Ange. Je me creusais la tête en de vains efforts pour établir des rapports entre les paroles énigmatiques à demi oubliées d'une vieille femme. Rodrigo posait sur moi un regard surpris lorsque je lui parlais de ces choses. Il ne comprenait pas ce que je voulais dire ; ses souvenirs ne remontaient pas au-delà de notre venue à Bari. Le refroidissement dans le comportement d'Isabelle et de Bonne envers moi échappait à son attention. Lui et moi partagions comme toujours les jeux, l'étude et la pratique des armes. Pour lui, rien n'avait changé ; pour moi, par contre, *tout* avait changé. Rodrigo était un enfant insouciant, fasciné par des bagatelles : une chevauchée, les lazzis d'un bouffon, le vol gracieux d'un faucon, un nouveau bonnet ou une nouvelle écharpe, une galère voguant au loin sur la mer. La seule chose qui le tracassât était la crainte de devoir retourner à Ferrare.

En ce temps-là, j'étais déjà peu expansif, enclin à méditer sur mon sort. Je ne voulais pas verser de larmes sur la froideur d'Isabelle, mais jour et nuit je retournais dans ma tête les raisons possibles de son attitude. Apparemment, elle était toujours aussi douce et calme. Peut-être aurais-je à peine pris conscience du changement si j'avais attaché moins d'importance au jugement qu'elle portait sur moi.

Un jour, des paysans lui apportèrent un jeune aigle royal tombé de son nid haut perché avant même d'avoir appris à voler, une bête hideuse, nue et aveugle, qui ouvrait grand son bec, affolée par la faim. L'oiseau piaillait et se débattait, au grand plaisir des courtisans. Isabelle assistait au spectacle sans mot dire, avec sur le visage une expression de dégoût mêlé de compassion. Dans la période qui suivit la visite d'Alphonse d'Este, chaque fois que je voyais ses yeux fixés sur moi, je reconnaissais ce regard. J'étais de jour en jour plus déconcerté.

De surcroît, je sentais que des changements s'opéraient dans mon corps. Je savais que je devenais adulte ; j'étais en proie à des désirs jusqu'alors inconnus, à de nouvelles sensations, je considérais mon entourage d'un autre œil. J'étais curieux et agité, j'allais de salle en salle sans savoir ce que je cherchais, ou je me dépensais excessivement et tout aussi vainement dans les leçons d'escrime et d'équitation. Comme toujours à cet âge, je m'intéressais davantage aux charmes visibles et cachés des demoiselles qui servaient Isabelle qu'à la sagesse livresque de messire Bonfiglio. De cela non plus je ne pouvais pas parler avec Rodrigo ; c'était un enfant et j'étais un homme.

En 1510, le fils d'Isabelle se rompit le cou pendant une partie de chasse à la cour de France. Pour quiconque a le goût inné de la chasse, il est dangereux de monter à cheval en soutane. Isabelle resta apparemment impassible en apprenant la nouvelle de cette catastrophe. Dix années s'étaient écoulées depuis que lui avait été enlevé son fils ; elle ne l'avait plus jamais revu, jamais elle n'avait reçu une lettre ou des messages de sa main. Elle savait qu'il l'avait oubliée, était satisfait de son rôle d'abbé séculier à Noirmoutiers. Elle-même avait souhaité qu'il en fût ainsi, que le chagrin et un vain désir de la revoir lui fussent épargnés. Lorsque l'on avait arraché l'enfant de ses bras, elle l'avait pleuré, comme s'il était mort. Depuis ce jour, il n'avait plus été pour elle son enfant, une partie d'elle-même dont l'absence était douloureusement ressentie, chair de sa chair, sang de son sang, mais la personnification du rêve qui dominait sa vie : retourner à Milan, réhabiliter les noms de Sforza et d'Aragon. Selon Bonne, elle n'avait jamais renoncé à l'espoir de voir un jour son fils devenir duc. Elle était prête à se jeter aux genoux du pape pour le supplier de lui accorder une dispense. La nouvelle fatale qui lui parvint de France anéantit cet espoir. Isabelle, parangon de maîtrise stoïque, porta le deuil sans un mot, sans une larme.

S'il est vrai que, déjà à cette époque, je ne me sentais plus lié à Isabelle, à Bonne et à Rodrigo comme autrefois, j'éprouvai néanmoins un choc violent lorsque je découvris que Rodrigo jouait peu à peu le rôle d'héritier et de successeur à Bari. En soi, c'était là une évolution naturelle. Rodrigo était le fils du frère d'Isabelle. En ce qui concernait les origines de l'enfant, elle avait presque autant de droits sur lui que sa vraie mère, Lucrèce, et, pour ce qui était du dévouement, Isabelle avait encore plus de droits qu'elle. Quant à Rodrigo, qu'il appartînt à la lignée de son père lui apparaissait comme un fait indubitable. Il était un Aragon de souche royale. Il siégeait et marchait à la droite d'Isabelle. A la cour, on murmurait que maintenant rien n'était plus impossible : fils, héritier, successeur, une idée découlait tout naturellement de l'autre.

C'est à cette période qu'eut lieu l'abaissement décisif pour moi de mon rang dans la hiérarchie. Du cercle des consanguins je passai à celui de la *famiglia*, la suite. Ce processus se fit si graduellement que je ne pus me plaindre d'être soumis par qui que ce fût à un traitement humiliant. Je sentais intuitivement la différence sans pouvoir dire clairement en quoi elle consistait. De membre de la famille de Rodrigo, son égal en rang, je devins une sorte de frère de lait, un camarade de jeux d'origine plus modeste. J'allais et venais dans les appartements princiers comme toujours, je conservais ma place au haut bout de la table, à la tête du cortège dans les parties de chasse ou pour me rendre à l'église, mais j'avais l'impression que l'honneur qui m'était fait n'allait plus de soi. C'était devenu une faveur que je partageais avec les bouffons et les joueurs de luth, le médecin d'Isabelle et le philosophe de la cour.

Au début, Rodrigo ne se rendit certainement pas compte de ce changement. Je restais pour lui l'aîné, le confident vers qui il se tournait spontanément. Il ne savait vraiment rien du mystérieux complot qui se tramait contre moi, dans lequel, à ce qu'il me semblait, chacun à Bari était impliqué. Pourtant, j'éprouvais sans cesse des doutes à son égard. Je me méfiais de lui, le rudoyais ou m'enfermais dans un silence blessant quand il entamait une conversation. Plus tard, j'eus honte de ma méfiance, que rien ne justifiait. Ce rapide changement d'humeur prouve à quel point Rodrigo m'était déjà devenu étranger à cette époque. Je préférais agir à ma guise. Sa présence me dérangeait, me poussait de plus en plus souvent à des critiques malveillantes et des remarques cassantes. Je ne pouvais m'empêcher de le provoquer. Dans la lutte à main plate et en escrime, j'utilisais toute ma force. Il cachait sa douleur et ravalait ses larmes, mais cet esprit chevaleresque ne faisait que m'exciter davantage. Parfois, il se fâchait vraiment ; ce qui n'avait d'abord été qu'un exercice dégénérait en une lutte sans merci. Dans ces instants, nous nous haïssions. Quand je lui infligeais une volée de coups, que je le clouais au sol de mon genou, je m'imaginais triompher d'Alphonse d'Este, des hautains courtisans napolitains et lombards d'Isabelle, du mystère qui me torturait, de mon propre sentiment d'infériorité. Je ne pouvais pardonner à Rodrigo d'être aussi sûr de lui, de son passé, de son avenir. J'étais ravi de constater qu'il avait secrètement peur de moi. Il ne se plaignait jamais, ni auprès d'Isabelle, ni auprès de qui que ce fût. Je savais que j'étais injuste envers lui, mais j'étais trop fier pour manifester de la honte ou des regrets. Chaque fois que j'en avais l'occasion, je l'accablais de sarcasmes et de coups. Au début, ces heurts avaient encore l'apparence de jeux innocents, mais peu à peu un changement radical se produisit. Nous ne discutions jamais de ces choses. Mais Rodrigo savait aussi bien que moi – je n'ai aucun doute sur ce point – que nos rapports s'étaient définitivement détériorés.

Je remarquai qu'il m'observait souvent de biais, d'un œil noir, méfiant. Il me laissait plus rarement l'emporter sur lui, se tenait sur ses gardes. Il m'évitait comme je l'évitais. Nous étions emportés loin l'un de l'autre, comme des nageurs séparés par un courant trompeur. J'éprouvais parfois un sentiment proche du désespoir lorsqu'il passait à quelques pas de moi sans me saluer, arrondissant les lèvres d'un air indifférent comme s'il sifflotait entre ses dents. Notre position officielle était maintenant ainsi établie que dans la suite d'Isabelle, je marchais toujours derrière lui. Rodrigo était petit et fluet pour son âge ; malgré la dignité de son maintien, il donnait parfois l'impression de ne pas être à la hauteur de sa tâche. Par moments, je regrettais de ne plus pouvoir comme jadis poser un bras protecteur autour de son cou fragile. Cette impulsion disparaissait dès que je me rendais compte que, de nous deux, celui qui était solitaire et menacé, c'était moi. Je ne le lui pardonnais pas. Pourquoi devais-je me sentir souillé, rejeté ? Quelles circonstances pouvaient expliquer que ma vie se distinguât si défavorablement de la sienne ?

J'avais compris peu à peu que la lignée des Borgia avait mauvaise réputation. César et le pape Alexandre semblaient s'être fait systématiquement des ennemis de tous les grands seigneurs d'Italie. Au cours des années passées auprès d'Isabelle, cette constatation m'était remise en mémoire chaque fois que la conversation portait sur la politique. Outre les accusations connues – usurpation, assassinats, trahison –, il y avait autre chose dont on ne parlait pas ouvertement. A mesure que je grandissais en âge, j'apprenais à mieux reconnaître le ton insinuant, les regards éloquents qui accompagnaient chaque référence aux paroles et aux actes des Borgia. J'étais à l'affût de ces signaux que, du reste, je ne savais pas interpréter. En tout cas, une chose était claire pour moi : quelle que fût la raison des soupçons qui pesaient sur le nom de Borgia, le blâme ne portait pas sur Rodrigo, mais sur moi. Il était également privilégié dans d'autres domaines. Il s'avéra que, en sa qualité de membre de la maison d'Aragon, il était placé sous la protection de la couronne d'Espagne et recevait annuellement d'importants revenus de l'héritage de son père. Rien n'avait été prévu pour moi. Je ne possédais rien, mis à part les quelques pièces d'or que Lucrèce m'envoyait de temps à autre. Je croyais alors que les ennemis de César l'avaient empêché de prendre certaines mesures à mon égard.

Lorsque Rodrigo eut douze ans, il adopta le titre qu'avait porté son père, duc de Bisceglie. A partir de ce jour, il fut toujours présent en personne lorsque les messagers et les intendants de ses possessions à Bari venaient remettre les comptes annuels. Cette nouvelle dignité le rendit sensiblement plus sûr de lui, plus indépendant. Lorsque les tensions entre lui et moi dégénéraient en insultes et querelles, je n'étais plus le vainqueur incontesté. Sa peur avait fait place au mépris. Même lorsqu'il avait le dessous, je lisais dans ses yeux la condamnation de mes attaques incontrôlées, et c'était aussi grave qu'une défaite.

La forteresse de Bari est construite sur une éminence escarpée qui surgit de la mer. Un sentier, prévu initialement pour permettre la fuite mais négligé depuis, mène du château à une crique en contrebas. On peut l'atteindre par une ouverture dans l'un des murs extérieurs, en empruntant une série d'escaliers de pierre étroits. L'accès à ce trou dans le mur nous était strictement interdit. Raison pour laquelle, sans doute, nous jouions là de préférence, dès que nous avions l'occasion de le faire sans attirer l'attention. Nous nous imaginions être dans la caverne du vent. Des courants d'air frais étaient aspirés par l'ouverture, l'endroit était pénombreux, derrière le volet facile à écarter s'ouvrait l'abîme. Dans les profondeurs, nous entendions la mer écumante battre les falaises. Dès le début, je fus irrésistiblement attiré par l'idée d'entreprendre la descente.

Lorsque pour la première fois je passai la tête au-dehors pour évaluer la distance à parcourir, et que je fixai une corde dont j'avais réussi à m'emparer à un anneau ancré dans le mur, Rodrigo se tenait accroupi, immobile et silencieux derrière moi. Cela se passait à l'époque précédant la visite d'Alphonse d'Este ; il n'y avait encore aucune ombre sur notre amitié. Aussi fus-je surpris du manque d'enthousiasme de Rodrigo pour cette aventure. Je me retournai et lui parlai, mais il n'entendit pas ce que je disais. Il était pâle, la sueur perlait sur son front, ses narines tremblaient. Par-dessus mon épaule, il fixait la ligne blanche du ressac au pied de la falaise. Je me laissai glisser par l'ouverture, le long de la corde, et descendis sur une bonne distance l'escalier étroit.

La lumière du ciel et le scintillement de la mer m'aveuglaient ; pris de vertige devant le vide, je me cramponnai aux pierres. Je remontai et trouvai Rodrigo étendu sans connaissance dans sa vomissure. Plus tard, je m'aventurai plus avant, jusqu'au sentier où des nids d'hirondelles de mer collaient à la paroi rocheuse comme des écailles grises. Tandis que je vidais ou arrachais un nid, j'entendis au-dessus de moi Rodrigo, criant d'une voix rendue perçante par la peur : « Attention, Giovanni, reviens, reviens ! » Pour l'impressionner et le convaincre que son angoisse n'était pas fondée, je prolongeai le plus possible mon absence. Lorsque je me retournai par hasard – je savais que je devais éviter de le faire –, une sorte de chatouillis nauséeux sous la plante des pieds m'avertit qu'il était temps de remonter. Inondé de sueur, hors d'haleine, je regagnai en rampant le trou dans le mur. D'habitude, Rodrigo avait ensuite la nausée : la peur d'aller s'écraser lui-même au fond de l'abîme ou de me voir tomber le poursuivait jusque dans ses rêves.

Jamais il n'osait faire ce que les pages d'Isabelle et moi-même nous faisions par bravade : nous asseoir à cheval sur les créneaux ou sur la balustrade du jardin sur le toit. Blanc comme un linge, les lèvres pincées, il nous considérait à distance. Nous nous moquions de lui, mais sa peur l'emportait sur sa honte. Même alors je comprenais déjà combien il en souffrait. Plus tard, je choisis méchamment cette faiblesse comme cible de mes railleries. Lorsque nous nous querellions, je ne manquais jamais de tourner en ridicule ce vertige, enfantin à mes yeux. « Attention, Rodrigo, il y a un trou de souris derrière toi !... », « Ce tabouret de pieds est trop haut pour Votre Altesse, tu risques de perdre l'équilibre ! »

Je prenais plaisir à entreprendre des escalades périlleuses en sa présence : contre un mur, un rocher, un échafaudage. Arrivé en haut, je le provoquais, le mettais au défi de venir me rejoindre. Parfois, parvenu au comble de l'exaspération, il faisait une tentative à laquelle il devait toujours renoncer à mi-chemin. Je triomphais alors à bon compte et célébrais ces succès avec d'autant plus d'exubérance que j'avais de moins en moins de prise sur Rodrigo dans d'autres domaines.

Je suppose que si ces souvenirs me préoccupent tant, c'est parce que je me suis longtemps senti coupable de sa mort. Je ne la souhaitais pas, je n'étais pour rien dans cet accident... Encore que ? L'homme possède l'art de se représenter ses désirs les plus secrets sous l'aspect de leur contraire. Lorsque je vis le corps fracassé de Rodrigo exposé solennellement dans la grande salle de Bari, je fus un instant aveuglé par une vision de moi-même qui me donna le frisson. Que ne donnerais-je pas pour pouvoir me souvenir de ce que c'était !

Un matin de septembre 1512, peu après le lever du soleil, je passai par la galerie ouverte dominant la cour intérieure pour me rendre à la salle d'armes. Je regardai en bas et vis le palefrenier de Rodrigo qui montait la garde devant l'ouverture conduisant au sentier où je m'étais aventuré auparavant. Je l'interpellai, lui demandai ce qu'il faisait là, mais il secoua la tête, agita la main devant sa bouche pour m'avertir de me taire. Je montai sur le vieux chemin de ronde du côté de la mer, me hissai entre deux créneaux pour avoir vue sur les rochers. Rodrigo avait déjà dépassé l'endroit où étaient accrochés les nids d'hirondelles. Jamais je ne m'étais aventuré aussi loin. A cet emplacement, des éboulis rendaient le sentier dangereusement étroit, les roches lisses n'offraient aucun point d'appui. Rodrigo avançait d'un pas hésitant, un pied après l'autre, ramassé sur lui-même, cherchant à tâtons où s'agripper. Finalement il s'arrêta pour se reposer à quatre pattes. Dans cette position grotesque, il ressemblait à un veau en détresse, terrifié, qui s'est éloigné de la vache et n'ose plus avancer ni reculer. Je ne pus m'empêcher de rire. Rodrigo leva les yeux. Sa chemise était déchirée, ses cheveux, que la transpiration rendait plus foncés, collaient à son front et à ses joues. Il parcourut du regard les murs de Bari. C'est alors qu'il me vit. Je ne fis pas un geste, ne produisis aucun son. Je le regardais du haut des créneaux contre lesquels je m'appuyais. Il ouvrit la bouche et poussa un cri. Effroi ? Triomphe ? Je ne le saurai jamais. Il étendit les bras en un geste véhément, incontrôlé, et tomba à la renverse dans le vide.

Ces derniers jours, je n'ai plus reçu de tâches, mais par contre la consigne de rester dans le Vatican. Il semble que messire Morone ait l'intention de me convoquer d'un instant à l'autre. C'est donc que le chancelier de Milan joue à nouveau un rôle dans ma vie. Songeant à ce que j'ai vu et entendu à son sujet, j'ai l'impression que le rendez-vous imminent entre lui et moi a été organisé d'avance ; suite en même temps qu'accroissement et achèvement d'une série de rencontres fortuites dont les débuts remontent à loin. J'ai vu un jour un tableau d'un maître flamand du siècle dernier, représentant la visite de la reine de Saba au roi Salomon. Par naïveté ou souci d'économie, l'artiste avait peint sur la même toile, dans un seul et même paysage, toutes les étapes du voyage. Très loin dans les montagnes à l'arrière-plan on voyait, à peine grosse comme le petit doigt, la silhouette de la reine à son départ ; plus discernable sur un second plan, elle s'adressait à mi-chemin à des envoyés ; mais, simultanément, au premier plan était représentée grandeur nature la cérémonie d'accueil dans toute sa gloire. C'est à peu près de cette manière que l'image de messire Morone semble surgir du passé, chaque fois un peu plus grande, aux contours toujours plus nets. Que me veut-il, ou serait-ce que ce rapprochement s'opère sans qu'il y soit pour rien ? Il n'y a aucune raison pour qu'il se souvienne de moi. Je l'ai vu deux ou trois fois entouré de sa suite et des courtisans d'Isabelle à Bari ; je ne lui ai jamais été présenté, il ne m'a pas adressé une seule fois la parole. Il ne peut pas savoir que sa présence et les nouvelles concernant ses actes ont exercé non pas une, mais deux fois, une influence décisive sur ma vie.

C'est sur ses conseils que jadis Isabelle se réconcilia avec le fils de son ennemi le More, ce qui eut pour effet mon départ de Bari ; sa trahison de Sforza, plus tard, fut à l'origine de la décision que je pris d'entrer au service du chef militaire de Naples, Fabrizio Colonna.

Après la mort de Rodrigo, je mûris le projet de quitter Bari. J'avais quinze ans, j'étais capable de voler de mes propres ailes. La cour d'Isabelle n'avait rien à m'offrir. Je ne pourrais plus jamais occuper une place conforme à mon rang, et je ne pouvais pas non plus faire partie du personnel. Bari était isolé, loin de tout ce qui m'attirait. Je voulais conquérir la célébrité, les honneurs, principalement pour faire taire le doute qui me rongeait et fuir le souvenir de la mort de Rodrigo. Quelque part, me disais-je, il devait être possible de trouver des hommes restés loyaux envers le nom de Borgia, qui seraient prêts à apporter leur soutien au descendant d'une famille autrefois puissante. Où étaient passés les capitaines de l'armée de César, les cardinaux que le pape Alexandre avait couverts d'or et de faveurs ?

J'attendis l'occasion de mettre ma mère adoptive au courant de mes intentions. Avec Rodrigo, avait aussi disparu le dernier semblant d'intimité entre elle et moi. Elle vivait retirée dans ses appartements avec Bonne et quelques amis fidèles. Je ne la voyais que rarement, et le plus souvent de loin. De Ferrare continuaient à me parvenir régulièrement de l'argent et des vêtements ; les lettres qui les accompagnaient étaient destinées à Isabelle, qui ne me les montrait jamais. Messire Bonfiglio avait repris ses activités dans la bibliothèque, les leçons étaient terminées. J'allais à la chasse et m'exerçais aux combats courtois avec les seigneurs de la suite d'Isabelle. Ils me toléraient sans m'accorder beaucoup d'attention.

J'écoutais leurs conversations sur la politique, leurs fanfaronnades et leurs divergences de vues. A leur contact, j'appris rapidement à proférer des jurons et tenir des propos obscènes ; j'eus, comme eux, une série de brèves aventures avec des chambrières et des filles du voisinage, pas de quoi se vanter : il suffisait d'une ou deux boutades et de quelques caresses osées pour qu'elles cédassent à vos avances. J'en tirai à la longue peu de satisfaction. Mais Bari n'avait rien de mieux à proposer.

Pire que l'ennui étaient l'agitation qui m'habitait de jour

et l'angoisse qui me tourmentait la nuit. Dans les ombres et les ténèbres, je croyais voir la silhouette de Rodrigo, dans le murmure du vent et de la mer, j'entendais toujours sa voix. Ce n'était pas moi qui l'avais poussé dans le vide et pourtant je me sentais inexplicablement coupable. Depuis, ce sentiment ne m'a plus quitté. Je soupçonne que cette notion de culpabilité remonte beaucoup plus loin que ce qui est arrivé à Rodrigo, que c'est un vieux sentiment, héréditaire, comme une ressemblance physique. Dieu sait en expiation de quelles pensées et de quels actes d'une famille éteinte je dois supporter ce poids.

Au printemps de 1513, un messager venu de Lombardie apporta la nouvelle que Maximilien Sforza, le fils aîné du More, avait accepté, sous la protection de l'empereur, de régner sur Milan enfin libérée des Français. A ma grande indignation, Isabelle envoya sur-le-champ ses félicitations à l'héritier de l'homme qui avait été son ennemi juré. Peu de temps après, des ambassadeurs du nouveau duc firent leur apparition à Bari. On me désigna le chef de la députation, un homme laid, vêtu d'une toge noire de juriste : messire Morone, ancien secrétaire du More, nommé à présent chancelier ducal.

Initialement, le but de cette visite resta secret, ce qui n'avait rien d'étonnant, puisque Isabelle devait encore vaincre une grande résistance intérieure avant d'en arriver à accepter l'idée de la recevoir. Avant le départ des envoyés, elle organisa une fête et, dans la grande salle, elle annonça aux courtisans et aux invités qu'elle avait promis à son digne parent Maximilien Sforza, duc de Milan, la main de la seule enfant qui lui restât, Bonne Sforza. En sa qualité de représentant du fiancé, Morone glissa un anneau au doigt de Bonne. Il le fit rapidement et sans prononcer une parole, avec un geste d'excuse avant de toucher la main de Bonne. Le contrat de mariage signé par les deux parties fut montré à l'assemblée. Plus tard, Isabelle prit dans sa main le parchemin roulé et scellé, comme l'on tient un sceptre. Lorsque je vis les deux femmes debout l'une près de l'autre, Bonne, maîtresse d'elle-même, Isabelle tremblant d'une émotion qu'elle

112

ne pouvait plus cacher, je compris que, pour moi aussi, le moment était venu. Elles avaient atteint leur but, suivi la seule voie possible sur les conseils de Morone : Milan n'était plus un mirage, mais la Terre promise, accessible à l'horizon. Avec Bonne et sa descendance future, la branche légitime des Sforza était réhabilitée. Il ne restait plus que le voyage en Lombardie, la célébration du mariage dans le *castello* ancestral. Bien que je dusse admettre qu'Isabelle n'aurait pu agir autrement, elle avait perdu à mes yeux son incorruptibilité.

J'attendis que les hôtes et les envoyés de Milan fussent partis pour solliciter de ma mère adoptive un entretien. Tandis que je parlais, elle restait immobile, les yeux baissés, un vague sourire sur les lèvres, dans l'attitude qui m'était si familière. Je la dominais du regard. Pour la première fois, je vis des mèches grises dans ses cheveux, de profonds sillons entre les narines et les commissures des lèvres. Finalement, elle releva la tête.

« Tu veux donc partir ? C'est bien. Je le comprends. Nous écrirons à la duchesse de Ferrare.

– Ce n'est pas là que je vais.

– Elle est ta tutrice, ta consanguine. Elle peut t'apporter son appui.

– Je n'ai que faire de l'aide que l'on donne à un bâtard indésirable. »

La mère et la fille échangèrent un regard. Je passai à l'attaque, tremblant d'excitation, car je pouvais enfin dire ce que je voulais.

« J'ai mangé trop longtemps le pain de la charité. Plus qu'un valet, mais moins qu'un seigneur. Toujours dans l'ombre de Rodrigo. Je ne suis pas plus mauvais qu'un autre, quel qu'il soit. On voit des bâtards devenir des maîtres, des chefs d'armée, des banquiers, des cardinaux. Je descends d'une puissante famille. Je suis plus Borgia que ne l'était Rodrigo. »

Isabelle leva les sourcils et Bonne, qui se tenait debout derrière son siège, fit un geste brusque.

« Qu'as-tu entendu dire ? demanda ma mère adoptive.

113

– J'ai entendu dire que nous étions une famille de traîtres et d'assassins. Mais ne le sont-ils pas tous ? D'Este, Montefeltro, Baglioni, Gonzague, Médicis ? J'ai l'oreille fine. Pourquoi est-ce pire d'être un Borgia ? »

Bonne fit un pas vers moi :

« César a fait poignarder le père de Rodrigo sur les escaliers du Vatican, parce qu'il...

– Tais-toi, Bonne, dit Isabelle d'une voix claire et dure. Ce sont des suppositions. Nous ne savons rien avec certitude. Je ne veux pas que certaines accusations soient répétées sous mon toit. Jamais je n'ai fondé mon jugement sur des rumeurs. Il est déjà trop grave que le doute empoisonne nos pensées, trouble notre vue... Giovanni, j'écrirai à Ferrare que j'approuve ton intention de partir. Un homme est ce qu'il *veut* être. J'estime que l'on doit te fournir l'occasion de montrer dans quel sens te poussent tes aspirations. Je t'ai vu grandir. J'avais des raisons de suivre tes faits et gestes. Rodrigo ne m'a jamais placé devant des énigmes. Je t'avouerai franchement que je n'aime pas l'expression de ton regard, le trait amer autour de ta bouche... Je pense qu'il y a en toi de grandes zones d'ombre contre lesquelles tu dois lutter. Ne me demande pas pourquoi. Comment pourrais-je t'expliquer une chose que je ne comprends pas moi-même ? Ce que je te souhaite, c'est que tu apprennes à connaître ta propre nature, et que tu la maîtrises pour en tirer les aspects les plus nobles. »

Elle se tourna vers le mur où était suspendue sa collection de tableaux – nous nous trouvions dans le *studiolo* – et me fit signe d'approcher. Par-dessus sa tête, je regardai la toile qu'elle me montrait. Je la connaissais bien. Aussi loin que je m'en souvienne, elle avait toujours été là. Chaque fois que j'entrais dans le cabinet de travail d'Isabelle, mon regard était attiré par cette peinture. Sur un fond de paysage crépusculaire, des rochers, des cyprès, un lac bleu au loin : un personnage à demi détourné du spectateur, agenouillé parmi des fougères et des broussailles basses. Le visage était vivant, bougeait d'une manière inexplicable. Pas de couleurs claires, pas de formes bien démarquées, seulement des nuances de lumière et d'ombre, des degrés divers de profondeur dans la perspective savamment rendue. On avait l'impression de regarder par une fenêtre. Quant à la silhouette au premier plan, j'ignore encore aujourd'hui s'il s'agissait d'un homme ou d'une femme, d'un enfant ou d'un adulte, d'un ange ou d'un démon. L'expression de ce visage semblait changer tandis qu'on le regardait.

Pendant ce bref instant en présence d'Isabelle et de Bonne, je crus d'abord y lire de la cruauté et une méchante ironie, aussitôt après, de la tristesse et de la pitié, et, finalement, il me sembla que la bouche et les yeux souriaient, mystérieux, doux et mutins. Je me retournai, confus, et vis le regard scrutateur d'Isabelle.

« Messire Léonard de Vinci a peint ce tableau pour moi, lorsque, jeune mariée, j'arrivai à Milan. Il l'accompagna d'une explication : c'est le visage que nous offre la nature, il porte les marques de nos passions les plus secrètes, de ce que nous possédons dans notre sang de caché, d'inconnu de nous-même. Une énigme, mais messire Léonard aimait proposer des énigmes. Tantôt je frémis sous ce regard ; tantôt je pense : si les anges existent, c'est ainsi qu'ils sont. Il m'arrive souvent aussi de me tenir devant cette toile comme devant mon propre miroir. Regarde-la, Giovanni, et dis-moi ce que tu vois. »

Je compris ce qu'Isabelle avait voulu dire quand j'eus plus tard, en France, l'occasion de voir un tableau semblable de Léonard. Il avait travaillé pour le roi François ; la toile se trouvait au château d'Amboise. Elle était énigmatique et inquiétante, à la fois étrange et familière, comme peut l'être effectivement notre reflet dans un miroir. L'homme qui était capable de donner une figure humaine à des taches de moisissure, des épaves et des excréments, montrait dans les visages et les silhouettes des hommes leur parenté avec le monde inanimé qui nous entoure. Je me souviens de ce magicien pour l'avoir vu lorsqu'il était ingénieur dans la suite de César.

Dans quelle intention Isabelle m'a-t-elle confronté à ce tableau ? Espérait-elle qu'en lui décrivant ce que je croyais y voir je dévoilerais le tréfonds de moi-même ?

Mon séjour à Bari tirait à sa fin. J'avais demandé à Isabelle de m'envoyer à Milan. Je voulais entrer au service de Sforza. En effet, grâce à l'intervention des deux duchesses, l'ancienne et la future, je devais pouvoir trouver ma voie là-bas. Chacun disait qu'avant longtemps de nouveaux combats éclateraient en Lombardie. La France s'apprêtait à reconquérir Milan et cette menace de guerre entraîna l'ajournement du mariage de Bonne. Lucrèce craignait sans doute que, dans ces circonstances, je ne fusse voué à une mort certaine si j'allais vers le nord. La réponse qu'elle adressa à ma mère adoptive ne me fut pas communiquée. En tout cas, elle me fit parvenir à nouveau de Ferrare de l'argent, des vêtements et un bon cheval de selle. Isabelle écrivit donc des lettres de recommandation à des amis et parents de Naples. Elle fit pour moi ce qu'elle pouvait. Cependant, j'étais conscient du soulagement que cachait sa bienveillance. Elle était distraite, agitée. Le mariage de Bonne, le voyage de retour à Milan, la fin d'un long exil, toutes ces choses accaparaient ses pensées.

Lors des adieux, elle m'offrit un couteau-poignard qui avait appartenu à Rodrigo. Je l'avais toujours secrètement envié de posséder cette arme, qu'il avait reçue dans son enfance du pape Alexandre. Depuis, je la porte constamment sur moi ; c'est un stylet de Tolède, joliment ciselé. Sur le manche sont gravés les signes héraldiques des familles Borja et Llançol. Je me souviens encore que César éclata d'un rire énorme quand le pape Alexandre remit ce cadeau à Rodrigo. Alexandre s'en fâcha et une violente altercation suivit. Plus tard, César aida à fixer le poignard au ceinturon de Rodrigo et dit qu'il avait lui-même utilisé cet objet pendant un certain temps. Chaque fois qu'il voyait l'enfant avec cette arme, le fou rire le reprenait. Je croyais alors qu'il se riait de Rodrigo, qui avait l'air grotesque avec ce gros poignard sur le côté. Plus tard, je commençai à soupçonner que l'hilarité de César avait une autre cause.

116

La dernière personne dont je pris congé à Bari fut Bonne. Quand je lui offris mes vœux de bonheur, elle fronça impatiemment les sourcils. « Bonheur, bonheur ! C'est par méchanceté que tu me dis cela ? Maximilien Sforza est une brute toujours ivre, un jouisseur paresseux et stupide. Si j'étais un homme, je le chasserais de Milan à coups de pied. Comme je suis une femme, je ne peux atteindre mon but qu'en partageant son lit. J'aurai un fils qui sera un vrai Sforza parce que le sang de mon père coulera dans ses veines. Bien sûr, je ne demande pas qu'on me plaigne, puisque c'est le but de ma vie. Souhaite avec moi que la bataille se termine à notre avantage, afin que je puisse me rendre à Milan... Et admire ma mère ! Après tout, c'est *elle* qui a fait en sorte que cet individu me choisisse. Je souhaite que tu puisses tirer parti des atouts de ton existence de la même manière. Tu as un jeu étrange entre les mains, Giovanni. Te rappelles-tu combien de fois nous avons jadis joué aux cartes avec Ippolita et Rodrigo ? Je dois te dire ceci à ton honneur : je ne t'ai jamais vu tricher. » Elle me donna une légère tape sur l'épaule et s'en alla. Je la suivis du regard. Une silhouette carrée, rigide, la tête fière sur un long cou délicat... Elle portait une robe décorée aux couleurs de Milan.

Peu de temps après, je quittai Bari pour toujours.

Quand je songe à mes premières errances à travers le royaume de Naples, c'est toujours avec le sens aigu du ridicule de ma situation. Malgré mon valet, mon cheval et ma bourse bien remplie, j'étais un mendiant. Muni des lettres d'Isabelle, je fis le tour de tous les grands seigneurs dans l'espoir d'être admis dans l'une ou l'autre cour : celle du vice-roi, du marquis de Pescara, de Prospero ou de Fabrizio Colonna. Par le truchement de quelque majordome ou secrétaire, on m'offrait courtoisement l'hospitalité. J'étais considéré comme l'un de ces hôtes qui venaient et repartaient quotidiennement. Le vice-roi me reçut un jour personnellement, fut très affable, mais ne me promit rien. Pescara et les deux Colonna n'étaient pas à Naples, mais avec les armées impériales en Lombardie pour défendre Milan. Je brûlais du désir de m'y rendre moi-même. Avec l'appui d'un homme influent, j'aurais certainement atteint mon but. J'étais déçu que les lettres d'Isabelle me fussent d'un si maigre secours, mon propre manque d'expérience m'irritait. Lorsque je quittai Bari sur mon nouveau cheval fougueux, suivi de mon valet et des mulets transportant mes bagages, je me considérais comme un homme du monde, libre, adulte. A Naples, il ne restait plus grand-chose de cette morgue. Je passais mes journées à attendre indéfiniment dans des palais inconnus. Je ne savais ce que je devais dire ou faire, à qui je devais ou non m'adresser. Personne ne se souciait de moi. Chevauchant dans les rues de la ville, j'étais si impressionné par ce que je voyais et entendais que j'oubliais d'adopter l'attitude désinvolte qui sied à un homme de sang noble. Je devins ainsi la victime de ma curiosité et de ma maladresse.

Je fus flatté lorsque, devant une auberge, deux jeunes gens bien vêtus, parlant l'espagnol, m'adressèrent la parole en termes respectueux, teintés de camaraderie. Je les tenais pour des courtisans du vice-roi. Devant un verre de vin, je leur dis d'où je venais et ce que je voulais. Ils promirent d'intercéder en ma faveur auprès d'un puissant de la cour. Mais ils voulaient d'abord me montrer les curiosités de Naples. Les jours qui suivirent s'écoulèrent dans une débauche de vin, d'amours vénales, de querelles délirantes avec d'autres fêtards. Lorsque je revins à moi, j'étais étendu, à demi nu, sur une table dans un troquet du quartier des bordels. Mon cheval, ma bourse, mon manteau et mes bottes avaient disparu. Les vêtements que j'avais encore sur moi étaient déchirés et couverts de taches. Chemin faisant, j'avais en outre perdu mon valet. Je ne l'ai plus jamais revu et ne sais ce qu'il advint de lui. En titubant, je tentai de retrouver le chemin ramenant à la partie de la ville que je connaissais. Le soleil embrasait les étroites ruelles escarpées, je trébuchais sur des tas d'ordures, des femmes tordaient leur linge au-dessus de ma tête en riant aux éclats.

Je dus convertir en argent liquide le contenu de mes malles,

ne voulant à aucun prix retourner à Bari ou chez ma tutrice
Lucrèce pour demander de l'aide. J'achetai un autre cheval ;
bien qu'il ne fût plus jeune, il marchait encore relativement
bien. J'errai quelque temps dans les environs de Naples, tombai au beau milieu d'une bande de brigands qui me poursuivirent ensuite comme traître lorsque je décidai de prendre
le large. Plus tard, je servis plusieurs mois dans la suite d'un
aristocrate, sur des terres situées non loin de Bénévent. Là –
c'était en septembre 1515 –, j'appris que les Français, sous le
commandement du roi François, avaient vaincu les armées
impériales et que la ville de Milan était retombée aux mains
des vainqueurs, bien que Sforza fût encore retranché dans
le *castello*, attendant du renfort. Dans le Sud, on pensait qu'il
tiendrait bon : le château de Milan passait pour être impre-
nable. Mais avant même la venue de l'hiver arriva la nouvelle que le chancelier Morone avait trahi et vendu son seigneur aux occupants français, tout comme il avait trahi et
vendu le More quinze ans auparavant. Par la suite, en France,
une autre version de l'affaire me revint aux oreilles : à ce
qu'il paraît, Maximilien Sforza, qui n'avait guère envie de
gouverner ni d'épouser Bonne, se serait laissé emmener sans
protester plus ou moins comme prisonnier en France, où on
lui avait promis un poste honorifique et une vie aisée. Quoi
qu'il en soit, il est indéniable que Morone joua un rôle dans
cette affaire. Peut-être pour le salut de Milan, mais sûrement
au détriment de Bonne et d'Isabelle, pour qui les chances de
retourner à Milan semblaient définitivement exclues. Le pape
Léon renonça à appuyer les Impériaux et conclut la paix avec
François Ier. Peu de temps après, les seigneurs Colonna
et Pescara quittèrent la Lombardie pour revenir à Naples. Ils
étaient – Pescara l'est encore – les dirigeants du parti favorable à l'Espagne. A l'époque déjà, il était clair qu'ils ne
s'inclineraient pas devant la politique du pape et continue-
raient à lutter coûte que coûte contre l'influence française
à Milan. A Bénévent, on proclama que Fabrizio Colonna
recrutait des hommes pour les entraîner. C'était pour moi
l'occasion ou jamais. Je voulais aller en Lombardie, me

battre contre les Français, libérer Milan, si possible punir à moi seul Morone de sa trahison, dans un lointain avenir remettre Isabelle et Bonne sur le trône des Sforza, et enfin obtenir d'elles, outre leur gratitude, la reconnaissance de l'égalité totale de mon rang. Un idéal puéril. Je n'hésitai pas, mis mes possessions dans un sac, sellai mon cheval et partis pour Naples.

Vittoria Colonna

Elle savait quelle maladie son époux avait contractée à Pavie. Elle savait aussi qu'elle ne devait parler de sa découverte à personne, pas même à Pescara. Son comportement le lui avait fait comprendre dès le début. Après chaque quinte de toux, une toux sèche, exténuante en sa présence – comment eût-il pu lui cacher les taches de sang sur le mouchoir ? –, il la regardait d'un air méfiant et d'avance plein de défi : Garde-toi de me plaindre. Lorsqu'elle lui proposa de se rendre avec lui dans leurs propriétés du Sud, il refusa sur un ton péremptoire, déclarant qu'il n'était pas venu à Rome dans l'intention de se reposer. S'il n'avait songé qu'à guérir, il n'aurait pas eu besoin de quitter la forteresse de Novare, où l'on prenait bien soin de lui. Vittoria se tut et détourna la tête pour ne pas montrer à quel point cette allusion lui était pénible.

Elle le connaissait trop bien pour ignorer qu'il ne tolérerait aucune atteinte à ses habitudes, à ses décisions. Tous les jours, il se levait de bonne heure et allait se promener à cheval hors de la ville, bien que les cicatrices de sa cuisse le fissent beaucoup souffrir pendant ces chevauchées. Plus tard, il recevait des parents, des amis, des membres du parti espagnol. Depuis la dernière fois que Vittoria l'avait vu, il s'était fait pousser une barbe courte, à l'espagnole. Il était vêtu de noir. Son maintien était plus rigide, ses gestes plus gourmés ; tout son être était raidi en un formalisme castillan. Il gaspillait ses forces en des efforts stoïques pour supporter ses douleurs, cacher des accès de faiblesse. En apparence, il était parfaitement maître de lui. Seul le choix de ses mots trahissait son irascibilité et ses emportements. Tous les entretiens portaient sur la politique. Pescara se montrait toujours sarcastique lorsqu'il était question de la tactique militaire des Français, de la diplomatie du pape, et qu'il tournait en ridicule l'attitude d'attente passive des États italiens en général. Il déclarait d'un ton méprisant que la France méritait pleinement la défaite et l'Italie, la ruine. Le meilleur atout de l'empereur : l'impéritie de ses ennemis. Sa venue dans la ville fut considérée comme l'événement le plus important du printemps. Amis et ennemis voulaient connaître son opinion sur la situation du moment. Il accordait chaque jour des audiences comme un prince.

*

* *

A ses côtés, je partage les honneurs et l'intérêt. Je vois ce qui échappe aux visiteurs, même aux membres de la famille : les ombres qui s'accentuent de plus en plus sur les tempes et les ailes du nez, la manière dont il passe parfois rapidement sa langue sur ses lèvres sèches, son sourire qui soudain, au milieu d'un entretien, se crispe en une grimace de douleur. Je suis seule à l'entendre soupirer, sacrer entre ses dents, étouffer un gémissement. Pourtant, grâce à sa maîtrise, il réussit aux yeux des étrangers à paraître celui qu'il a toujours été. Son maintien, la coupe de son justaucorps et de son manteau font oublier qu'il a beaucoup maigri, qu'il boite. A table, participant au jeu courtois de questions et de réponses, il est capable de montrer tant d'esprit et d'aisance qu'il m'arrive par instants de penser que mes angoisses sont seulement des fantasmes. Je veux alors croire que j'ai rêvé, que je suis en proie à l'un de ces cauchemars qui m'ont accompagnée au cours des ans : spectres de maladie et de mort, annonce soudaine d'un malheur. Mais non, je suis éveillée, tout cela est faux. Ferrante est assis près de moi, renversé négligemment sur sa chaise, le sourire familier, plein d'ironie découvrant ses dents. La lueur des torches, le désordre des verres à vin et des fruits sur la table, au loin les chants et le son du luth, et, derrière les arcs des fenêtres, le bleu du ciel nocturne, décor intemporel, celui de ces autres soirs à Naples, à Ischia, il y a dix ou douze ans. Je sens alors sourdre en moi une ancienne sensation, l'ombre des désirs éprouvés dans les premiers temps de mon mariage. Nous sommes jeunes, nulle distance, nulle amertume ne nous sépare. Je veux m'abandonner à ce mirage, oublier que le temps ne s'est pas arrêté, que je suis à Rome, assise à table à côté d'un malade. La rougeur qui colore ce visage hâve, maigre, est trompeuse, la mélodie d'un madrigal triomphe de ma résistance intérieure et m'invite à des rêveries insensées. Mais lorsque les convives sont partis, que les torches de la salle sont éteintes, le masque tombe. Le teint cireux, Ferrante se retire dans sa chambre à coucher en s'appuyant sur l'épaule d'un serviteur. De ses nuits, j'ignore tout.

*

* *

Pour éviter des frictions, elle fit semblant de ne rien soupçonner de ses souffrances cachées. Mais Pescara savait qu'elle avait compris. Cela non plus n'était pas un secret pour Vittoria. Elle attendait qu'il lui révélât de son propre chef le sens et le but de son comportement. Elle ne doutait pas un instant que cet étalage d'autorité, d'activité fiévreuse, eût une cause. Malgré les apparences du contraire, il était agité, peu sûr de lui, aigri. Cette fois, il tarda longtemps avant de se confier à elle. Le geste de stupeur de Vittoria, son regard plein d'une compréhension bouleversée lorsqu'elle l'accueillit à son retour avaient éveillé en lui une résistance plus forte que celle qu'il avait dû vaincre jusque-là quand il revoyait sa femme après des années d'absence. Loin d'elle, il était généralement d'humeur accommodante à son égard, savait exprimer son estime et son respect, était même parfois pris de pitié en songeant à sa solitude. Dans les bras de sa Delia, il lui arrivait d'éprouver un vague sentiment de culpabilité, et il prenait alors la résolution de se montrer plus indulgent lors de la rencontre suivante. Mais lorsque sa femme s'avançait pour l'accueillir, il sentait une répulsion monter en lui. Elle manquait de naturel. Il remarquait qu'elle mobilisait toutes ses forces pour ne pas trahir ce qu'elle pensait et éprouvait vraiment. Il savait qu'elle l'entourait constamment de sollicitude et d'attentions, qu'il occupait toutes ses pensées, qu'elle voyait tout, entendait tout. Cette concentration secrète, obsessionnelle, sur sa personne l'exaspérait plus que jamais maintenant qu'il était malade.

Par moments, il haïssait cette femme et sa sérénité trompeuse. Ce qu'elle taisait perturbait le silence dans lequel ils étaient tous deux enfermés. Il essayait de la fuir en s'entretenant avec des étrangers, mais ces discussions le décevaient parce qu'elles n'étaient qu'un jeu, parce qu'elles ne le libéraient pas de ses doutes et de son irritation. Seule Vittoria était totalement digne de confiance. Elle avait prouvé qu'elle était capable de garder un secret, plus d'une fois, elle lui avait donné de précieux conseils. Il n'en était que plus contrarié de constater qu'elle se commettait avec ceux qui, selon lui, étaient de stupides idéalistes, tel le dataire Giberti. La paix, la liberté ! Appeaux faciles auxquels les femmes se laissaient prendre. Quiconque, comme lui, voyait clair dans la situation savait que, au stade où ils en étaient, la paix était une impossibilité et que l'Italie était destinée à supporter l'hégémonie de l'empereur. Comment ceux qui pratiquaient la politique depuis leurs palais pouvaient-ils comprendre le conflit dans toute son ampleur ? Il méprisait les prélats, les seigneurs dans leurs principautés, les hommes d'État bourgeois de la république pour leur manque de vision, leur poursuite d'avantages insignifiants. Il fallait avoir connu les champs de bataille, vécu dans la fumée et le feu d'un combat pour savoir qu'il est plus sage de tenir compte des exigences d'une horde de mercenaires que des promesses faites sur du papier par des diplomates.

Il considérait les tentatives de médiation de Vittoria avant tout comme une stupidité, non pas comme une intention délibérée de contrecarrer ses projets. Lorsqu'elle l'eut assuré qu'elle n'avait plus de contacts avec Giberti, que même ses anciens amis se méfiaient d'elle après Pavie, alors seulement il décida de lui faire part de ses préoccupations.

Quand il estima que le moment était propice à un entretien, il rendit visite à Vittoria dans la partie du palais Colonna où elle passait de préférence la matinée : une galerie ouverte jouxtant le *cortile*, mais cachée aux regards par des rangées d'orangers en pots. Dans cette galerie étaient disposés des fragments de sculptures antiques découvertes lors de travaux de restauration, sarcophages, vasques, colonnes tronquées. Les époux se promenaient de long en large entre les arbustes en fleurs et le marbre mutilé.

« Avez-vous vraiment tant de sujets d'irritation ? D'après vos lettres, j'ai compris que vous vous sentiez lésé.

– Aucune de mes requêtes n'a été agréée. Toujours la même comédie : lettres affables de Madrid, débordant de louanges et de promesses. Rien d'autre.

– L'empereur connaît pourtant vos désirs ?

– Évidemment. Après tout, voilà déjà trois ou quatre ans que je lui fais parvenir mes revendications personnellement. J'ai le droit d'avoir des exigences. Il les méconnaît, ce qui ne l'empêche pas de profiter de mes services. Il présume que je ne l'abandonnerai jamais. Je suis son vassal. Mon père et mon grand-père avant moi ont toujours été fidèles à la cause espagnole. Tous mes actes ont prouvé que je suivais leur exemple. Mais l'empereur est d'une méfiance incroyable. Comme je suis né en Italie, il ne me prend pas au sérieux, il se défie de moi. Sait-on jamais ! Il hait les Italiens. A juste titre. C'est un peuple de lâches et de traîtres, tous autant qu'ils sont.

– Vous allez trop loin.

– Par égard pour vous, je veux bien faire une exception en ce qui concerne les Colonna. Mais trêve de plaisanterie !

Vous connaissez mon point de vue. Je n'ai pas l'intention de répéter ici tous les arguments. Vous savez aussi bien que moi que l'Italien moyen, qu'il soit romain, florentin, vénitien, peu importe sa provenance, est un bravache sans caractère, plus rusé qu'intelligent, plus fier-à-bras que courageux. J'en ai eu la preuve dans toutes les circonstances.

— Ce ne sont peut-être pas les meilleurs qui servent la cause impériale... Vous entrez rarement en contact avec d'autres Italiens.

— Vous parlez de la catégorie des rêveurs et des phraseurs. Le ciel me préserve de cette compagnie. N'espérez pas que je fréquente jamais ces gens-là. J'ai dédié ma vie à la gloire de l'empereur, aidé à consolider sa puissance en Italie. Il me doit beaucoup. Je peux dire sans exagérer que c'est moi qui ai maintenu ici l'unité du parti espagnol au cours des dix dernières années. J'ai payé de ma poche la solde des troupes, je leur ai procuré des armes. Vous savez quels sacrifices nous avons dû faire, quelles dettes pèsent sur nous. D'ici peu, les hypothèques sur nos terres viendront à expiration, nos propriétés seront alors définitivement perdues pour nous. Il est juste et équitable maintenant que j'exige un dédommagement. Sans moi, il n'y aurait pas eu de victoire à Pavie. J'ai également fait prisonnier le roi de France. Aussi m'estimais-je autorisé à renouveler la requête que j'avais adressée il y a deux ans, visant à obtenir le commandement suprême des armées impériales. Qui d'autre est plus qualifié pour exercer cette fonction ? Mais, là encore, aucune réponse concrète. Entre-temps, je ne fais que ronger mon frein. Attendre, toujours attendre. Mon argent est épuisé. Ni vous ni moi n'avons plus rien à mettre en gage ou à vendre. N'étant pas en mesure de payer des soldes, je dois autoriser les hommes à piller et à voler dans les régions où ils sont cantonnés. Cela nuit à la réputation de l'empereur et à la cause espagnole. Je suis tenu pour responsable de tous les dommages causés. Pour le parti adverse, je suis l'être le plus infâme que la terre de Dieu ait porté. Devoir tolérer cette insubordination, ce désordre, cette confusion me rend fou.

– Cet état de choses est-il connu au-dehors ?

– N'en doutez pas ! Dans ce pays, rien ne reste secret. Chacun sait que l'empereur n'a pas d'argent. Nos ennemis ont de bonnes raisons de rire, ils comptent bien que ce manque d'argent lui brisera les reins. Pis encore : le comté de Carpi n'a plus de maître depuis qu'Alberto Pio est passé dans les rangs des Français. Mes troupes occupent les terres et le château. J'ai demandé à l'empereur de bien vouloir m'inféoder le comté de Carpi. J'ai essuyé un refus ! Que dites-vous de cela ?

– L'empereur est extrêmement prudent. Ou se pourrait-il qu'il ait d'autres, de meilleures propositions à vous faire ?...

– Vous êtes bien confiante. Il me berce de vaines promesses pour me garder à son service, mais il n'a pas l'intention d'en tenir une seule.

– J'ai reçu une lettre de Madrid peu de temps après que la victoire fut connue. L'empereur me faisait transmettre ses félicitations au sujet de vos exploits militaires. J'ai répondu à peu près en ces termes : c'est un honneur de recevoir d'un puissant monarque des louanges pour les services rendus, mais c'est encore un plus grand honneur de l'entendre nous dire personnellement qu'il nous en est redevable !

– Voilà une allusion bien placée ; mes compliments ! S'il souhaite réagir, il devra faire vite, sinon je me verrai dans l'obligation de recourir à un moyen qui lui plaira moins. Le roi de France est mon prisonnier ; pourquoi n'aurais-je pas le droit de revendiquer sa rançon ? Avec quelques pourparlers, je pourrais forcer les Français à prendre en charge l'entretien des troupes espagnoles et en même temps à me dédommager.

– Ne précipitez pas les choses avant d'avoir reçu une réponse de Madrid.

– Je ne peux plus attendre davantage. Une aide différée viendra trop tard pour moi. Ne dites rien, j'espère que vous comprenez à quoi je fais allusion, je n'en demande pas plus. »

*
* *

Comme toujours, son regard m'a imposé le silence. Pourquoi refuse-t-il de ménager ses forces ? Craint-il vraiment d'être mis au rebut dès que l'empereur et ses conseillers auront eu vent de sa santé chancelante ? On ne peut pourtant pas évincer un homme de la trempe de Ferrante. Comment l'empereur peut-il se montrer aussi négligent envers son meilleur général et mettre à ce point la patience de Ferrante à l'épreuve ? Ne lui vient-il pas à l'esprit que d'autres pourraient abuser de cette situation ? Ferrante dit : « tous sont au courant ».

Je me souviens de la remarque du pape lorsque j'étais au Vatican avec les Varano de Camerino : « Espérons que Sa Majesté l'empereur saura récompenser les mérites du marquis de Pescara. » A ce moment-là, je soupçonnais déjà que ces paroles avaient été prononcées dans une certaine intention. Elles avaient été suivies d'un silence bref mais significatif. Varano et *madonna* Caterina semblaient relégués au second plan, le pape, Giberti et moi-même, nous étions les acteurs au premier plan, dans une pièce dont chacun sauf moi connaissait l'intrigue et les dialogues. Mes deux partenaires, qui semblaient dans l'expectative, me regardaient d'un air tendu. Le pape Clément se tenait penché en avant, la paume des mains reposant sur les accoudoirs de son trône, comme s'il s'apprêtait à se lever après ma réplique. Sur son visage se lisait une expression de curiosité non déguisée avec, autour des lèvres, un sourire condescendant, protecteur. Sous la lumière qui tombait d'en haut, brillaient les plis de sa cape en des tons allant du blanc argenté au rouge sang. Giberti, silencieux, debout, droit derrière le siège pontifical, semblait attendre ma réaction dans le même état de tension. Il ne me quittait pas des yeux. Ses doigts tâtonnaient avec de lents mouvements la rangée de boutons de sa toge. Je pensai d'abord qu'ils se moquaient de moi. Sinon, pourquoi ces insinuations à propos de ma vie conjugale, de l'état catastrophique de nos finances, de l'indifférence de l'empereur ? Je me suis tue jusqu'à ce que le pape mette un terme à l'audience en quelques brèves paroles. Songeant aux choses que m'a dites Ferrante, je vois cet instant dans la salle de réception du Vatican sous un autre jour. Ce n'est pas pour me mortifier par une offense personnelle que le pape a fait allusion au retour au foyer de Ferrante et à son mécontentement. Derrière ses paroles se cachait une autre intention.

*

*   *

Elle découvrit que, durant leur entretien dans la galerie, Pescara ne lui avait pas dit toute la vérité. Pour son mari, le projet de rendre sa liberté au roi de France en échange d'une somme qui couvrirait l'entretien des troupes impériales en Italie avait été, dès l'abord, plus qu'une simple possibilité. De violentes altercations avaient eu lieu entre lui et un autre général espagnol selon lequel il convenait de conduire le prisonnier de marque à Madrid et de laisser à l'empereur le soin de régler toutes les autres questions. Finalement, chacun pensa pouvoir déjouer les projets de son adversaire au moyen d'un compromis : jusqu'à nouvel ordre, la forteresse de Naples serait aménagée en séjour pour le roi de France. Lorsque Pescara revint à Rome, son rival était sur le point de s'embarquer avec le prisonnier.

Vittoria savait que son époux attendait avec une impatience croissante la nouvelle de leur arrivée à Naples. Il envoya même un courrier recueillir des renseignements. L'homme rapporta à bride abattue une nouvelle consternante : la flotte avait pris la mer en direction de l'Espagne. Pescara s'enferma dans ses appartements, refusant nourriture et boisson. Appuyée contre sa porte, Vittoria saisit les bruits assourdis d'une crise de rage, qui se termina par des vomissements de sang. Lorsque, enfin, elle fut admise auprès de lui, il était allongé sur son lit. Il avait retrouvé son calme, mais son regard sombre, éteint, l'alarma plus que son courroux. Elle

lui apportait une lettre : messire Girolamo Morone, le chancelier de Milan, sollicitait un entretien. Ferrante rejeta durement la proposition qu'elle lui faisait de remettre cette
conversation à une date ultérieure qui serait fixée plus tard. Il
se leva et se vêtit avec soin d'un costume noir, à l'espagnole.
Un messager fut envoyé à Morone pour l'informer que le
marquis de Pescara était prêt à le recevoir.

François Guichardin
à Nicolas Machiavel

Mon cher Machiavel,

Il ne m'a pas été possible de vous répondre par retour du courrier. Le temps me manquait. Je suis débordé ces jours-ci et, de surcroît, la teneur de vos lettres est matière à mûre réflexion. Chaque fois que vous entamez un sujet, votre lecteur a tendance à s'enflammer lui-même au contact de votre feu. Vous êtes un idéaliste, mon cher. Vous construisez des châteaux de cartes éblouissants, mais vous perdez de vue la réalité. Chasser les étrangers du sol italien, réunir des États et des villes pour en faire *la Patria*, briser le pouvoir temporel des prêtres : c'est aussi le but de ma vie, cher ami. Nous en avons souvent parlé. Vous savez que j'ai toujours déploré, maudit, les déchirements au sein de l'Italie. Je partage entièrement votre opinion, quand vous dites que la discorde, la corruption, la débauche, la vile convoitise des princes et des prélats nous mènent à la ruine. Durant toutes les années consacrées à exercer les fonctions de gouverneur dans les domaines pontificaux, je n'ai cessé de réfléchir à un moyen d'éviter la catastrophe. S'il en existait un, je serais le premier à le recommander, à mettre toute mon énergie au service de cette cause. Mais je suis de plus en plus convaincu qu'il n'y a pas de remède. La situation dans laquelle nous nous trouvons par suite des agissements des générations précédentes a pris une forme si irrévocable qu'il ne nous reste que des possibilités très limitées d'y apporter des changements ou des améliorations.

Dans l'océan de désastres qu'est notre vie sur terre, je n'ai qu'une conviction : l'homme est impuissant à influer sur le cours des choses, mais il peut étudier ces phénomènes et en tirer un enseignement. L'essentiel, me semble-t-il, est d'ouvrir l'œil et de garder la tête froide. Ne se laisser aveugler par rien, ne se laisser entraîner par rien. Se résigner à la situation, c'est la vie ! Comme je viens de le dire, il n'existe aucun remède contre le mal dont souffre le monde. L'héroïsme ne mène à rien. Un homme de bon sens ne peut faire qu'une chose, mon ami : essayer dans toute la mesure du possible d'esquiver les coups du sort et, s'il est malgré tout frappé, supporter calmement sa souffrance. La seule consolation : une honnêteté totale et, de ce fait, une vue réaliste des événements. Puissiez-vous avoir cette attitude !

La guerre que se livrent la France et l'Espagne sur notre territoire depuis un quart de siècle devra se poursuivre jusqu'au bout. Il est impossible d'arrêter une avalanche une fois qu'elle s'est déclenchée. Le vainqueur décidera du destin de l'Italie. Nous pouvons seulement espérer – et faire l'impossible pour y parvenir, dans la mesure de nos moyens – que le pape prenne conscience de la signification qu'aura, pour l'Italie, son choix des alliés. Sans une ligue, nous serons certainement foulés aux pieds.

Je ne vois pas de salut dans l'organisation d'une milice populaire en Romagne. Le peuple de cette région est totalement inapte à quelque chose de ce genre. La Romagne est un foyer de dissensions familiales. Elle fourmille de bandits, d'émeutiers qui se sont enfuis d'autres régions, de mercenaires congédiés ou déserteurs, sans parler des compagnies espagnoles et allemandes que nous devons ravitailler et payer selon les nouveaux accords conclus entre le pape et l'empereur depuis la bataille de Pavie. En outre, la population est divisée entre les guelfes, partisans de la papauté et du roi de France, et les gibelins, partisans de l'empereur. Ici, l'Église a peu d'adeptes. Le comportement dévastateur des papes précédents est encore présent dans toutes les mémoires. Vous proposez de constituer une armée d'hommes qui n'appartiendraient à aucun parti... Ils n'existent pas. Ne serait-ce que par instinct de conservation, chacun a fait un choix. Pas un mortel ici n'est sûr de sa vie ni de ses biens ; qui s'en étonnerait après un demi-siècle de rapine, de pillages, de tueries. Rendez-vous compte du danger que cela représenterait d'armer ces individus en cas de guerre. Ce ne serait pas une petite affaire que de susciter leur enthousiasme pour des notions telles que l'unité et l'indépendance.

Et maintenant, la question du commandement. A supposer que le choix d'un chef soit à l'ordre du jour – ce qui précède montre que je n'y crois pas –, je m'opposerais formellement au candidat que vous proposez. Je suis au courant des projets de messire Girolamo Morone, qui, soit dit en passant, ne viennent pas de lui, mais ont été couvés dans l'entourage immédiat de Sa Sainteté. On ignore qui est l'initiateur de cette idée. Je ne crois pas que le pape et Giberti aient conscience de s'aventurer sur un terrain des plus dangereux. J'ai été, moi aussi, mis dans le secret des dieux, mais je ne veux pas être mêlé à cette affaire. Que Morone ait été aussitôt favorable à ce projet en dit long. Vous le connaissez : un juriste perspicace et habile. Mais, à mon sens, il a servi trop de maîtres, il sait trop bien jouer la comédie. J'ai toujours trouvé suspecte la manière chafouine dont il motivait après coup ses manœuvres diplomatiques. On ne peut se fier à Morone que lorsqu'il est sûr de tirer d'une affaire un important profit personnel à très court terme. Et dans le cas présent, en est-il sûr ? Considérez objectivement les faits, mon cher Machiavel. Inutile de faire un mystère de ce qui se passe. Je parie ce que vous voudrez que plus de gens sont au courant de cette conspiration que ne peuvent le supposer un seul instant le pape et Giberti. Morone va donc parler à Pescara. Et alors ? La réponse qu'il obtiendra pourra être un oui ou un non. Mais ce n'est pas aussi simple. Qui connaît Pescara ? Il est né en Italie, mais il sent et pense comme un Espagnol. Même s'il vouait une haine mortelle à l'empereur, reste à savoir s'il pourrait concilier la trahison et son honneur. Je refuse de le croire capable de se vendre.

Morone joue avec le feu, et lui-même doit le comprendre. Au cours d'un entretien que je me souviens d'avoir eu avec lui, il y a quatre ou cinq ans, il m'a dit que, selon lui, il n'était pas d'homme plus malfaisant et aussi peu fiable que Pescara dans toute l'Italie. Et maintenant, il voudrait confier le sort de l'Italie à cet homme-là ?

Qualifiez-moi de pessimiste, accusez-moi d'être d'une prudence exagérée. Je suis un homme de terrain, je connais l'humanité. Vous supposez que Morone agit par amour de *la Patria*... Il n'en possède pas l'ombre, pas plus que les autres messires qui sont engagés dans cette affaire. Chacun sert ses propres intérêts. Ce trait de caractère est le seul que nous partagions, nous autres Italiens. Nous sommes incapables de comprendre ce que signifie un effort collectif au niveau national, à plus forte raison de servir cette cause. Cela nous mènera à la ruine.

C'est là que se cache le secret des victoires et de la puissance croissante de Sa Majesté : ses sujets sont du moins capables de placer la gloire de l'empereur et de l'empire au-dessus de l'intérêt personnel immédiat. Je parle par expérience. Vous le savez, j'ai longtemps été diplomate en Espagne à la cour du roi Ferdinand II.

Un dévouement fanatique à un idéal qui transcende l'intérêt personnel : telle est la caractéristique de nombreux Espagnols. Cela dégénère souvent, et ils se cramponnent aveuglément à des fantasmagories. Mais ce dévouement se manifeste aussi dans un orgueil chevaleresque et dans leur loyauté envers le monarque. Rien à redire à cela. Si seulement l'honneur et la loyauté étaient encore, dans *notre* pays, des valeurs vivantes... Ce sont peut-être là des qualités de cœur que vous ne souhaiterez pas voir mêlées à la politique. Selon moi, Nicolas, rien de grand ne peut être accompli sans honneur et sans loyauté. Cela dit, à Dieu ne plaise que les Espagnols exercent ici une influence encore plus grande que celle qu'ils ont déjà depuis qu'ils ont envahi nos régions, dans le sillage des Borgia.

Dans votre lettre, vous mentionnez César Borgia. En

Romagne, il a accompli jadis plus de choses que je n'en réalise en ce moment : ordre, paix, jugement sommaire de l'insubordination et du crime. Mais je ne suis pas un aventurier sans scrupule comme lui ; je n'ai pas non plus derrière moi un pape indulgent qui m'apporte le soutien de son argent et de son autorité. Aussi est-ce la raison pour laquelle, mon cher Nicolas, je ne peux faire ce que je veux en Romagne, comme vous semblez le croire.

Vous enviez mon pouvoir et vous êtes aigri par votre désœuvrement forcé. Si vous étiez à ma place, vous comprendriez combien il est difficile de se maintenir dans un poste élevé, combien d'humiliations et de déceptions même le gouverneur d'une province doit avaler lorsqu'il est à la fois tenu pour responsable et contrecarré par ceux qui l'ont nommé. Je vous connais, vous êtes d'un naturel emporté. Vous auriez crié votre indignation et fui avant même d'avoir reçu votre congé. Cela prouve l'avantage des règles de conduite dont je parlais plus haut : se taire, accepter les choses comme elles viennent, attendre patiemment et, dans l'intervalle, étudier calmement la situation. J'avais toutes les raisons d'être furieux contre le pape ; mais je me suis efforcé de tenir compte de son caractère et de sa position. Dès qu'il eut d'autres soucis en tête que les troubles en Romagne, j'ai agi à ma guise. A présent, je peux dire que je suis plus ou moins maître de la situation.

Vous m'avez souvent reproché d'avoir fait carrière au service des papes Médicis, alors que je reste un partisan convaincu de la république de Florence et l'ennemi de la domination des prêtres. Cher ami, sans les Médicis, sans la papauté, je ne serais jamais parvenu là où j'en suis. C'est seulement grâce au poste que j'occupe aujourd'hui que je pourrai peut-être à la longue accomplir partiellement la tâche que je m'étais promis de réaliser quand j'étais plus jeune et plein d'espoir.

Pas de conspiration contre le pape, pas de replâtrage politique, Nicolas. Une seule chose peut peut-être épargner la pire calamité à l'Italie : une ligue, à condition qu'elle soit conçue avec compétence, rapidement constituée et suivie à la lettre. Si j'apporte mon appui à quelque chose, si je me consacre à une cause... ce sera celle-là, une ligue. Ne me parlez plus de Morone ni d'armées populaires. Vous rêvez mon ami, et moi je ne vois que la réalité crue. C'est avec un grand plaisir que j'intercéderai en votre faveur en ce qui concerne un poste d'envoyé en Romagne. Mais, à votre place, je préférerais poursuivre ma lecture de Cicéron ou de Tite-Live à l'ombre des oliviers de San Casciano. Dans votre cas, je remercierais tous les dieux de m'accorder la paix grâce à laquelle je peux coucher mes pensées sur le papier. Continuez à écrire votre *Histoire de Florence*, donnez-nous une seconde *Mandragore*. Rares sont ceux qui possèdent comme vous le don de la parole. Dépeignez-nous l'État, le prince, le bourgeois tels qu'ils devraient être dans un monde meilleur. Laissez à des hommes pragmatiques tels que moi la réalité : le compromis.

En toute amitié,

Guichardin

Giovanni Borgia

Beaucoup de bruit pour rien. Je m'attendais pour le moins à un voyage hors de Rome, une mission à Venise ou à Florence. Je ne vois pas très bien pourquoi messire Girolamo Morone, outre sa propre suite, et les seigneurs mis à sa disposition ici, à Rome, avait besoin d'une escorte de cent cavaliers uniquement pour rendre visite au marquis de Pescara. S'attendait-il à une attaque à main armée, à un accueil hostile ? Personne dans la compagnie ne connaissait le fin mot de l'affaire. Avant de quitter le Vatican, nous avions été avertis que nous devrions être vigilants, et suivre les ordres de messire Morone en toutes circonstances. Notre cortège attirait tous les regards. Visiblement, Rome n'a guère de distractions à offrir. Comparée à ce que j'ai vu en 1518, lorsque j'étais ici avec Alphonse d'Este, la ville fait l'impression d'être sale et laissée à l'abandon. A l'époque, on construisait au contraire sur la piazza Navona de nouveaux palais aux façades peintes de vives couleurs. J'eus du mal à reconnaître cet endroit lorsque je passai par là dans la suite de Morone. Les pavés se sont affaissés, la peinture s'écaille. Les routes sont des bourbiers ou des dépotoirs, les places, de véritables terres sauvages, à peine distinctes d'autres parcelles non construites et envahies par les mauvaises herbes. Par suite de la situation instable et de l'insécurité des routes, c'est à peine si des pèlerins viennent encore à Rome. Il semble que nombre de cérémonies qui accompagnent normalement la célébration de l'année sainte aient simplement été supprimées. La peste se répand. Le quartier de Ripa sur les bords du Tibre est déjà déclaré zone interdite pour limiter la contagion. Cela ne servira pas à grand-chose. Il fait chaque jour plus chaud, on annonce une saison exceptionnellement torride et sèche.

Dans le palais d'Ascanio Colonna, nous fûmes accueillis avec les honneurs d'usage. Les hommes de la cavalerie attendirent dans le *cortile* tandis qu'entraient Morone avec ses fidèles de Milan et les deux ou trois fonctionnaires pontificaux dont je faisais partie. Du reste, nous, les membres de la suite, n'allâmes pas plus loin qu'une antichambre. Personne, sauf Morone, n'eut l'occasion de voir le marquis. L'on dit que Pescara est malade. L'entretien dura longtemps. Les seigneurs de Milan prétendaient savoir ce qui faisait l'objet des discussions. Morone devrait successivement, disaient-ils, prendre contact avec des personnages influents du parti impérial pour obtenir que le duché fût donné en fief à Francesco Sforza. Une fois de plus un Sforza, le frère cadet de l'ex-fiancé de Bonne. Il n'y a rien de nouveau sous le soleil ; cet homme-là est lui aussi, dit-on, incompétent, une marionnette entre les mains de messire Morone. Ces propos m'ont permis de découvrir l'envers d'événements antérieurs. Les Milanais considèrent le chancelier comme le défenseur de leurs intérêts, le navigateur qui, pour manœuvrer le duché, doit louvoyer entre Charybde et Scylla. Personne ne songe à l'accuser de trahison parce qu'il a entraîné la chute du More aussi bien que celle de Maximilien Sforza lorsqu'il fut convaincu de leur incapacité. Milan lutte pour conserver son indépendance, elle est en outre consciente de son importance : elle est la porte de la Lombardie, de toute l'Italie. Il semble que Morone ait reçu pleins pouvoirs pour en remettre la clé entre les mains de quiconque garantit l'intégrité des droits de la ville.

Je tuai le temps en écoutant ces remarques et d'autres du même ordre, en écrasant des mouches, en regardant par la fenêtre, jusqu'au moment où messire Morone réapparut. Il s'assit un instant et essuya la sueur de son front. Ce jour-là, il faisait une chaleur étouffante et Morone n'est plus jeune.

J'eus pourtant l'impression que sa fatigue avait une autre cause. Néanmoins, il semblait satisfait. Il s'excusa en plaisantant de nous avoir fait attendre si longtemps. Tandis que nous repartions le long de la galerie, je le vis se mordre les lèvres à plusieurs reprises pour cacher un sourire.

La marquise attendait sous le portique, sans doute pour nous accompagner jusqu'à la sortie à la place de Pescara. Cette fois, je pus la voir de près. Cette femme éveille en moi un sentiment familier. Je voudrais enfouir mon visage entre les plis de sa robe, comme j'avais coutume de le faire avec Isabelle d'Aragon dans mon enfance, espérant que cette assurance froide, chaste, m'apporterait le calme.

Lorsque je l'avais vue passer devant moi au Vatican, elle m'avait paru plus âgée, plus sévère, cuirassée de maîtrise de soi. Dans les murs du palais Colonna, elle semblait s'être dépouillée d'une partie de son inaccessibilité en même temps que de son voile et de son manteau. Son cou et ses épaules étaient dégagés jusqu'à la rondeur de ses seins, sa chair blanche brillait d'un éclat ivoirin. Pas une trace de coquetterie dans son maintien ou son regard, ses yeux sont graves et vigilants, ses lèvres dessinent un trait sévère. Ce contraste a quelque chose d'excitant, éveille un besoin de conquête, qui dépasse le désir physique. Je la fixais mais elle ne me voyait pas, ou faisait semblant de ne pas me voir, parce que mon regard était trop hardi à sa convenance. Derrière elle, une salle, visible par des portes ouvertes ; devant la haute cheminée se tenaient deux figures sombres : Giammaria Varano et son épouse.

Toujours, mes pensées tournent en rond. Toujours, je reviens au point de départ : Borgia. Tant ma volonté de puissance que mon sentiment d'infériorité se ramènent à une seule et même notion : Borgia. Mon ambition se brise sur le mystère de mes origines, que je crois connaître, sans pouvoir en trouver les preuves. La conscience d'être déchiré intérieurement, en proie à des influences qui se sont infiltrées Dieu sait comment dans mes veines, me rend peu sûr de moi. J'ai cru pouvoir me résigner au fait que je n'avais aucune possibilité de faire valoir mes droits au duché de Camerino. Mais c'est trop demander. Je méprise Varano, qui émascule sa forteresse en la transformant en un monastère, un hôpital, un hospice pour les miséreux. Un homme qui galvaude ainsi son patrimoine mérite de le perdre.

Pourquoi lui et sa femme ne prononcent-ils pas les vœux monastiques ? Un chapeau rouge lui conviendrait mieux que la couronne ducale. Qui sait combien salutaire pourrait être son influence sur la curie ? Il n'a pas d'héritier mâle, seulement une fille, encore toute petite. S'il n'engendre pas un fils entre-temps, Camerino passera dans d'autres mains. Aidé par l'argent et l'appui d'hommes influents, j'aurais probablement des chances raisonnables. L'idée que je suis totalement démuni, que je n'ai aucun intercesseur, est d'autant plus intolérable. Ce que je suis, je le dois à moi seul.

Lorsque jadis, jeune garçon de dix-sept ans, j'errais dans les environs de Naples, j'aurais pu devenir n'importe quoi, voleur de grands chemins, membre de la *familia* d'un hobereau, mendiant, Dieu sait quoi encore. Poussé par le désir de combattre pour Milan et Sforza, je choisis d'entrer dans l'armée. Je me proposai comme mercenaire à Fabrizio Colonna.

A plusieurs reprises, il fut question de nous embarquer pour la Lombardie. Mais les batailles qui s'y déroulaient étaient toujours de courte durée. Avant la fin des préparatifs de départ, nous parvenait habituellement la nouvelle que les hostilités avaient cessé pour une durée indéterminée. Bien que Fabrizio Colonna eût aimé nous garder sous les armes, le manque d'argent le contraignit à dissoudre les troupes soigneusement entraînées. Les effectifs partirent en grand nombre vers le nord pour rejoindre par leurs propres moyens les armées errantes qui s'y trouvaient. J'aurais certainement suivi cet exemple si ma vie n'avait pris une autre tournure.

Je conservais à l'époque mon nom espagnol, Juan de Borja y Llançol. Être de noblesse espagnole est considéré à Naples comme une recommandation exceptionnelle. Seuls les plus âgés parmi les hommes avec lesquels je servais dans les troupes mercenaires de Fabrizio Colonna faisaient le rapprochement entre le nom de Borja et celui de Borgia. Lorsque l'on me demandait si j'étais un membre de cette famille tristement célèbre, je répondais affirmativement, mais sans préciser le degré de parenté. A deux reprises, il en résulta une rixe au poignard entre moi et un railleur imprudent. Mon prestige s'accrut lorsque l'on constata que j'étais prêt sur-le-champ à défendre l'arme au poing l'honneur de mon nom. Je ne réagissais pas ainsi uniquement par blessure d'orgueil. Les remarques qui me poussèrent à tirer mon poignard – le poignard de Rodrigo, le poignard de César – me firent surtout comprendre à quel point j'étais ignorant de bien des choses.

La première fois, ce fut une question qui conduisit à un duel : connaissais-je le secret de la *cantarella*, le poison qui a rendu si souvent d'excellents services au pape Alexandre et à César ? « Allons, nous sommes amis, toi et moi, raconte, tu ne fais que te rendre suspect si tu refuses, mon vieux. De la limaille de cuivre et de l'urine, ça nous le savions, mais quels autres ingrédients ? Une mixture parfaite qui ne laisse aucune trace dans le corps de la victime. Tes parents assassins ne t'ont-ils pas légué la formule ? »

Une autre fois, comme j'avais mentionné la parenté de Gioffredo et de Lucrèce avec des membres de la maison d'Aragon : « Ont-ils avalé tes vantardises à Rome ? Ici, à Naples, chacun sait que le vieux roi Alphonse n'aurait jamais donné ses enfants légitimes en mariage aux bâtards d'un prêtre, pape ou non ! Qui se ressemble s'assemble... » Quoi ? La fière Sancia et l'orgueilleux père de Rodrigo : des bâtards ? Je fus vainqueur dans les bagarres mais, intérieurement, j'étais en proie à la plus grande confusion.

Un jour, je rencontrai un cortège sur la route menant à la potence. Des baillis traînaient avec eux un homme et une femme, suivis d'une foule déchaînée. Les condamnés étaient déjà à moitié morts ; ailleurs dans la ville, ils avaient été torturés depuis le lever du soleil. La populace leur jetait des ordures et des pierres, les insultant et fulminant avec une véhémence extraordinaire. L'homme, gris et corpulent, saignant par toutes ses blessures, se laissait traîner comme un sac. La femme était encore jeune, nue jusqu'à la taille, le crâne rasé. La nature de leur crime me fut hurlée de dix côtés à la fois sans que j'eusse rien demandé. Un homme qui se trouvait près de moi agitait les poings au-dessus de sa tête, proférant des injures : « Il faut les pendre, ces porcs ! Le père avec sa fille ! Il n'existe pas de péché plus répugnant que celui-là. » Et se tournant vers moi : « D'où je viens, à Foligno, on en a aussi pendu deux pour inceste l'an dernier. En plus, ils avaient un enfant que l'on a ficelé dans un sac et noyé. Une horreur contre nature. Un chrétien ne peut pas tolérer ça ! » De la cohue sortit un autre homme pour riposter : « Il fut un temps où nous devions le tolérer, que nous le voulions ou non. A propos, et puisque vous parlez de chrétiens : quel chrétien veut être le premier à couvrir une tiare d'ordures et de fumier ? – Il y a vingt ans de cela, mon bonhomme. Ça ne s'est jamais revu depuis. Ces Borgia sont morts, ils grillent en enfer, e basta ! – Mais cette chienne vit encore dans l'honneur et la vertu à Ferrare. Où est son chiot ? Voilà ce que j'aimerais savoir. »

Je ne suivis pas l'homme, ne tentai pas de le saisir, ne le forçai pas à expliquer ses paroles. Dans le tréfonds de moi-même, je n'étais pas étonné. Ce qui était resté un mystère à Bari dans les insinuations d'Isabelle et de ses courtisans m'apparaissait maintenant dans une lumière aveuglante. Ainsi voit-on la nuit, pendant une averse orageuse, des arbres et des maisons se détacher en blanc sur les ténèbres, comme découpés dans un papier fragile, figés dans la fulgurance de l'éclair. Les paroles et les gestes que je n'avais pas compris, mais pas davantage oubliés, livraient enfin leur signification. Une horreur contre nature. On avait enfermé dans un sac et noyé cette misérable créature de Foligno. Je me rappelais le geste méprisant d'Alphonse d'Este, le regard plein de répugnance et de pitié d'Isabelle, le comportement de la femme à Carpi, venue secrètement me regarder et me tâter de la tête aux pieds, et, plus loin encore dans le passé, l'horreur que j'inspirais à Vannozza, ses soliloques.

142

Être le bâtard d'un bâtard, sans biens, sans amis ni protecteur : un coup du sort, mais pas une honte. Plutôt un défi, le besoin de se faire valoir, de forcer Dame Fortune à se montrer bienveillante. Mais un dégoût de soi qu'il faut supporter comme une maladie incurable, être toujours torturé par la culpabilité sans y être pour rien et, pis encore, douter sans cesse de la justesse de ses propres soupçons, cela, c'est une malédiction.

Je décidai de retourner à Bari, d'exiger de ma mère adoptive des éclaircissements. Mais ce voyage me fut épargné. Des hérauts du vice-roi confirmèrent au son des trompettes et à grand renfort de discours sur les places et aux coins des rues le bruit qui avait déjà vaguement couru dans la ville ; avant la fin de l'année un mariage princier aurait lieu à Naples : Bonne Sforza promise au roi de Pologne. Je devais ajouter foi à cette nouvelle même s'il me semblait alors, et aussi plus tard, après les épousailles, absurde que Bonne dût régner sur un lointain pays barbare et non pas sur Milan.

J'attendis donc la venue d'Isabelle et de Bonne à Naples. Sous une pluie battante, elles entrèrent dans la ville un jour d'automne, en un long cortège. Les rideaux des palanquins, les caparaçons des chevaux et des mulets, dégoulinants et déteints ; les cavaliers et leurs montures, la piétaille qui les accompagnait, couverts de boue des pieds à la tête. Elles s'installèrent dans le palais du vice-roi. Le début de l'hiver était plus humide que d'ordinaire à Naples. Une vapeur saline s'étendait sur la côte. Sous des cieux gris, dans des rues bourbeuses, des arcs de triomphe furent érigés et des guirlandes tendues. J'étais parmi la foule bordant la route et vis passer la cavalcade des hôtes éminents dans un éclaboussement de mottes de terre. Ce n'étaient que moqueries à l'adresse des nouveaux mariés : Bonne avait visiblement dix ans de trop pour être une épousée florissante et le roi de Pologne portait un haut couvre-chef à poils ridicule. Mais Pescara et sa femme furent accueillis par des acclamations et des applaudissements : « *Imperio ! Spagna !* » J'accordais alors plus d'attention au commandant des troupes impériales

143

qu'à son épouse. Ce qui faisait surtout impression, c'était le port de Pescara à cheval, droit comme un i, immobile, une main sur la hanche. Dans son apparence, je voyais représenté ce que je voulais être : l'Espagnol de sang bleu, fier, courageux, avec ce maintien qui est le fruit d'une maîtrise de tous les instants. Mais à ce moment-là, fou d'impuissance, je me sentais plus éloigné que jamais de mon but.

Lorsque les festivités furent passées – j'avais vu Bonne, pâle et tendue, aux côtés de son époux, quitter la ville à jamais –, je me rendis au palais du vice-roi. Je dus soudoyer plusieurs membres de la cour afin de pouvoir obtenir que ma requête d'un entretien avec Isabelle lui fût transmise. Elle avait à peine changé, bien que ses cheveux fussent devenus blancs. Elle ne se montra pas surprise en me voyant soudain apparaître devant elle. J'eus l'impression qu'elle savait pourquoi je venais, qu'elle avait prévu depuis longtemps cette dernière rencontre. Elle congédia les dames qui se trouvaient avec elle.

« J'ignore la réponse à ta question, dit-elle après que j'eus parlé. Mais je voudrais te faire comprendre comment il se fait que cette question puisse être posée. »

Elle se tut un instant. Je restais immobile devant elle.

« La vie de gens tels que nous est déterminée par les vicissitudes des familles auxquelles ils appartiennent. Hormis le nom, la puissance et les possessions, l'homme ne compte pas. Les pions d'un jeu ne pensent pas, ne sentent pas. Il n'est pas donné à tout le monde de se rebeller, de comprendre qu'il est déshonorant de se laisser manœuvrer sans protester, comme les pièces sur un jeu d'échecs. Le premier mariage de ta parente, *madonna* Lucrèce, avec Giovanni Sforza fut cassé à l'époque pour motif d'impuissance. Avant même que le divorce fût prononcé, le pape Alexandre négociait déjà avec mon père une union entre Borgia et Aragon. Ce n'était un secret pour personne que Sforza devait disparaître de la scène parce que ses idées ne s'accordaient pas avec la politique des Borgia, parce que sa présence était un obstacle à l'élaboration de nouveaux projets. J'ai bien connu cet homme, c'était un cousin de mon époux. Je suis portée à croire qu'il était effectivement impuissant. Tous les Sforza ont une constitution faible, mon propre mariage n'a été vraiment consommé que trois ans après la célébration. Et même après... Enfin, passons. Les Borgia commirent la faute de le vilipender publiquement. Erreur d'autant plus impardonnable que ce dont ils l'accusaient était vrai. Sforza répondit à cette diffamation en accusant les Borgia d'inceste, et les ennemis des Borgia – déjà innombrables à l'époque – exploitèrent cette nouvelle.

– Ce sont donc des mensonges ?

– Je ne peux rien prouver. Je te raconte ce que je sais. Ne juge pas trop rapidement. La vérité a un nombre infini de facettes. En ce temps-là, le bruit courait aussi que *madonna* Lucrèce avait eu un enfant. Calomnie ou non, l'écho s'est longtemps répercuté. Mon père exigea un démenti officiel du Vatican, avant de permettre à mon frère de partir pour Rome en qualité de fiancé. Je puis t'assurer que ce mariage n'aurait jamais eu lieu si mon père avait eu des raisons de douter. »

A ce point de la conversation, je révélai ce que j'avais entendu à Naples. Je demandai à Isabelle si l'on avait fermé les yeux sur certaines choses parce que le jeune Bisceglie n'était lui-même qu'un bâtard.

« Légitime ou illégitime, nous n'avons fait aucune distinction en ce qui concerne l'éducation et le respect, dit fièrement Isabelle. Voilà les faits. Je ne peux te donner aucune assurance.

– Vous aussi, vous me méprisez. Vous éprouvez de l'aversion pour moi.

– Autrefois, quand je t'ai adopté, mon seul désir était de protéger un enfant solitaire, pas un Borgia. Après le lâche assassinat de mon frère, j'avais peu de raisons d'être bien disposée à l'égard des Borgia. Ils ont sapé et anéanti définitivement la puissance d'Aragon. Je regrette que des circonstances indépendantes de ma volonté m'aient contrainte à voir en toi le Borgia que tu es. Depuis, nous sommes devenus des étrangers l'un à l'autre, Giovanni.

– Pourquoi a-t-il été assassiné ? Est-ce César le coupable ? »
Isabelle haussa les épaules. Je vis les commissures de ses
lèvres se déformer en un sourire amer.

« Attends-tu vraiment de moi que je connaisse la réponse ?
Comme je viens de te le dire, la maison d'Aragon a perdu à
cette époque beaucoup de son influence et de sa puissance.
Le pape Alexandre a choisi le parti de la France parce que
César, la prunelle de ses yeux, y avait intérêt. Alphonse de
Ferrare était déjà dans ce temps-là allié de la France et veuf
de surcroît. Personne ne pouvait accuser mon frère d'impuissance – Rodrigo venait de naître –, aussi devait-il disparaître
d'une autre manière. Tire toi-même tes conclusions.

– Il est donc vrai que tous les Borgia sont des traîtres et
des assassins ?

– Ils ont réussi à atteindre leur but. Leurs ennemis ne le
leur pardonnent pas et ne l'oublient jamais. Je te répète : je
ne peux pas juger. A quoi bon raviver toutes les anciennes
rumeurs ? Cela ne te servira à rien. Tu es adulte. Tu veux te
connaître. Tu appartiens à une nouvelle génération qui n'aura
de cesse qu'elle n'ait compris tout ce qui se passe sous le
soleil.

– C'est juste, je veux savoir qui je suis.

– Que veux-tu être, Giovanni ? Poussé par la foi, par une
conviction, l'homme est ainsi fait qu'il aspire de tout son être
à atteindre un but consciemment choisi. Tout ce qui vaut la
peine d'être vécu, tout ce pourquoi on est prêt à donner sa
vie, existe par la grâce de notre volonté humaine. »

Je lui fis remarquer qu'en dépit de sa foi, de sa conviction
et de ses aspirations, sa volonté à elle n'avait jamais atteint
le but désiré. Elle baissa les yeux.

« J'ai appris à vouloir mon *destin*. Rien de ce qui m'arrive
ne peut plus me blesser, parce que je veux de tout mon être la
résignation. »

A nouveau, je crus la prendre en flagrant délit de lâcheté.

« Mais cette résignation est un mensonge destiné à mas-
quer la défaite.

– La volonté de mener une vie noble ne peut jamais être

un mensonge. S'abandonner à la haine, à l'amertume, à la fureur, voilà ce que je considère comme une défaite. Aspirer à la maîtrise de soi, au style, quand tout menace de nous échapper, c'est agir consciemment. Celui qui agit ne sera jamais une marionnette, une victime. Par ma volonté de créer un mode de vie pour moi-même, quelles que soient les circonstances, je suis libre. Une déception, un chagrin ne peuvent avoir raison de moi.

– Pourtant, vous vous dites *"unica in disgrazia"*...

– Je n'ai jamais eu plus de raisons de me qualifier en ces termes. Je vois que tu ne me comprends pas... Tu devras d'abord vivre avant de pouvoir m'approuver, Giovanni.»

La seule chose que je *pouvais* ou voulais comprendre était que l'orgueil princier lui interdisait d'admettre que son monde s'était écroulé comme un château de cartes. Je respectais cette fierté, je devais reconnaître que ce comportement était le seul possible, mais je ne la croyais pas. J'avais du mal à dissimuler mon impatience et mon agacement. Elle ne m'apprendrait pas ce que je voulais savoir. Elle s'était réfugiée dans des considérations philosophiques qui me laissaient de glace. En même temps, elle me faisait pitié. Milan perdue, Bonne à jamais disparue à l'autre bout du monde. C'était une femme solitaire, aux portes de la vieillesse. Comment pouvais-je lui reprocher de vouloir être charitable, nuancer ses jugements, jeter un voile sur les iniquités du passé ?

Les paroles calmes d'Isabelle avaient provisoirement assoupi mon doute, sans pouvoir le chasser. Elle n'avait pas apporté de réponses aux questions qui me tourmentaient le plus. Elle les avait éludées, tout comme son regard avait depuis toujours éludé le mien.

A Ferrare donc... une expédition que je n'étais pas près d'oublier. La mer était agitée, le vent imprévisible. A la hauteur de la Romagne, en vue de la côte, le navire marchand fit naufrage. J'atteignis la terre à la nage, mes bagages étaient perdus. Dans la ville de Pesaro, je me joignis à un groupe de voyageurs. Sur un cheval emprunté, dans un manteau emprunté, et coiffé d'un bonnet emprunté, je me rendis à

Ferrare. De nouveau ce pays plat, morne, plein de marais. Le coassement incessant des grenouilles me rappela le voyage que j'avais fait un jour à Carpi. Carpi n'est pas loin de Ferrare. De quoi alimenter à nouveau les appréhensions qui ne me laissaient pas en paix.

Lorsque je me trouvai devant le *castel ducale*, je me sentis envahi par un sentiment inconnu, le cœur serré comme dans un étau. Entre moi et les hauts murs brun-roux de la demeure de Lucrèce – forteresse inexpugnable couronnée de créneaux, renforcée de tours –, il ne restait qu'à traverser le miroir des douves. La citadelle me fixait de ses rangées de meurtrières. Je fis franchir lentement le pont à mon cheval. Chaque claquement de sabots m'éloignait irrévocablement de la liberté dont j'avais joui à Naples. Mais je n'avais plus le choix. A la manière dont je fus accueilli dans le sombre *cortile*, je pus constater que ma venue avait déjà été signalée. Isabelle avait envoyé un messager et donné l'ordre de préparer mes appartements. Un valet m'apporta, en même temps que de l'eau pour ma toilette, des vêtements neufs à ma taille. Interrogeant la physionomie et le comportement des gens que je rencontrai au cours des premières heures, j'essayais de lire quel état d'esprit régnait envers moi dans le palais ducal. Je ne trouvai qu'une servilité à laquelle je n'étais plus habitué depuis longtemps. Plus tard, le secrétaire de Lucrèce et deux ou trois seigneurs de la cour vinrent me saluer. Ils s'adressaient à moi en employant le titre *Vostra Signoria*, réservé aux visiteurs de haut rang. Ils me conduisirent, à travers de longs corridors faiblement éclairés, aux appartements de la duchesse.

Comment aurais-je pu me représenter une femme dont le nom faisait surgir à la fois l'image de l'étrangère de Carpi et celle de la femme condamnée pour inceste qui avait été traînée sous mes yeux dans les rues de Naples ? Il ne s'était pas écoulé un jour de ma jeunesse sans que me fussent parvenues des nouvelles et des rumeurs sur Lucrèce ; consciemment et inconsciemment, j'avais tout enregistré : louanges, blâmes, quolibets, propos équivoques. J'avais entendu décrire l'élégance de sa personne et de ses manières, entendu lire à haute voix ses lettres, louer et critiquer son comportement. Vannozza avait parlé d'elle avec un respect mêlé d'étonnement, César avec une ironie condescendante, Sancia avec jalousie, Rodrigo avec indifférence, Isabelle en termes conventionnels. Bonne, dans une récalcitrance éloquente, n'évoquait jamais son nom. J'avais toujours compris que l'on taisait plus de choses que l'on en disait. Un voile de mystère flottait entre nous et cette femme qui défrayait la chronique dans le monde entier. Plus tard – après les chuchotements, les regards, les insinuations –, l'idée que je me faisais d'elle devint encore plus trouble. Tandis que je voyageais de Naples à Ferrare, l'aversion et une angoisse secrète habitaient mon cœur.

Sur les rochers entourant Bari, Rodrigo et moi avions coutume de chercher des serpents. Une vieille femme de la suite d'Isabelle nous avait raconté que celui qui réussissait à surprendre un reptile dans son trou serait capable, sa vie durant, de survivre à la morsure d'un serpent venimeux. Nous nous faufilions prudemment entre les broussailles basses, armés d'un bâton et d'un couteau. Il s'agissait de trouver un serpent qui dormît, lové au soleil, et de le suivre lorsqu'il retournerait vers son trou. Toujours, les serpents étaient plus rapides que nous. Un jour, nous nous aventurâmes dans une faille étroite, profonde, entre les rochers. Dans le noir luisaient devant moi deux points de feu verts, les yeux d'un animal effarouché, peut-être un chat sauvage ou un furet. J'étais replié sur moi-même, le cœur battant à grands coups. Même avec mon couteau et mon bâton bien affûté, je me sentais impuissant dans cette obscurité. La bête, elle, me voyait, moi-même j'étais aveugle. La peur paralysait mes membres et toutes mes facultés. Je voulais fuir, mais ne le pouvais pas. L'appel de Rodrigo, hors de la caverne, mit un terme à cette crispation de mon être. Je rampai à reculons comme un fou parmi les ronces et les pierres. Plus tard seulement, je me rendis compte que la peur de l'animal caché dans les ténèbres avait dû être aussi grande ou plus grande que la mienne.

Sur le pont du *castel ducale* de Ferrare, je fus un instant saisi d'une paralysie semblable. Je revécus cette sensation tandis que l'on me conduisait chez Lucrèce dans la pénombre des portiques voûtés et à travers les antichambres obscures. Je me dis que je ferais mieux de me montrer fier et en mesure de me défendre, prêt à toute révélation que ferait Lucrèce, préparé au destin qu'Alphonse d'Este pouvait m'avoir réservé. Après tout, j'étais allé à Ferrare de ma propre initiative, poussé par le désir de connaître la vérité sur mes ascendants. Maintenant que j'avais fait ce pas, je choisissais tout ce qui s'ensuivrait plutôt que l'incertitude passée. La main sur le pommeau du poignard de Rodrigo, je franchis le dernier seuil.

La pièce était pleine de monde. On eût dit que toute la cour s'était rassemblée dans cet espace exigu. Lorsque j'entrai, je n'entendis aucun bruit, ne vis aucun mouvement. Apparemment, chacun avait attendu, en silence, les yeux fixés sur la porte, le moment où j'apparaîtrais. Des effluves de parfums entêtants et des odeurs de transpiration emplissaient l'air confiné. Je ne vis pas Alphonse d'Este. Une dame se leva péniblement de son siège et vint lentement vers moi, de la démarche dandinante d'une femme sur le point d'accoucher. De ses deux petites mains potelées, couvertes de bagues, elle serrait sur sa poitrine les plis d'un ample vêtement. Sous une coiffe ridicule en forme de melon : un visage enfantin fané, des yeux bleu clair. Quand elle fut près de moi, je vis que l'arrondi du menton et des joues était flasque, sans doute boursouflé par l'hydropisie, que les lignes de sa moue boudeuse, charmantes à distance, étaient molles en réalité, et que son regard brillait de peur et de larmes retenues. Elle leva les yeux vers moi et me tendit les mains. Elle fit entendre un « Bienvenue » aigu et fort ; d'un mouvement de la tête, elle inclut l'assistance dans ce mot d'accueil.

« Sois le bienvenu à Ferrare. Voici *don* Juan de Borja, mon frère. »

Les mains que je pris dans les miennes étaient moites. Un murmure poli parcourut les rangs des courtisans, les femmes reculèrent dans le bruissement de leurs jupes et prirent place sur les bancs le long du mur. Je conduisis Lucrèce à son siège.

« Reste près de moi. Parle-moi de ton voyage. Comment se porte ta parente *doña* Isabelle ? L'on dit que le mariage de sa fille a été le grand événement de l'année à Naples. A notre grand regret, nous n'avons pu y assister. »

Elle avait conservé sa voix claire et chantante, mais son regard fuyait le mien. Les doigts qui chiffonnaient un mouchoir tremblaient.

« J'ai fait naufrage.

– Nous l'avons appris. Nous te dédommagerons des pertes que tu as subies.

– Ce que je possédais n'avait pas grande valeur. Un fardeau que je traînais avec moi à contrecœur. Je ne saurais lui trouver de meilleure destination que le fond de la mer.

– Peut-être que la marée haute le rejettera sur le rivage.

– Rien ne m'oblige à reconnaître qu'il m'appartient.

– Tout perdre signifie parfois le début d'une nouvelle vie.

– J'ai perdu mes bagages, Votre Altesse, mais pas ma mémoire.

– Le temps est glouton, il dévore tout. Aujourd'hui nous vivons ce qui, demain, sera un souvenir. Aussi dois-tu faire bon usage du temps que tu passeras à Ferrare. Les distractions ne manquent pas ici pendant les mois d'hiver : la chasse, les courses de chevaux et, sous peu, le carnaval. Nos ballets et représentations théâtrales sont célèbres ; j'ai les meilleurs bouffons et nains d'Italie. Où sont-ils ? Qu'on les fasse venir ! Ma naine, Anna *la Loca*, peut danser une *moresca*. Demande-lui d'interpréter pour toi *En traversant la rivière à gué*. Alors, elle soulève ses jupons et fait comme si elle marchait dans l'eau. On a soi-même l'impression d'avoir les pieds mouillés. »

Elle simula un frisson et passa son mouchoir sur ses lèvres. D'une pièce attenante, les monstres entrèrent en chantant et cabriolant. Une petite bonne femme corpulente attifée de vêtements bigarrés lança si haut les jambes en l'air en dansant que l'on pouvait voir ses cuisses. C'était la favorite de Lucrèce. Anna *la Loca*, une créature insolente, à moitié idiote. Le son des tambourins et les chants criards couvraient notre conversation.

« Je n'ai pas besoin de bouffons pour m'occuper l'esprit, dis-je, Votre Excellence m'a posé une devinette passionnante en m'appelant votre "frère".

– Cache ton étonnement, répondit-elle en espagnol, sans détourner son regard des nains qui dansaient. Nous trouverons bien l'occasion de parler de ces choses quand nous serons entre nous. Pour l'amour de Dieu, prends un air détendu. Chacun nous observe. »

Elle rit et battit des mains. *La Loca* s'approcha de nous en faisant un roulé-boulé pour baiser l'ourlet du vêtement de Lucrèce, tandis qu'elle posait sur moi un regard jaloux et fielleux.

« Traverse la rivière, ma chérie », dit Lucrèce. Elle posa sa main pâle, grassouillette, sur ma manche. « Regarde bien, maintenant, ça vaut la peine. »

La naine nerveuse poussa le grognement d'un animal qui ne tolère aucun étranger auprès de sa maîtresse. Je n'ai jamais fait grand cas de ce petit peuple hideux. Je me demande comment on peut trouver du plaisir à voir ces créatures contrefaites, hydrocéphales, aux jambes arquées, imiter les uns et les autres. Aussi la plupart des nains me détestent-ils. Anna *la Loca* me prit en grippe dès l'instant où elle me vit. Ni les coups ni les caresses de Lucrèce ne purent la convaincre de me montrer ses talents. Finalement, ses comparses durent l'emmener tandis qu'elle criait et se débattait.

L'échec de ce divertissement n'avait fait qu'accroître l'agitation de Lucrèce. Ses lèvres tremblaient, la sueur perlait sur son front sous le bord du turban de brocart. Elle devait visiblement se faire violence pour rester droite sur son siège et sourire. Ses yeux brillaient d'un éclat blanc et opaque comme l'émail ; on eût dit que la vie s'en était retirée, ils ne trahissaient aucune émotion. Debout près d'elle, je la regardais, maussade et déçu. Sur ce visage fané, dans ce corps déformé par la grossesse, je ne trouvais plus aucune trace de la beauté que j'avais entendu vanter, rien qui me rappelât la femme de Carpi. A part une certaine grâce dans le galbe des bras et des épaules, les yeux clairs de porcelaine bleue et la voix aiguë, je ne pouvais découvrir aucun charme qui pût justifier sa célébrité. Une mince couche de poudre laissait transparaître la couleur malsaine blanc jaunâtre de sa peau. Le nez et le menton étaient assez grossiers et charnus. Elle ne ressemblait en rien à César. Je m'étais pourtant attendu à retrouver en elle quelques-uns des traits caractéristiques de cet homme : son côté sombre, sa souplesse féline. Lucrèce donnait surtout une impression d'indolence, de mollesse : relâchement des formes, caractère malléable.

Elle semblait sans défense, perméable à n'importe quelle influence étrangère, vite effrayée et aussi vite rassurée, heureuse comme une enfant ou attristée par des choses sans importance. Il me semblait que j'avais le devoir de la protéger, mais en même temps je sentais souvent monter en moi l'envie irrépressible de tourmenter jusqu'aux larmes cette créature naïve et hypersensible. Sa dignité, sa maîtrise de soi, le ton formel de sa conversation n'étaient qu'apparences, une comédie répondant aux exigences de la cour.

Plus tard, dans la journée, dès que l'on nous eut laissés seuls, elle abandonna son rôle. Elle éclata en sanglots, me couvrit de baisers et de caresses. Dans une avalanche de mots espagnols, elle m'appela « Juanito », son « petit frère », « le seul parent bien-aimé qui lui restât ». Elle me supplia de lui pardonner, de me montrer patient avec elle, me jura que toutes les énigmes seraient déchiffrées, qu'elle souhaitait exaucer tous mes vœux, qu'elle paverait d'or ma route. Je lui demandai ce qu'Alphonse d'Este pensait de ma visite.

« Il est maintenant en voyage. Mais il est ton meilleur ami, il fera pour toi tout ce qui est en son pouvoir », dit Lucrèce.

Sa nervosité me fit supposer qu'elle n'était pas tellement sûre de ce qu'elle avançait. Elle me demanda de lui raconter mon séjour à Naples, sûrement pour m'empêcher de lui poser moi-même des questions. Tandis que je parlais, elle allait et venait dans la pièce obscure, agitée, marchant difficilement tout en massant de ses deux mains le creux de ses reins. Au bout d'un moment, je remarquai qu'elle ne m'écoutait pas et je me tus. Elle s'arrêta et jeta vers moi par-dessus son épaule un regard suppliant, contrit, comme un enfant surpris en train de jouer un jeu interdit. Elle avait peur de m'irriter, fit alors une petite moue coquette qui eût été séduisante chez une jeune femme, mais n'était plus en accord avec son physique flétri. Elle devina ma répugnance et changea de tactique.

« Mon Dieu, ma tête, ma pauvre tête me fait si mal que je ne peux plus penser. » Elle s'assit, arracha, de ses doigts tremblants, les agrafes et les épingles ornant son turban. « Je n'ai jamais pu supporter les lourdes parures. Le poids de mes cheveux à lui seul me rend malade. Je porte cet ornement pour faire plaisir à mon époux. Sa sœur, la marquise de Mantoue, a introduit ce modèle. Ce sont ses idées à elle qui ont ici force de loi. Je suis le plus possible son exemple. Voudrais-tu m'excuser un instant ? »

Tandis qu'elle faisait arranger sa coiffure dans une autre pièce, je regardai par la fenêtre. La cour intérieure était tout en bas, sombre et profonde comme un puits. Un air froid s'élevait des pavés. Sous les arcades bougeait de temps à autre la lueur vague de torches et de lanternes. Les galeries surplombantes étouffaient tous les sons. Je reculai d'un pas et vit Lucrèce debout derrière moi, son visage formant une tache blanche dans l'obscurité.

« C'est là, dans la cour, que furent décapités la duchesse Parisina et son beau-fils Ugo. Il y a longtemps de cela, déjà cent ans. Ces d'Este sont impitoyables dans leur colère. Mon époux lui aussi serait sans pitié s'il me surprenait en flagrant délit d'infidélité. Bien des choses se sont passées entre ces murs. Que ne pourrais-je raconter !... Imprudence, dévergondage sont ici très sévèrement punis. Seuls ceux qui ignorent les scrupules ou qui sont sans péché peuvent respirer librement dans le *castello*. Suis-moi, à côté il fait plus chaud et plus clair. »

A la lueur des chandelles, elle paraissait moins blafarde.

Ses yeux brillaient, elle parlait sans discontinuer. Elle fit venir ses enfants, une série d'héritiers de la maison d'Este. Plus tard, un repas fut servi. Tandis que je mangeais et buvais, elle parlait de Rodrigo, les yeux baissés. Je l'assurai que, loin d'elle, il n'avait pas été malheureux.

« Comprends-moi bien. La méfiance de mon époux m'a empêchée de faire ce que je voulais. Aussi envers toi, mon petit frère, j'ai manqué à mes devoirs.

– Personne ne m'a jamais dit jusqu'à ce jour que j'étais le fils du pape Alexandre.

– Je l'ignorais moi-même. Tu étais si jeune quand mon cher Papa t'a confié à la garde de César. Des papiers ont été récemment apportés de Rome. Ils sont maintenant ici, dans la chancellerie. Une bulle, un très long exposé en latin, signée par mon Papa chéri, le pape. On peut y lire clairement que tu es son fils. »

Je demandai si le nom de ma mère était connu. Lucrèce haussa les épaules :

« Quelle différence cela fait-il ? Tu jouis de tous les droits.

– Sur le papier peut-être. En réalité, je suis un vagabond sans un *soldo* en poche.

– A présent, cela va changer. Je t'aiderai. Je ferai ce que mon cher Papa aurait fait lui aussi pour toi. C'est mon devoir.

– Pourquoi ?

– Pourquoi "pourquoi" ? »

Mon regard la rendait nerveuse. Elle découpa un morceau de viande en lanières et donna à manger à ses deux lévriers. Je ne la croyais pas. Plus je parlais avec elle, plus j'étais convaincu qu'elle me cachait quelque chose. Elle était peu sûre d'elle, agitée. Des valets et des femmes emportèrent les reliefs du repas, nous restâmes seuls.

« Nous autres Borgia, nous devons nous soutenir. Nous sommes aussi attachés les uns aux autres que les grains de raisins à une grappe. C'est ce que disait mon cher Papa. Il était la bonté même, quoi que l'on dise de lui. Personne n'a jamais aimé ses enfants autant que lui. Il n'a jamais voulu autre chose que mon bonheur. Si, si, c'est vrai ! ajouta-t-elle, véhémente, bien que je n'eusse pas formulé une seule objection. Tout ce qu'il faisait était dans notre intérêt, pour notre renom, notre puissance, notre richesse. S'il était faible, ce n'était que par amour pour nous. Après la mort de mon frère Gandía, il ne voulait plus manger, ni boire. Par amour pour moi, parce qu'il ne supportait pas de m'entendre pleurer, il s'est relevé. "Tout ce qui arrive à mes enfants, je le ressens comme joie et douleur dans mon propre corps", ce sont ses propres termes. Il nous a toujours enseigné que les liens du sang sont sacrés, dignes de tous les sacrifices, et nous obligent à tous les services. C'est dans cette croyance que nous avons été élevés. J'ai obéi à mon cher Papa. Quelles qu'aient été ses exigences, je les ai satisfaites. Peut-être n'était-ce pas bien, peut-être aurais-je dû agir autrement. Depuis, j'ai vu et entendu tant de choses… Ô Dieu, qui sait ce qui est vrai et ce qui est faux ? Tu ne peux pas comprendre tout cela. Servir ma parenté, c'est devenu pour moi une seconde nature, faire ce que voulait mon père chéri, ce que mes frères voulaient, ce que veut mon époux. Comment pourrais-je alors ne pas t'aider ? »

Elle parlait d'une voix haletante, ses mains étaient sans cesse en mouvement, elle tripotait les plis de sa robe, la passementerie de ses manches et de son corselet. Les bagues scintillaient sur ses doigts fébriles. Tout en l'écoutant, je m'amusais à faire rouler sur mes genoux le poignard que j'avais détaché de ma ceinture. Chacun a de ces gestes machinaux lorsque ses pensées sont ailleurs. Un bijou, une pièce de monnaie, une paire de gants, le gland d'un cordon sont toujours à portée de main pour que l'on puisse se livrer à de petits jeux innocents. Dans ces cas-là, je prends mon poignard, je le fais tourner sur la pointe de la lame, je caresse du bout des doigts la forme de la poignée. Je le faisais autrefois sans y accorder d'attention. Depuis le fameux entretien avec Lucrèce, je ne suis plus si désinvolte. Mais pour la plupart des gens que je rencontre, mon poignard est une arme comme une autre.

« Comment pourrais-je alors ne pas t'aider ? » Prononçant

ces mots, Lucrèce se pencha en avant et effleura doucement mon genou. Au même instant, tout son corps se mit à trembler. Je l'entendis claquer des dents. Elle couvrit son visage de ses mains et se détourna. Je compris avec peine ce qu'elle murmurait.

« Enlève ça, enlève ça ! Qui t'a donné ce poignard ? Enlève-le, cache cette chose. Je ne veux pas la voir, plus jamais ! »

Je lui demandai alors si elle ne se souvenait pas que l'arme avait appartenu à César. Lorsque, ses mains toujours appuyées sur ses yeux, elle fit un signe affirmatif de la tête sans un mot, je lui racontai comment le pape Alexandre avait donné cette arme à Rodrigo et comment plus tard, à Bari, elle était devenue ma propriété. Elle s'affala dans le fauteuil, son corps était secoué de soubresauts. Tandis que je la soutenais, je découvris avec étonnement qu'elle ne pleurait pas mais riait, d'un rire crispé, silencieux, plus pitoyable que des larmes.

« Ferrare est célèbre pour ses fabricants de masques. Toute l'Italie commande ici les masques du carnaval. Ces artistes sont des bousilleurs comparés à moi. Petite Lucrèce, fille chérie, sœur chérie, Lucrèce, ris et danse, fais-toi belle, c'est toujours la fête, toujours le carnaval, toujours le mariage. Un, deux, trois mariages... pourquoi pas ? Les futurs époux sont des marionnettes que l'on peut faire et briser à volonté... »

Le rire forcé s'arrêta aussi brusquement qu'il était apparu. Elle était allongée, immobile dans son fauteuil, son attention concentrée sur quelque chose qui restait pour moi inaudible et invisible. Elle se tâta le ventre de ses doigts écartés. Elle soupira deux ou trois fois et me demanda dans un souffle si je voulais bien appeler ses femmes et m'en aller.

Des semaines s'écoulèrent avant qu'il me fût donné de revoir Lucrèce. Le jour qui suivit notre premier entretien, elle accoucha d'un enfant qui ne survécut pas. Dès qu'elle fut en état de se lever, elle se fit conduire secrètement à San Bernardino, un couvent de Ferrare où, m'a-t-on dit, elle se retirait assez souvent pour quelque temps afin de recouvrer la santé. A cette époque, Alphonse d'Este revint de voyage.

Avec lui, plus de la moitié de la suite ducale réintégra la demeure familiale. Je compris pourquoi tout avait été si calme dans le *castello* : Alphonse ramenait avec lui la vie et les plaisirs. L'absence de Lucrèce passa presque inaperçue. Je n'eus pas à attendre longtemps une marque d'intérêt. Alphonse m'accueillit avec une indifférence joviale, comme on souhaite la bienvenue à un parent éloigné de rang inférieur. Ni en paroles, ni par des regards, il ne fit allusion à notre première rencontre à Bari. Je n'avais du reste guère envie de la lui rappeler.

Malgré dix années de responsabilité dans les affaires de l'État et les guerres contre des papes assoiffés de conquêtes, il n'avait changé en aucune manière. Son pas retentissant, sa voix puissante remplissaient le *castel ducale*. Où qu'il fût ou allât, régnait une ambiance de camp militaire, de parties de chasse. Des dogues et des lévriers le suivaient partout, se couchaient autour de son siège. Les joueurs de luth et les bouffons furent relégués dans les chambres des domestiques. « Pompes et parades – affaires de femmes. Épargnez-moi tout ce tintouin jusqu'au retour de la duchesse. Donnez-moi une nourriture solide – pas de langues de rossignols dorées ni de pâtés parfumés, tous ces plats raffinés me coûtent une fortune ! Maintenir son rang est un passe-temps plus coûteux que mener la guerre. Toute cette farce fait partie de la cour, bon, j'en prendrai mon parti quand la duchesse sera revenue ; elle peut régler tout cela, elle en a le temps. Mais, tant que je suis seul, je veux la place pour moi. » A ses hôtes et sa suite, il offrait des plaisirs virils : lourds repas, longues chevauchées à travers les champs gorgés d'eau hors de Ferrare et – activité encore plus épuisante – visites nocturnes à ses maîtresses et leurs amies. Alphonse avait un penchant pour les femmes grosses au teint foncé, voluptueuses et lascives, mais en outre peu bavardes, indolentes à tout point de vue – le contraire de Lucrèce.

Il me conduisit personnellement sur les chemins de ronde, derrière les créneaux, pour me montrer les canons qu'il y avait fait placer et qui provenaient de sa propre fonderie.

Chacun m'assura que c'était là une marque exceptionnelle de faveur. Tête nue, sans manteau, il marchait devant moi sur les plates-formes des tours de garde, désignant de la poignée du fouet qu'il utilisait pour ses chiens les parties importantes. Le ciel hivernal bas, lourd de pluie, pesait sur le pays. De trois côtés du *castello*, la terre s'étendait à perte de vue, plate, gris-vert, interrompue par les marais, les bras du Pô et les bocages du parc zoologique ducal. Du côté du pont-levis : la ville de Ferrare, un enchevêtrement de maisons basses, sombres, ceinturé de murs. Le vent chassait sur nos visages une brume de fines gouttelettes.

« L'arme de l'avenir ! » Alphonse caressait le bronze lisse de ses canons. « La pratique le démontre. Pourtant, je suis le seul en Italie à m'en rendre compte. N'es-tu pas de mon avis ? Tu viens de l'école de Fabrizio Colonna... Un homme courageux, un bon stratège, je te l'accorde, mais il vit encore à une époque disparue à jamais ! Les armées espagnoles se fient trop à la piétaille et aux archers. Les Suisses pensent que la technique de la lance est l'ABC de l'art de la guerre. Jadis, les Français ne juraient que par la cavalerie. Ils avaient aussi de l'artillerie, mais elle était inopérante. A Ravenne, je leur ai montré ce que valent des canons. Ils reconnaissent leurs erreurs, ils m'écoutent. Regarde ce matériel... Nulle part il n'y en a de meilleur. Le roi de France envoie ses artilleurs à Ferrare pour que je leur apprenne mon art. »

Il fit venir ses canonniers, leur demanda de me montrer toutes les particularités. Jambes écartées, les mains plongées dans le ceinturon, il se tenait debout sous l'avant-toit de la galerie. Il prenait un plaisir évident à voir mon étonnement. Plus tard, nous descendîmes à la fonderie dans les sous-sols du *castello*. Je songeai aux harangues du vieux Fabrizio Colonna, à son ardent plaidoyer en faveur de la discipline et du sens des responsabilités, sans lesquels, selon lui, le métier des armes serait une activité horrifiante. La passion d'Alphonse pour les canons était d'un autre ordre. Le perfectionnement d'un mousquet, d'une mèche, d'une poudrière était pour lui une fin en soi. Impassible, d'une voix froide et puissante, il m'expliquait par le menu tous les avantages de la forme et de la matière, calculait devant moi la portée des différentes sortes de boulets, décrivait l'effet du tir. La guerre était pour lui une occasion de vérifier l'efficacité des canons. Ses compagnons d'armes et ses ennemis ne présentaient d'intérêt qu'en tant qu'initiateurs ou victimes d'un tir d'artillerie. L'essentiel était la compétition entre les bouches à feu, la fiabilité des murs de retranchement, l'organisation expéditive d'approvisionnement des munitions. Jusqu'à ce jour, j'avais considéré la guerre comme un mal nécessaire, une phase inévitable dans les divergences d'opinions entre des groupes dont les intérêts étaient opposés – la conviction d'avoir raison tandis que l'autre avait tort, l'ambition, la soif de vengeance, la cupidité cent fois, mille fois incarnées sur le champ de bataille, chaque homme poussé en outre par des considérations personnelles, la peur, l'instinct de conservation, l'espoir du butin, que sais-je encore ? Écoutant l'exposé technique d'Alphonse d'Este, je ne voyais dans le combat que destruction pour la destruction. Cause et but du conflit ne comptaient plus, les hommes n'étaient que des figurants, les esclaves de monstres de bronze et de fer crachant le feu, avec pour uniques cibles les villes et les villages, fourmilières impuissantes. Vision angoissante.

Aussi, après mon séjour à Ferrare, ai-je longtemps cru que le nombre et la qualité des canons déterminaient l'invincibilité d'une armée. Mais à Pavie j'ai pu voir qu'il n'en était rien. Le roi François se faisait une gloire de son artillerie, de grosses pièces lourdes qui pouvaient être orientées au moyen d'un attelage de chevaux ; une innovation introduite à l'instigation d'Alphonse d'Este. A l'aube de la bataille, on put croire que les Impériaux ne résisteraient pas au feu français ; ils durent fuir à toutes jambes pour se mettre à couvert. Il s'ensuivit une confusion générale. Une erreur tactique du roi François anéantit cet avantage. Pescara sut exploiter magistralement cette faute. Il lança ses soldats dans un corps à corps au cours duquel l'utilisation de l'artillerie aurait fait plus de mal que de bien aux Français. La bataille de Pavie a prouvé que l'habileté tactique et, par-dessus tout, l'influence du commandant sur ses soldats valent mieux que des canons, même équipés des plus récentes trouvailles.

A Ferrare, je fus très impressionné à l'époque par le savoir et le comportement intransigeant d'Alphonse d'Este. César était mort, Fabrizio Colonna était un vieillard, Pescara inaccessible. Alphonse m'apparaissait comme la personnification de l'autorité masculine, le prototype du dominateur. La grandeur de la maison d'Este formait l'arrière-plan sur lequel il se détachait ; un géant, un héros. Un jour, il me désigna la tour où il gardait prisonniers à vie ses deux demi-frères, surpris alors qu'ils complotaient son assassinat. « Il est inutile à Ferrare d'annoncer des mesures sévères si l'on ferme les yeux sur les crimes de ses propres parents. Notre tradition veut que l'on soit impitoyable lorsqu'il s'agit de fautes commises par des membres de la famille. C'est à cette politique que nous devons notre autorité. »

J'étais alors plein d'admiration pour ce comportement. Plus tard, j'eus amplement l'occasion de découvrir sa froideur, sa méfiance et sa mesquinerie.

Il était envers moi d'une affabilité désinvolte, m'invita à partager plusieurs repas avec lui et son fils aîné Ercole, un garçon de quinze ans, et m'accorda la permission de chevaucher directement derrière lui à la chasse et dans les cortèges. Il me montra aussi son atelier, où il fabriquait des serrures pour son plaisir et peignait des poteries. Il parlait rarement de l'absence de Lucrèce, et jamais de moi et de mon passé. Enfin, un matin, il me fit venir dans sa chambre à coucher. Il était en chemise au milieu de la pièce. Des valets lui tendaient des vêtements, l'aidaient à fixer ses aiguillettes, à lacer ses cordons. Ses deux dogues étaient couchés sur le lit. Derrière les fenêtres s'étendait l'aurore brumeuse d'une journée d'hiver. Le reflet du feu qui brûlait dans la cheminée vacillait sur les murs couverts d'une fresque représentant, plus grands que nature, les illustres aïeux d'Alphonse, au temps du duc Borso.

« J'ai ordonné à ma femme de regagner son domicile

demain. Cette fois encore, le séjour chez les religieuses a assez duré. Jadis, elle ne connaissait pas cette tendance à vouloir s'enfermer dans des monastères. Au contraire. *Madonna* aimait les plaisirs moins pieux : bals tous les jours de la semaine, longs entretiens en aparté ou voyages d'agrément vers telle ou telle gentilhommière avec l'adorateur du moment, et si, par hasard, il ne se trouvait pas quelque imbécile amoureux dans le voisinage, un bain avec l'une de ses dames d'honneur, créatures rouées, averties de tous les artifices de l'amour mauresque. Pas question de prier ni de jeûner. Ainsi sont les femmes, versatiles, tombant d'un extrême dans l'autre. Une seule chose n'a pas évolué : ma femme est aussi ridiculement entichée de sa famille que le reste des siens. Elle sait fort bien imposer sa volonté en boudant, tombant malade ou fuyant. Apparemment, elle a appris dès son jeune âge que c'était la seule manière d'extorquer ce qu'elle voulait à ces canailles de Borgia. Je vois clair dans son jeu. Si cela ne me nuit pas, je cède, sinon, c'est non. Elle a l'intention de te faire avancer dans le monde. Le temps nous apprendra si tu mérites cette aide. Tu n'as jamais rencontré *madonna* avant de venir ici ? »

La question fut posée comme en passant. Toutefois, le regard et le ton m'avertirent que de ma réponse et de la manière dont je la formulerais dépendraient bien des choses.

« Jamais, dis-je. Je ne savais pas non plus que j'étais le frère de Son Excellence. »

Alphonse alla s'asseoir au coin du feu et se fit mettre ses bottes. Puis il congédia les serviteurs et la suite. Je restai debout devant lui tandis qu'il consommait son petit déjeuner, de la viande, du vin et des fruits.

« A sa demande, des recherches ont été faites à Rome au sujet de ta naissance. Deux bulles ont été trouvées à la chancellerie pontificale.

— Son Excellence parlait d'une seule bulle.

— A-t-elle dit cela ? C'est curieux. Pourquoi n'en aurait-elle nommé qu'une, alors qu'elle sait qu'il en existe deux ? Tu dois faire erreur, mon cher. »

J'ignorai la question que je lisais dans son regard froid, pénétrant, sans manifester aucune surprise, et me tus.

« Deux bulles, donc ! Dans l'une, tu es mentionné comme le fils de César Borgia, dans la seconde le pape Alexandre annule le contenu de la première, t'appelle son "propre fils", son "Giovanni bien-aimé, duc de Nepi et Camerino, Infant de Rome". Un peu comme le prince consort des États du Saint-Siège... du moins quelque chose de ce genre. Je parie que cela t'étonne. Et pour cause. Je ne comprends pas non plus ce qui se cache derrière ces deux déclarations contradictoires qui semblent avoir été rédigées avec beaucoup de fioritures juridiques en une seule et même journée. Personnellement, que tu descendes du père ou du fils me laisse froid. L'un me semble tout aussi possible que l'autre. Ce qui m'intéresse davantage, c'est l'attitude de ma femme dans cette affaire. Ton étonnement n'est pas feint. Je veux donc croire qu'elle n'a effectivement nommé qu'une bulle, la dernière sûrement. As-tu une idée, jeune homme, de la raison pour laquelle elle n'a pas dit toute la vérité ? La duchesse est un être plein de surprises, par moments douce comme une colombe, docile, toute soumise, puis soudain, sans que l'on comprenne pourquoi, têtue et fermée, ou en prière et en larmes comme une pécheresse repentante. »

Il se leva, son ombre grimpa contre le mur par-dessus le cortège peint des nobles.

« Lorsque je me suis marié, je croyais que j'épousais une Marie-Madeleine. J'avais tout lieu de le croire. Mais, apparemment, *madonna* n'était pas encore tourmentée par sa conscience à cette époque. Mon père pas plus que moi ni aucun de nos parents nous n'étions ravis de ce mariage. Mais nous avions besoin d'argent. Lorsque le pape Alexandre se déclara disposé à payer généreusement pour que *madonna* fût accueillie dans la maison d'Este, nous avons fermé les yeux sur bien des choses. Du reste, nous avons réussi à la mater. Je dois dire à son honneur qu'elle fait ce que l'on attend d'elle, si l'on excepte ses crises de dépression. Mais je ne me soucie pas de ses humeurs. Comprends-moi bien.

Ici, à Ferrare, nous ne nous sommes jamais laissés éblouir par les manigances des Borgia. J'ai les pieds sur terre, j'ouvre les yeux et les oreilles. La sensibilité et la mélancolie de *madonna* ne sont que surface, tout comme les agissements mystérieux de messire César et la concupiscence du pape Alexandre dans le temps. Tous les Espagnols sont sensuels, énigmatiques et capricieux ; mais ceux qui se laissent leurrer par des traits de caractère généraux sont des sots. Ces Borgia savaient fort bien ce qu'ils voulaient ; tous des individus habiles, rusés, irréductibles, y compris *madonna* Lucrèce... Et toi, messire Giovanni, que veux-tu, toi ? »

Il se tourna vers moi, droit comme un i. Je répondis qu'il me serait possible de savoir ce que je voulais dès lors que je saurais qui j'étais. Alphonse eut un geste d'impatience :

« Ne te donne pas des airs de petit saint. Tu n'en es pas un. Tu as tous les traits de caractère d'un Borgia. Tu peux t'abaisser comme un courtisan, obéir comme un soldat, tu as le port d'un noble, l'insolence d'un marrane espagnol, le sentiment d'infériorité d'un bâtard. Tu ne m'apprendras rien sur la nature humaine. Tu es ambitieux et mécontent de ton sort. Tu es intelligent, tu sais attendre. Tu as sûrement d'autres choses en réserve. Quand se révéleront l'équivoque, la ruse, l'ingratitude envers tes bienfaiteurs, messire ? Vont-elles apparaître soudain comme chez madame la duchesse, qui sous un masque de soumission ne songe qu'à me mentir et me tromper ? Qui pleurniche et s'attendrit sur un père et un frère dont, en réalité, elle a toujours eu peur, pis encore, qu'elle a haïs – oui, oui, c'est un fait, reste à savoir si elle en est consciente. Qui, avec de grands yeux innocents, a coutume d'appeler "calomnie" tous les propos malveillants à son égard, mais éprouve soudain le besoin de jeûner et de prier comme une repentante. Je déteste tous ces mystères, cette versatilité. Dès l'instant où les caprices d'autrui menacent de me causer des ennuis ou de présenter un danger pour moi, je suis impitoyable. Je suis constamment sur mes gardes, même si je donne l'impression du contraire. Je veux que tu t'en souviennes, mon cher !

– Je suis prêt à partir aujourd'hui si ma présence vous déplaît. Je me doutais déjà que je ne serais pas le bienvenu. Je n'ai pas oublié que Votre Altesse a refusé de m'adresser la parole autrefois à Paris.

– Tiens, tu te rappelles cela ? »

Alphonse choisit lentement, soigneusement, un morceau de gibier dans un plat ; il l'examina et le flaira avant d'y planter ses dents.

« Je connaissais l'existence de *don* Rodrigo. *Madonna* avait eu assez de bon sens pour comprendre qu'elle ne pouvait garder l'enfant ici auprès d'elle lorsqu'il était encore petit. C'est déjà bien beau que j'aie accepté ses deux précédents mariages. Sans parler du reste. Les ragots, les insinuations... rien de très plaisant, je t'assure. Il devait aussi y avoir quelque part un bâtard de ma femme, de père inconnu. J'ai cru pendant un certain temps que tu étais cet enfant, mon garçon. »

Il mordait dans la viande sans détourner de moi son regard. Je réfléchis. A cet instant-là, je comprenais parfaitement ce qu'il voulait dire : ma propre sécurité à Ferrare, la tranquillité de Lucrèce, Alphonse disposé à m'apporter son aide, tout cela dépendait de l'attitude que j'adopterais maintenant. Je dis que je m'étais toujours considéré comme le fils de César Borgia et que j'étais sûr que d'autres pensaient de même.

« Ici, à Ferrare, il avait très mauvaise réputation. Le souvenir de sa personne et de ses actes n'a pas encore pâli. C'est pourquoi, dans ton intérêt, je te conseille de profiter des possibilités que t'offre la seconde bulle pontificale. En tant que demi-frère de la duchesse, tu as le droit de demander notre assistance. »

Tout cet entretien avec Alphonse n'était que comédie, et je m'en rendais déjà compte. Nos préoccupations réelles ne furent pas exprimées. J'étais torturé par la question de savoir si j'étais le fruit de l'inceste ; sur ce point, les deux bulles, avec leurs contenus contradictoires, n'apportaient aucune solution, au contraire, elles me plaçaient devant de nouvelles énigmes. Du reste, ces documents ne me furent pas montrés à ce moment-là, ni plus tard. Les mobiles d'Alphonse d'Este étaient d'une autre nature. Par la suite, lorsque je compris mieux la situation, je parvins à trouver les mots pour les exprimer. Une seule pensée l'occupait jour et nuit : il voulait des preuves de la culpabilité de Lucrèce. Il ne songeait pas à une culpabilité particulière ; les pensées et les actes dont elle était coupable n'étaient pas l'essentiel. Visiblement, Alphonse recherchait avant tout la satisfaction de la prendre en flagrant délit d'outrage envers lui et la maison d'Este. Alphonse était de ces hommes qui ne peuvent reconnaître qu'ils se sont trompés.

Au cours de cet entretien, ni lui ni moi nous n'obtînmes les réponses souhaitées. Nous le savions l'un et l'autre.

Le retour de Lucrèce coïncida avec le début du carnaval. Comme par enchantement, la ville et le château de Ferrare apparurent sous un jour nouveau. Ils n'étaient plus gris et morts comme dans les premiers jours de mon séjour, pas davantage inattaquables, prospères, bourdonnant d'activités militaires – le décor qui convenait à Alphonse d'Este –, mais un lieu plein de bouffons et d'amoureux, ivres de vin et de danses. Une procession de gens masqués parcourait en criant et chantant les rues de la ville et les corridors du *castello* ouvert à tous : têtes de coqs, nez pointus, trognes démoniaques, faunes des forêts, monstres marins, un tourbillon d'étoffes bariolées, de plumes, de paillettes et de confettis. Partout des défilés, des concours, des festins et, dans les prairies longeant les rives du Pô, des courses de chevaux et d'ânes. Au château, des flambeaux brûlaient jour et nuit, les tables n'étaient jamais débarrassées, sur les tréteaux les ballets alternaient avec des comédies, de sorte que l'on perdait toute notion du temps. Dans l'une des salles se déroulait un concours d'endurance entre musiciens et danseurs, *piva*, *saltarello*, *mezzacrocca* qui n'en finissaient pas. Derrière la porte voisine étaient allongés des groupes de fêtards épuisés ou ivres, dormant profondément à l'endroit où ils s'étaient écroulés. Le jour venait et disparaissait dans le ciel nuageux sans que personne s'en aperçût. La réalité semblait ne plus exister, seul comptait encore un besoin de plaisir frisant la folie. A cette occasion, je me suis rendu compte qu'il m'était impossible de m'abandonner sans réserve à l'euphorie. Malgré les masques et les déguisements, j'étais incapable de me perdre un instant corps et âme dans cette exubérance. Il faut être insouciant et pouvoir s'enflammer rapidement comme un Italien pour se laisser entraîner dans la frénésie du carnaval.

L'air tiède, l'odeur de renfermé des salles de fêtes, l'éclat des torches, les rires et les cris déchaînés, l'effet ambigu des masques d'animaux surmontant les corps humains, l'impudeur soigneusement étudiée des costumes éveillaient en moi des sentiments contradictoires, mépris et ennui, mais aussi – conscient que j'étais du danger – le besoin de donner un tour sérieux à tout ce qui se voulait plaisanterie : tomber à bras raccourcis sur les arlequins et les clowns ivres qui roulaient sur le sol en se battant ou se bombardaient en groupes à coups de pâtés et de sucreries, jeter une torche au milieu des rubans et des hardes pour entendre les rires imbéciles se transformer en cris d'effroi, offenser les femmes qui croyaient, grâce à leur déguisement, pouvoir se permettre n'importe quel mot ou geste, jusqu'à ce qu'elles en finissent avec leur audace lascive. Tandis que, dansant la *bella dalla catena*, les couples tournaient et se contorsionnaient pendant des heures en une chaîne interminable à travers l'enfilade de salles :

> *il ballo s'intreccia*
> *braccia con braccia*
> *mentr' un s'allacia*
> *l'altro si streccia,*

je restais là, masqué, couvert de fanfreluches et de clochettes, dans un coin, en proie au doute.

Je reconnus la sensation d'étouffement qui m'avait assailli lorsque je me moquais méchamment de Rodrigo et de sa peur enfantine. J'étais une fois de plus sur le point de franchir une frontière : pour aller où, pourquoi ?

167

Traversant des antichambres, escaladant des escaliers où je trébuchais sur les corps de dormeurs ou de couples d'amoureux, je me mis en quête d'une sortie. J'ouvris d'un geste nerveux une fenêtre et vis qu'il neigeait. Depuis, j'ai eu en France mon content d'hivers blancs. Mais en ce temps-là, à Ferrare, cette chute de neige avait encore le charme de l'inconnu. Je me souviens que je pensai à Bonne Sforza, qui là-bas, en Pologne, devait contempler le gel et la glace pendant six mois de l'année. La pensée de Bonne, le spectacle des légers flocons volant de toute part calmèrent mon irritation, me ramenèrent à la raison. Je pris un manteau et je m'apprêtais à demander mon cheval lorsqu'une foule de gens masqués franchirent le pont, entrèrent en trombe dans le *cortile* et mirent la cour au défi de se battre avec eux à coups de boules de neige. « *A fare alla neve.* » Ceux qui n'étaient pas trop ivres pour se tenir debout quittèrent les salles de fêtes et descendirent. Personne ne prenait un plus grand plaisir à ce jeu stupide qu'Alphonse d'Este. Les femmes se bousculaient dans les galeries dominant le *cortile*. Au milieu des dames d'honneur qui poussaient des cris d'allégresse, Lucrèce était debout, immobile, silencieuse, reconnaissable à un masque doré. Pour la première fois, je me sentis apparenté à elle. Derrière le visage de bacchante en or battu, je devinais la même expression d'orgueil et de mépris qui glaçait mes propres lèvres.

La cour de Ferrare avait une réputation à défendre : elle passait pour présenter les ballets et les comédies les mieux préparés et les plus onéreux. Le temps du carnaval au *castello* était une succession ininterrompue de divertissements. Je ne nierai pas qu'ils étaient grandioses et avaient visiblement coûté une fortune. Feux d'artifice, grandes eaux, dispositifs permettant de faire descendre du ciel des nymphes et des anges sans que l'on en sût la provenance, costumes et décors somptueux, innombrables danseurs et chanteurs, que sais-je encore ? Mais les dialogues, sans exception, me semblaient verbeux, l'intrigue inintelligible, les plaisanteries et les facéties vieilles comme le monde. Le tout, recouvert selon moi

168

d'un vernis bon marché de culture classique. Tous les dieux de l'Olympe étaient de la partie. Chaque jeu, chaque allégorie constituait une sorte de rébus déchiffrable seulement par ceux qui étaient férus de mythologie. Aussi les hôtes et les courtisans bâillaient-ils à qui mieux mieux. Je ne fus pas peu surpris de constater qu'Alphonse tolérait de telles représentations, assistait jusqu'au bout à chacune d'elles, et jetait même des regards de mécontentement à ceux qui ne cachaient pas leur ennui. J'avais le privilège d'être assis sous le baldaquin avec le couple ducal et ses enfants. Témoin forcé non seulement de ce qui se déroulait sur les planches, mais encore des conversations entre Alphonse et Lucrèce.

Un gigantesque dauphin en argent fut apporté, qui cracha d'abord de l'eau colorée, puis du feu. Après quoi, les dieux de la mer, à cheval sur son dos, louèrent en une série interminable de strophes l'alliance récente de Ferrare avec Venise.

« Hum ! C'est bien beau, mais combien cela coûte-t-il ? dit Alphonse. Ne pouviez-vous vous satisfaire de moins, madame ? Je sais fort bien qui vous a appris à jeter l'argent par les fenêtres. Quand finirez-vous par comprendre que la défense de Ferrare au cours des dernières années a coûté une fortune ?

– Ma fortune à moi, ma dot, murmura Lucrèce sans bouger. Je n'ai pas inventé le carnaval, je perpétue une tradition. Vous chérissez la tradition. Cette allégorie que vous voyez là est une idée de la marquise de Mantoue.

– Ne reportez pas la faute sur ma sœur. Réjouissez-vous qu'elle se donne tant de peine pour respecter nos coutumes lorsque vous êtes trop occupée à être malade ou à méditer pour inventer quelque chose vous-même. Une princesse dans l'âme, la première femme d'Italie, ma sœur ! Elle connaît les usages de la cour. Mais qui n'a pas eu en partage à sa naissance la notion de grand style ne peut pas le comprendre. »

Lucrèce toussa et cacha son visage derrière son éventail.

« Ce n'est pas par amitié qu'elle s'occupe de l'organisation des fêtes. Je ne proteste plus, je lui cède volontiers ce plaisir.

– Ne jouez pas la résignation, *madonna*. Vous entretenez avec mon estimé beau-frère, le marquis, une correspondance très régulière. Vous êtes-vous jamais demandé ce que pense ma sœur de ces lettres d'amour sur le mode platonique ? »

Les plumes de l'éventail tremblèrent. Je ne voyais Lucrèce que de dos. Comme elle restait assise, rigide, dans la même position, son profil était caché à ma vue. Pour la circonstance, elle avait emprisonné son buste dans un corselet de brocart. Un voile qui couvrait le cou et les épaules laissait transparaître la couleur blafarde, cireuse, de sa peau.

« Vous avez de vilaines pensées. Voulez-vous donc que je sacrifie tout, les habitudes qui ne dérangent personne, les bons amis ?

– Oui, nous les connaissons ces habitudes, ces amitiés ! Ce spectacle ne se terminera-t-il jamais ? Très bien fait, ce dauphin, symbole de Venise. Notre ami, messire Bembo, le Vénitien, n'avait-il pas aussi un dauphin dans ses armoiries ? A propos de messire Bembo, je veux l'inviter à nouveau à nous rendre visite. Un notable aujourd'hui ! Il a fait une brillante carrière. La pourpre lui ira à merveille. Cela ne peut pas nous nuire d'avoir de bons rapports avec le secrétaire de Sa Sainteté. En outre, ce doit être agréable, après dix ou douze ans – vous savez mieux que moi à quand cela remonte –, de renouer avec une vieille connaissance. Allons, qu'en dites-vous ? Il était si pressé de partir à l'époque qu'il n'a même pas pris congé de moi. Avait-il des raisons de me redouter ? Qu'en pensez-vous ? »

Je n'entendis pas la réponse de Lucrèce. Je la vis seulement rentrer les épaules en frissonnant. Alphonse ne jugeait pas utile de baisser la voix, la musique sur scène était suffisamment bruyante.

« La visite de monseigneur vous répugnerait-elle moins si je vous offrais l'occasion à tous deux de retrouver les instants secrets de l'heure du berger, comme jadis à Carpi ? N'était-ce pas là que vous vous rencontriez ? Après tant d'années, vous pouvez bien l'avouer. Reste à savoir si Alberto Pio et sa femme seront encore disposés à jouer les entremetteurs... Du reste, Bembo n'a peut-être plus envie de roucouler. Nous avons tous vieilli... »

Je me penchai pour ramasser l'éventail. La branche était brisée. Lucrèce me prit les morceaux des mains en accompagnant son sourire d'un gracieux geste d'excuse – attitude destinée aux nombreux yeux fixés sur nous –, mais le tremblement de ses lèvres, son regard vide, affolé, ne m'échappèrent pas.

Au cours des mois que je passai à Ferrare, je fus plus d'une fois témoin de ce genre de conversation entre les époux. Alphonse semblait incapable de laisser Lucrèce en paix. Sa mélancolique résignation, son silence l'agaçaient. Je le comprenais dans une certaine mesure, tout en le méprisant pour le besoin qu'il avait de la tourmenter. Néanmoins, je ne crois pas que c'était seulement par méchanceté qu'il la poursuivait de ses offenses et de ses insinuations. Les sentiments et les pensées que cachaient ces mots le torturaient lui-même plus encore. En présence de tiers, tous deux réussissaient à conserver un semblant de bonne entente. Dans les réceptions officielles, Alphonse traitait son épouse avec la plus grande courtoisie. Il lui donnait la préséance, se montrait satisfait lorsqu'on l'acclamait – surtout après les années de guerre, Lucrèce était très populaire à Ferrare –, lui demandait des conseils, vantait sa perspicacité de telle sorte que chacun pût l'entendre. Lucrèce avait le bon sens de jouer le jeu. Elle savait se montrer à son avantage en public. Lorsque je la voyais ainsi, vêtue et coiffée avec soin, couverte de bijoux, je parvenais à croire à l'existence de cette autre Lucrèce légendaire.

Dans ses appartements, elle se détendait. Je la trouvais toujours allongée sur un lit de repos, dans des vêtements amples, sans corselet, les cheveux noués sous un foulard comme en portent les femmes à Rome.

Pas une fois lors de mon séjour à Ferrare je n'ai eu l'occasion de voir la célèbre chevelure d'or découverte. Après sa mort, le bruit courut que, pendant les dernières années de sa vie, elle avait porté une perruque. Il se peut très bien que cela soit vrai.

Elle m'appelait auprès d'elle deux ou trois fois par jour. Nous échangions d'abord les politesses d'usage, elle me demandait ce que j'avais fait au cours des dernières heures, ce que je pensais de ceci et de cela en ville et au château. Elle voulait avoir mon opinion sur des œuvres poétiques et musicales d'artistes de renom venus de tous les pays, qui étaient à son service, sur la couleur et la coupe de ses toilettes, sur la décoration de ses appartements. Mon latin et mes connaissances en matière de littérature laissaient à désirer, je ne savais pas grand-chose de la mythologie, ignorait tout de la mode et de l'art. Elle riait de mon manque de culture, ajoutant qu'elle s'occuperait de mon éducation. Plus tard, elle me fit des confidences. C'est à peine si je pouvais placer un mot. Elle avait un besoin irrépressible de parler d'elle-même. Tout en se racontant, elle semblait se libérer d'un poids, elle soupirait souvent, serrait mes mains dans les siennes, souriait de son sourire d'enfant qui demande à être pardonné. Comme nous parlions en espagnol, elle ne se souciait pas des allées et venues des membres de sa suite. Elle m'appelait son « don du Seigneur », disait qu'elle pouvait enfin être elle-même. « Mon époux consent à ce que tu restes à Ferrare. Tu ne sais pas ce que cela représente pour moi. Il a toujours rendu la vie impossible ici aux gens que j'aimais et qui m'aimaient. Ô Dieu, si seulement je pouvais tout te dire. »

Ses récits me permettaient d'avoir un aperçu des affaires de la famille d'Este. Ce que j'appris suscita en moi mépris et indignation : « Et dire que cet homme a l'audace de traiter les Borgia de racaille ! »

En Italie, comme à l'étranger, on ne se privait pas – et cela continue, j'ai pu le constater – de parler des mystères de Ferrare. Mais comme ces d'Este appartiennent à une vieille famille de haut rang qui est toujours puissante, on leur pardonne ce que l'on qualifie d'infamie quand il s'agit des Borgia. Lucrèce parlait, j'écoutais. A sa manière naïve de raconter les faits, elle me dévoilait ses griefs et sa rancœur, qui m'apparaissaient aussi clairement que les graviers tranchants dans une eau claire, peu profonde. J'ai oublié presque tout ce qu'elle m'a dit. En dépit de sa loquacité, je n'ai jamais pu me faire une idée précise de la vie qu'a menée Lucrèce à Ferrare.

« Toujours de la méfiance, toujours de l'hostilité. Ils ne m'ont jamais pardonné de valoir mieux que ma réputation. Tout ce que je faisais était matière à critique. Les gens d'ici détestent les Espagnols. J'avais amené de Rome une suite espagnole. A la cour de mon cher Papa, le pape, on pratiquait beaucoup les us et coutumes espagnols. Après tout, nous sommes tous originaires d'Espagne – de Xativa, près de Valence, le savais-tu ? J'aimais prendre de longs bains, me laisser oindre et masser par des Mauresques. Qu'y a-t-il de mal à cela ? Mes dames d'honneur étaient belles et raffinées. Est-ce ma faute si les hommes de Ferrare sont trop frustes pour apprécier d'innocents badinages amoureux ? Ma suite fut renvoyée et je restai seule parmi des étrangers. Quatre fausses couches successives. Grand Dieu, que n'ai-je pas dû entendre ! On racontait que c'était le résultat de mon passé, de mon mode de vie. Mon époux me méprisait parce que je ne pouvais pas avoir d'enfant. Mais il ne me laissait jamais en paix, moins que jamais quand j'étais enceinte. Et j'étais toujours enceinte. Il choisissait mon personnel, ma compagnie. Si j'avais un confident, il devait s'en aller... ou pis que cela. Mon poète de cour, Ercole Strozzi, mon bon et fidèle ami, assassiné, abattu comme un chien. Ô mon Dieu, toute ma vie a été ainsi, ce que j'aime doit toujours partir ou mourir. Je ne peux pas en parler ni y penser. Pardonne-moi, je ne sais plus ce que je dis. Pardonne-moi, Juan ! »

Plus tard, j'appris que Lucrèce avait fait ériger le monastère de San Bernardino, où elle se retirait régulièrement, à l'endroit même où le meurtre avait été commis. Est-il normal de pleurer à ce point un joyeux poète qui apportait un peu de distraction et de réconfort ? Je tentai d'obtenir des renseignements sur ce Strozzi, mais au château personne ne se montra disposé à me les fournir. Comme si l'on s'était donné le mot, personne ne parlait, tout comme on faisait le silence sur les deux seigneurs d'Este enfermés dans la tour. Plus tard, je constatai qu'un ordre venu d'en haut avait été donné de ne pas parler non plus de ma présence à Ferrare, du moins pas à des étrangers.

Du reste, Lucrèce me donna une autre explication relativement à sa retraite dans le monastère. Elle fuyait Alphonse. Un corridor conduisait des appartements de son mari aux siens. Ses nombreuses aventures galantes ne l'empêchaient pas de venir régulièrement honorer sa femme de ses visites. Sans doute se méfiait-il moins d'elle quand il la savait enceinte. Après cela, j'avais toujours du mal à m'empêcher de sourire quand Alphonse dénigrait en ma présence les inclinations dévotes de sa femme. Lucrèce me parlait de ce genre de choses avec une grande franchise. Elle disait que ces épanchements la soulageaient, lui redonnaient goût à la vie. Les compliments, un mot aimable la remplissaient d'un bonheur enfantin. « Il faut que tu m'aimes, que tu m'aimes beaucoup, répétait-elle souvent, en souriant ou en pleurant, selon son humeur. Il n'y a rien au monde dont j'aie tant besoin, rien que je désire aussi ardemment. »

Jour après jour, je l'écoutais, avec une patience qui me demandait de grands efforts. Je me disais que je n'apprendrais rien de nouveau avant qu'elle eût déterminé quel comportement adopter envers moi. Ma présence l'excitait, la troublait visiblement. Cela ne me surprenait pas. Comment eût-il pu en être autrement ? Je comprenais qu'elle voulait gagner du temps. Mais cela ne m'empêchait pas de faire l'impossible pour saisir dans son flot de paroles ce qui pouvait apporter une explication aux énigmes qui étaient le fléau de mon existence. Au bout d'un certain temps, je remarquai que ses confidences étaient moins spontanées que je ne l'avais d'abord cru. Elle cachait l'essentiel, tout ce qui méritait vraiment d'être connu. Elle taisait ce que je voulais entendre. Les griefs qu'elle exprimait n'étaient pas ceux qui la tourmentaient encore quotidiennement. Elle ne parlait jamais des années antérieures à sa venue à Ferrare. Si, au cours d'une conversation, elle mentionnait au passage le nom de son père, le pape Alexandre, jamais elle ne prononçait celui de César. Elle montrait une réserve tout aussi flagrante lorsqu'il s'agissait de son correspondant, ami et beau-frère, le marquis de Mantoue, ou de Pietro Bembo, le Vénitien, auquel Alphonse ne cessait de faire allusion. J'avais parfois l'impression que le visage qu'elle me présentait était aussi un masque. Ne s'était-elle pas elle-même vantée de sa capacité de se montrer autre qu'elle n'était en réalité ?

Le temps passait et je n'apprenais rien de nouveau. Elle esquivait mes questions et mes allusions. Lorsque je remarquai qu'elle était moins naïve et sans défense qu'elle ne voulait le paraître, mes sentiments à son égard changèrent également. En me taisant la vérité à laquelle j'avais droit, elle rejoignait les rangs de mes adversaires. Par moments, j'éprouvais envers elle une haine d'une violence dont je m'étonnais moi-même.

Alphonse avait une fois mentionné le nom de Carpi en rapport avec Bembo et le rôle que semblait avoir joué cet homme dans la vie de Lucrèce. Cela ne m'avait pas échappé. J'en avais tiré certaines conclusions. Un jour que j'étais à nouveau auprès de Lucrèce, je lui demandai sans ambages si la visite du secrétaire pontifical suggérée par Alphonse avait des chances de se réaliser. Ce même jour, j'avais entendu par hasard Alphonse déclarer sur un ton méprisant que monseigneur Bembo n'osait pas accepter l'invitation. A ce moment, Lucrèce se regardait dans un miroir qu'elle tenait à la main. Elle attendit longtemps avant de parler, et sa réponse semblait s'adresser à son image plutôt qu'à moi.

« Je ne crois pas. Il a fort à faire à Rome. » D'un doigt, elle palpait avec attention la peau douce et flasque de son cou et de ses joues. « Je vais te dire une chose, Juan. Si un jour tu aimes une femme, quitte-la avant qu'elle soit vieille et laide. Parle-lui d'amour dans des lettres pendant dix ans, vingt ans, mais n'essaie plus de la rencontrer. Ne laisse pas la honte, le regret, la déception ou l'ennui ruiner le bonheur que tu as connu.

– C'est de l'aveuglement, dis-je pour la blesser.

– Appelle cela comme tu voudras. Prétendre que les choses ne sont pas ce qu'elles sont, n'est-ce pas la seule arme que nous ayons contre la réalité, qui est laide, si laide ?... »

Je me mis à parler, comme incidemment, de mon séjour à Carpi. Ce faisant, je la regardais d'un air entendu, comme si c'était un fait établi que nous nous y fussions rencontré. Elle continuait à se contempler dans le miroir. Je vis qu'elle cherchait une échappatoire. Je ne pus m'empêcher d'admirer sa maîtrise.

« Alberto Pio et *madonna* Emilia étaient mes amis. A présent, je ne les vois plus... Oui, à ma demande on t'a amené autrefois à Carpi.

– Pourquoi ?

– Ils m'avaient dit que tu ressemblais à Rodrigo. Je languissais loin de lui. C'était encore un nourrisson quand je suis partie pour Ferrare, je ne me rappelais plus ses traits. *Lui*, je n'osais pas le faire venir à Carpi. Mon mari avait des rapports avec la cour de Bari. Si toi tu voyageais, cela attirerait moins l'attention. Et pourtant même cela a fini par se savoir. J'ai supplié à genoux que Rodrigo me soit rendu. Mon époux est alors allé le chercher à Bari.

– Mais Rodrigo n'a pas voulu », dis-je durement.

Ce disant, je la blessais plus profondément qu'elle ne m'avait blessé. Elle détourna son visage et se tut. Elle pleurait, immobile, sans bruit. Ces larmes, qu'elle versait si abondamment quand il était question de Rodrigo, n'exprimaient nullement l'affliction causée par la mort de son fils. Plus j'assistais à ces accès de chagrin, plus j'étais convaincu que le sentiment de sa culpabilité et les remords étaient à l'origine de ses pleurs. Non pas parce qu'elle avait toléré que son fils grandît loin d'elle. Si elle pleurait, se tordait les mains, c'était pour une raison plus profonde, Rodrigo signifiait encore autre chose pour elle. Elle ne l'avait pas connu, ne savait rien de lui. Elle ne pouvait se souvenir que du temps où il était un enfant au berceau, où elle le portait dans son sein, où il avait été conçu. Et c'est à ce temps-là que remontait son sentiment de culpabilité. Bonne avait accusé César d'avoir assassiné le père de Rodrigo. Je compris que, si je parvenais à établir le rapport entre ces faits, je me rapprocherais du même coup de la vérité concernant ma propre naissance.

Je ne crus qu'à moitié Lucrèce lorsqu'elle donna comme raison de la rencontre à Carpi son désir de revoir Rodrigo. Avait-elle vraiment espéré conjurer certains fantômes si, pensant à Rodrigo, elle pouvait se remettre en mémoire son visage, son corps ? S'il était vrai que je ressemblais à Rodrigo – mais je ne lui ai jamais ressemblé –, croyait-elle donc en pensant à moi faire surgir son image ? Cette explication ne me satisfaisait pas. Car que se passa-t-il quand elle me vit, moi ? L'attention tendue de la femme de Carpi, ses baisers et ses caresses n'étaient pas seulement destinés à Rodrigo. Il devait y avoir une raison à cette agitation qui s'emparait toujours d'elle en ma présence.

Je lui demandai pourquoi elle était venue voilée à cette occasion. Elle ne voulait pas être reconnue ? Pas en ma compagnie ni dans celle de messire Bembo ? Sans répondre, le visage toujours détourné, elle haussa les épaules. Près du lit de repos se trouvait une cage dorée dans laquelle un perroquet était perché sur une barre. De temps à autre, l'oiseau s'agitait comme pour étendre ses ailes, les plumes colorées tremblaient un instant, puis il restait à nouveau immobile. Lucrèce avait reçu ce perroquet quand elle était encore enfant. Ses plumes brillaient comme celles d'un paon, paraissant tantôt vertes, tantôt bleues, mais la tête et la poitrine luisaient d'un éclat brun-rouge aux reflets verts, qui faisait songer à des taches de sang sur du métal. Le perroquet savait parler ; il avait une préférence pour le premier vers d'une chanson espagnole, qu'il répétait souvent : « *Si los delfines mueren d'amores, triste di mi...* » « Si les dauphins meurent d'amour, oh ! pauvre de moi... » Je me suis souvent demandé comment Lucrèce pouvait supporter cette voix éraillée auprès d'elle. Plus tard, je compris que ce son ne lui apparaissait pas comme une parodie, mais comme l'écho d'une voix aimée.

Je n'avais pas l'intention de me laisser plus longtemps payer de paroles vagues, et décidai de forcer Lucrèce à me répondre. A présent, je la connaissais suffisamment pour savoir qu'elle pouvait se soustraire à mes questions embarrassantes en prétextant la fatigue ou une indisposition, pour ensuite se rendre au couvent ou au château de plaisance de Belriguardo. Après l'entretien où avaient été évoqués Bembo et Carpi, elle avait refusé pendant trois jours de me recevoir. Je savais qu'il me faudrait sans cesse l'amener par surprise à un point où elle n'aurait plus d'autre issue que de dire la vérité. Sous le couvert de l'intimité et du badinage, nous jouions le jeu de l'attaque et de la défense. Dès que j'abordais les sujets interdits, le passé à Rome, le pape Alexandre, Bembo, elle rentrait dans sa coquille. Ce duel muet me fit comprendre qu'elle n'était nullement ingénue. Je compris du même coup l'impuissance d'Alphonse et sa colère devant cette résistance passive. A sa manière inimitable, elle savait manier l'arme des faibles : l'impénétrabilité était son fort. Dans la pénombre de ses appartements où, selon la coutume maure, elle faisait brûler du parfum, sa force passive cachée apparaissait plus clairement qu'ailleurs. Mais elle ne cédait pas. Elle avait appris à se protéger.

Lorsqu'elle remarqua à quoi je voulais en venir, elle se mit à me faire une description exhaustive des palais pontificaux, de la célébration de l'année sainte de 1500, de ses épousailles et de celles de ses frères, des entrées triomphales de César après ses victoires en Romagne. Rome, un décor gigantesque, avec pour acteurs principaux les Borgia. Elle s'excitait, déversait sur moi un flot de détails, comme si elle voulait m'éblouir en développant des images de fastes et de magnificences. Je ne me donnai pas la peine de cacher que rien de tout cela ne m'impressionnait. Du reste, j'avais gardé de vagues réminiscences de cette grandeur perdue. Elle changea de batteries, s'étendit sur les causes profondes de nombreux événements que j'avais vécus dans mon enfance. A cela j'accordai la plus grande attention. Ses paroles donnaient de la profondeur à certains souvenirs.

Sans transition, Lucrèce se tourna brusquement vers moi :
« Pourquoi me regardes-tu ainsi ? Je ne supporte pas que
l'on me fixe de cette manière. Je lis de la méfiance, de l'hostilité dans tes yeux. Grand Dieu, Juan, tu ne te retournes tout
de même pas contre moi ? Tout a changé entre nous. Pourquoi ? Je me suis tant réjouie de ta venue. J'ai parlé avec toi
comme j'ai toujours souhaité pouvoir parler avec un frère.
– Et César, alors ? »
Elle retint sa respiration, comme si je l'avais frappée au
visage. Puis elle se plaignit de migraine et me congédia.
Ce même après-midi, elle se rendit avec une petite suite à
San Bernardino. Alphonse fit annoncer que la duchesse,
poussée par le besoin de recueillement, s'était retirée chez
les clarisses pour une durée indéterminée. A table, il fut d'un
mutisme inhabituel. Il tambourinait sans arrêt sur la table.
Lorsque je le saluai, il me fixa longuement et avec attention.
Ce regard me déplut. Je me rendis compte de l'insécurité
de ma position à la cour de Ferrare. Je n'étais pas admis dans
la suite ducale, je jouissais seulement de l'hospitalité et
j'étais traité courtoisement. On m'avait attribué un valet
de chambre et un palefrenier. Lucrèce veillait à ce que ma
bourse fût bien remplie, me comblait de présents sous forme
de vêtements et d'objets utilitaires. Elle alla même jusqu'à
me faire cadeau de l'un de ses nains, un frère ou un cousin
d'Anna *la Loca*. Par politesse, je gardai cet avorton pendant
quelque temps auprès de moi. Je l'autorisai à faire ce qui lui
plaisait, pourvu qu'il m'épargnât ses facéties et ses grimaces.
Lorsque je constatai qu'il me suivait partout – bien que silen-
cieusement et aussi discrètement que possible –, et même
qu'il restait dans ma chambre pendant que je dormais, je
commençai à soupçonner qu'il avait été chargé de m'espion-
ner. Je profitai de l'absence de Lucrèce pour renvoyer le
nain sous un quelconque prétexte dans la suite dont il faisait
partie. Les autres nains et bouffons prirent la chose très
mal. Sans doute s'estimaient-ils offensés dans leur honneur
professionnel. S'ils me voyaient, ils imitaient mon maintien
et ma démarche d'une manière peu flatteuse en produisant

des bruits indécents. J'appris que l'on me rendait responsable du départ de Lucrèce. *La Loca* dépérissait, refusait le boire et le manger. Un jour que je passais seul dans un couloir obscur, elle sortit d'un bond de l'ombre et me mordit la main. Je dus user de toute ma force pour faire lâcher prise à la folle créature. Bien que je n'en eusse parlé à personne, le bruit de cette affaire se répandit. Cela me valut les rires narquois des courtisans, qui ne comprenaient pas mon dégoût pour leurs célèbres fous. Ercole, le fils aîné d'Alphonse et de Lucrèce, prit la naine sous sa protection personnelle.

Ercole d'Este avait un nez camard, dû à une naissance difficile. Sans ce défaut, le jeune homme aurait eu un physique fort agréable. Il avait l'âge auquel on attache la plus grande importance à ce genre de choses. Sa propre déception et celle de son père – Alphonse ne pouvait parfois s'empêcher de montrer à quel point cette malformation du visage de son héritier le contrariait – le rendaient grincheux, hautain, extrêmement sensible à toute marque d'appréciation ou de son contraire. Alphonse avait des rapports très étroits avec son fils. Évidemment, ils parlaient entre eux de moi. Ses dispositions à mon égard – qu'Alphonse cachait sous un masque de bienveillance pour des considérations d'ordre diplomatique – se lisaient sur le visage d'Ercole. Celui-ci ne s'occupait pratiquement jamais de moi. Il avait sa propre suite, avec laquelle il allait à la chasse ou s'exerçait à des jeux d'adresse dans les prairies entourant le château ducal.

A cette époque, Alphonse d'Este se rendit à Venise pour des affaires d'État. Il se fit représenter à Ferrare par son demi-frère, Hippolyte, cardinal d'Este, le rustre le plus vaniteux et le moins fiable que j'eusse jamais vu. Lucrèce, qui avait promis de revenir, était restée dans son couvent. Je savais qu'elle détestait Hippolyte. Sans doute préférait-elle aussi ne pas me revoir si tôt. L'agitation régnait au château ; intrigues et bagarres étaient à l'ordre du jour. Comparée aux habitudes de débauche et de perversité d'Hippolyte, la sensualité d'Alphonse était un innocent jeu d'enfant.

Un jour, l'un des courtisans, qui se trouvait être l'ami d'un capitaine de la garde, me demanda si j'avais envie de voir de près les deux seigneurs d'Este retenus captifs. Après que je lui eus promis de garder le silence, il me conduisit à une partie abandonnée du *castello*. A cet endroit, toutes les fenêtres avaient été murées, sauf une. De cette ouverture, l'on avait vue sur la partie de la tour où les prisonniers étaient autorisés chaque jour à prendre l'air, une galerie munie de barreaux, loin au-dessus du sol : entre la tour et les murs d'autres ailes du palais, un espace pareil à une fosse étroite et profonde. Je n'eus pas longtemps à attendre. Derrière le grillage, quelque chose bougeait ; un homme faisait nerveusement les cent pas. Plus tard, je découvris l'autre qui, immobile, le visage tendu vers nous, semblait regarder dans notre direction. Je voulus faire un geste de salutation. « Inutile ! dit mon compagnon dans mon dos tout en me tirant en arrière. C'est l'aveugle. Il y a longtemps, le cardinal Hippolyte lui a fait crever les yeux parce qu'il s'intéressait trop à une demoiselle d'honneur espagnole de la duchesse, sur laquelle Hippolyte avait jeté son dévolu. »

Peu de temps après cette brève visite apparemment insignifiante à la tour, je chevauchais un soir en compagnie de quelques autres courtisans – parmi lesquels se trouvait l'homme qui m'avait désigné les prisonniers – sur la place de la cathédrale. De l'ombre du portique, jaillirent soudain des hommes armés qui se précipitèrent sur nous. Brève bagarre confuse. Les attaquants disparurent aussi soudainement qu'ils étaient venus. L'un d'entre eux fut abandonné, sans vie, sur la *piazza*. Il s'avéra plus tard que cet homme faisait partie de la suite d'Ercole d'Este. L'événement provoqua une grande commotion au palais. Lucrèce revint de San Bernardino. Elle me convoqua, me supplia de lui dire pourquoi je m'étais immiscé dans un complot. Je l'assurai de toutes les manières que je n'étais au courant de rien. Comprenant que j'aurais besoin de son entremise, je lui parlai de la visite à la chambre donnant sur la tour. La terreur qu'elle manifesta fut telle que je commençai à croire au danger et me reprochai mon imprudence. Lucrèce fit allusion à la possibilité d'une fuite. Alphonse d'Este avait repris la route pour Ferrare après sa visite à Venise. Je me doutais de ce qui lui avait été signalé. Mais fuir signifie s'avouer coupable. Finalement, je vis clair dans la comédie qui avait été montée de toutes pièces. L'on voulait se débarrasser de moi. Si je fuyais, ou me laissais chasser, je serais hors la loi. Je devais tenter d'exploiter à mon profit les tensions entre les membres de la famille d'Este. J'attendis donc le retour d'Alphonse.

Les propos échangés entre lui et Lucrèce avant qu'il finît par me convoquer, je les ignore. La rudesse qu'il adopta envers moi était tout aussi jouée que la jovialité des mois précédents. « Tu as de la chance, mon cher. D'autres avant toi, qui ont conspiré pour laisser échapper les seigneurs mes frères, ne s'en sont pas tirés aussi facilement. » Je me défendis pour la forme, et me plaignis de l'attaque sur la place de la cathédrale. « Mon fils Ercole est fougueux. Il ne peut pas attendre. La réflexion ne vient qu'avec les années. Il croyait nous rendre service, à nous et à Ferrare. »

Je savais que mes compagnons de ce fameux soir n'avaient pas été poursuivis en justice. Alphonse savait que je le savais. Ses accusations et ma défense avaient un caractère purement formel. Lorsqu'il comprit que j'étais disposé à quitter Ferrare s'il consentait à m'aider, et lorsque j'eus la certitude qu'il récompenserait effectivement cette décision, la conversation prit un tour plus agréable. Depuis, j'ai beaucoup réfléchi à ce que cachait ce jeu. L'explication la plus simple est que Lucrèce aussi bien qu'Alphonse se méfiaient de moi. Chacun d'eux croyait voir en moi un complice secret de l'autre. Ils préféraient leurs propres relations tendues à ce qui risquait d'être percé à jour par moi-même ou sous l'effet de ma seule présence.

Alphonse me fit savoir qu'il s'apprêtait à entamer des pourparlers avec le roi de France au nom de Ferrare et de Venise. Je devais entreprendre ce voyage en sa compagnie, il pourrait alors m'introduire à la cour de France. Ce projet me séduisit. Il me fournirait l'occasion – pensais-je à l'époque – de repartir de zéro, loin de l'Italie, dans un milieu exempt de préjugés.

Des préparatifs furent faits pour notre départ. Pendant toutes ces semaines, je ne vis pas une fois Lucrèce. On me dit qu'elle devait garder le lit. Enfin, Alphonse me pria d'aller la voir pour recevoir les cadeaux que je remettrais en son nom à la reine de France.

Lucrèce avait pris place à une table sur laquelle étaient étalés des bijoux. La peau de son visage était d'une pâleur jaunâtre, marquée de taches brunes sur le front et autour des lèvres. Elle était assise sur sa chaise comme si elle eût été incapable de se mouvoir. Elle désigna du doigt les joyaux qu'elle avait sélectionnés et m'expliqua ce que je devrais dire en les offrant.

« Et maintenant, choisis quelque chose pour toi-même, un souvenir. »

Pour la première fois depuis mon entrée, un sourire adoucit l'éclat dur, bleu clair, de son regard. J'exprimai mon admiration pour le trésor étalé sur la table.

« Ce n'est rien. Pas même le centième de ce que j'avais apporté en venant ici et dont une grande partie a dû être mise en gage et vendue pendant la guerre. Aux yeux de mon cher Papa, rien n'était trop beau pour moi. Maintenant, je n'y attache plus guère d'importance. »

J'ouvris un écrin. Sur du velours reposait le dauphin vert.

« Cela », dis-je.

Mais avant que j'eusse pu toucher la pierre, elle l'avait prise et la serrait entre ses mains.

« Non, pas ce bijou. Je ne peux m'en séparer. A ma mort, il retournera vers celui qui me l'a donné. »

La vue de ce joyau suscita en moi un flot de souvenirs. En même temps, je me rendis compte que mon séjour à Ferrare aurait été vain si je n'obtenais pas maintenant la réponse aux questions qui formaient pour moi la clé du passé aussi bien que de l'avenir.

« Qui suis-je ? Dites-le-moi au moins avant que je m'en aille. »

Elle se leva de son siège et se cramponna à moi. Je sentis ses ongles à travers mon pourpoint.

« Je l'ignore. J'ai eu un enfant, mon premier enfant, qui m'a été enlevé après la naissance. Personne n'a jamais voulu me dire ce qu'il était devenu. Plus jamais on n'a parlé de lui, plus jamais. Il n'avait pas le droit d'être.

– Parce qu'il aurait pu appeler son père aussi Grand-père ?

– Ô Seigneur, qui t'a insufflé cette pensée ? Je jure devant Dieu que c'est faux. Mon cher Papa m'aimait comme on chérit son plus précieux bien. Pourquoi cette tendresse doit-elle être traînée dans la boue ? L'enfant est né à l'époque où je dus déclarer sous serment que j'étais vierge, afin que mon premier mariage pût être cassé. Il était dans l'intérêt de mon père et de mes frères que je me remarie avec un Aragon. Je n'avais pas le choix.

– Qui a engendré cet enfant que je pourrais être ?

– Cesse de poser des questions. Ce que je peux dire ne ferait qu'accroître ton incertitude. A quoi bon, puisque je ne prétends pas que tu sois cet enfant ? Mon cher Papa avait encore des fils de différentes femmes de Rome. Cette bulle, dans la chancellerie...

– Il y avait deux bulles. »

Elle se tut longuement en se serrant contre moi. Bien qu'elle ne fît pas un geste, j'avais l'impression qu'elle luttait pour reconquérir sa maîtrise de soi.

« Je ne sais rien. Crois ce que tu voudras. Quelle importance ? Tu es un Borgia. Tu m'es très cher, je t'aime. Je te considérerai toujours comme un frère, le dernier, le seul qui me reste. »

En reculant d'un pas, je l'obligeai à me regarder. Je lui demandai pourquoi elle avait haï César. Ses yeux aux pupilles dilatées restaient rivés sur moi. A nouveau, elle me fit penser à un animal qui se sait une proie et, pris d'une angoisse mortelle, impuissant, comme hypnotisé, ne peut quitter des yeux l'assaillant.

« Haï ? Comment oses-tu parler de haine ? César faisait tout pour moi, tout. Il disait qu'il voulait me protéger, qu'il interviendrait comme s'il était Dieu lui-même si des difficultés ou des dangers me menaçaient : "Le cours de ton existence est le symbole de notre triomphe, ma sœur chérie, mais laisse-moi juger à quelle occasion le destin a besoin d'un coup de main !..."»

De nouveau, ce rire, si proche des sanglots. Elle appuya ses deux mains contre ma poitrine et se dressa sur la pointe des pieds. Tandis que je plongeais mon regard dans ces yeux clairs grands ouverts, je crus soudain comprendre que toute la vie de Lucrèce avait été une lutte entre son moi et les puissances qui avaient dominé sa jeunesse.

« J'ai toujours accepté avec résignation mon manque de sagesse. Je me fiais aveuglément au discernement de mon cher Papa, de mes frères. J'étais sans doute trop stupide pour comprendre le pourquoi et le comment des choses qui se produisaient en fait dans mon intérêt et celui des miens. Un peu de calme, de bonheur et de confort me suffisait... Je n'ai jamais été très ambitieuse. J'ai fait mon chemin, c'est vrai, mais Dieu sait combien de larmes j'ai versées le long de mon parcours... »

Une fois de plus, elle s'écartait du sujet. Je répétai ma première question :

« Qui suis-je ? »

Dans un soudain accès de colère, elle voulut me repousser.

« Lorsque tu te comportes ainsi, je pense que tu es le fils de César. Tu ne lâches pas ta proie, tu veux imposer ta volonté, tu me tourmentes...

– C'est moi-même que je tourmente le plus. Je vis dans l'incertitude. Je suis vulnérable de tous les côtés. Que suis-je ? Une énigme ambulante, une aberration. Partout je me heurte au silence, aux contradictions. Je préfère la pire vérité au doute. »

Maintenant, elle voulait me couvrir à nouveau de caresses. M'entourant de ses bras, elle murmurait des paroles de consolation.

« Je le comprends. Moi non plus, je ne suis pas heureuse. Toi et moi, nous continuons à porter un lourd fardeau. Mais le tien est tellement plus léger, peut-être as-tu encore des chances de te libérer. Tu es jeune, tu pars loin d'ici. Si tu le veux, tu peux oublier. Peut-être ta volonté est-elle encore puissante, n'a-t-elle pas encore été minée par la corruption. Ne me regarde pas ainsi. Si seulement je pouvais t'aider... Pardonne-moi. Pense à moi avec tendresse. Nous ne nous reverrons plus. Je suis à nouveau enceinte. Cette fois, je n'y survivrai pas... »

Elle avait raison. Sept mois plus tard, me parvint en France la nouvelle de sa mort. Alphonse écrivit personnellement, se disant inconsolable. Le bruit courut que, lorsque l'on fit la toilette de la défunte, on découvrit sous ses vêtements une haire et un cilice hérissé de pointes acérées, comme en portent les pénitents.

Aucun changement réel ne s'est produit depuis que j'ai quitté Ferrare. Des paroles saisies au hasard ont de temps à autre alimenté les soupçons déjà existants. L'occasion ne m'a jamais été donnée d'adhérer pendant une longue période à la même conviction. Après bien des doutes et des tourments, surtout sous l'influence de Louise, je finis par admettre la plus acceptable de toutes les possibilités : à savoir que j'étais le fils de César. Après la mort de Lucrèce, je compris clairement les causes de son agitation lorsque j'avais prononcé le nom de César. La gaieté, l'insouciance, le bonheur étaient ses éléments. Or César n'avait cessé de troubler ce calme. Son premier époux ignominieusement chassé, le second assassiné, et cela sans doute avec le poignard que je possède maintenant, celui que César, dans une plaisanterie perverse, avait offert plus tard à Rodrigo, fils de la victime. Pour trouver l'explication de ce geste, je dus puiser dans les données que Lucrèce m'avait fournies. A la source de tout cela : le jeu politique des Borgia. Lucrèce n'était qu'un pion qui se laissait manœuvrer sans protestations dès qu'il était question d'amour paternel et filial, de liens du sang. Le pape Alexandre, envoûté par son ambitieux fils aîné, ne trouvait d'autres moyens de la consoler que de la couvrir de bijoux, de baisers et de flatteries larmoyantes. Certes, elle a détesté César, mais la peur viscérale qu'il lui inspirait était telle que dix ans après sa mort elle essayait encore de dissimuler cette angoisse. J'étais pour elle à la fois attirant et repoussant, un consanguin des Borgia, mais aussi une partie vivante de ce frère redouté. Cela n'expliquait-il pas pleinement l'étrange comportement de Lucrèce envers moi ? A Carpi, elle m'avait regardé, tâté comme si j'étais un prodige : chair de la chair de César, sang de son sang, et pourtant inoffensif, sans défense, à sa merci.

Soupesant ces arguments, j'étais tenté de considérer tout le reste, les insinuations infâmes entendues à Bari et à Naples, comme des calomnies pures et simples. Le nom de Borgia a toujours suscité la haine, le dégoût et l'envie. Devrais-je maintenant m'étonner qu'un déluge de propos orduriers et diffamatoires soit ensuite déversé sur les morts ?

Je pensais donc : Je suis le bâtard de César. Alphonse en personne ne m'avait-il pas mis au courant de l'existence d'une bulle confirmant ce fait ? Qu'il existât une seconde bulle, dans laquelle j'étais mentionné comme le fils du pape Alexandre, ne changeait pas grand-chose à l'affaire, me disais-je. Ceux qui seraient en mesure de sonder la politique dynastique des Borgia au moment de ma naissance pourraient certainement trouver un motif à cette contradiction.

César m'avait reconnu comme son fils, mais presque aussitôt après il avait considéré cette reconnaissance comme dommageable pour ses intérêts. Le pape Alexandre avait alors – librement ou par contrainte – revendiqué cette paternité, mais, avec la ruse d'un juriste expérimenté, il avait pris soin pour plus de sûreté de faire conserver les deux documents.

Ces arguments ajoutés à d'autres ne me sortaient pas de l'esprit, là-bas, à la joyeuse cour du roi François. Comme je l'ai déjà dit, je parvenais de mieux en mieux à me convaincre moi-même. C'était seulement dans l'obscurité et le silence de la nuit, lorsque même les choses les plus invraisemblables paraissent possibles, que, tiré brutalement d'un cauchemar, je continuais dans mon lit à remâcher ces énigmes insolubles.

Cet enfant mystérieux de Lucrèce dont, de toute évidence, ni elle ni personne d'autre n'avait jamais reçu aucun signe de vie, ce bâtard né dans la période séparant son premier de son second mariage... a-t-elle vraiment cru pendant un certain temps que j'étais cet enfant ? Si je le voulais, je réussirais certainement à en découvrir la preuve à travers ses paroles et son comportement à mon égard. Pour ma part, j'ai toujours rejeté cette possibilité qui ne cessait de s'imposer à moi dans mes rêves. Dans mes rapports avec Lucrèce, il y avait tant de choses que je ne comprenais pas, tant de choses qui resteront éternellement inexpliquées ! Jamais nous n'étions spontanés l'un envers l'autre. Des suppositions, des incertitudes troublaient tous les instants que nous passions ensemble. Aujourd'hui encore, chaque fois que je pense à elle, je sens monter en moi une irritation mêlée de pitié. J'ai toujours tendance – même si je sais que c'est injustifié – à la rendre, elle, responsable de mon sort. Pourquoi ? Parce que son comportement envers moi semblait constamment déterminé par un sentiment de culpabilité ? Je me suis souvent dit que si j'avais été son fils, la nature nous aurait certainement accordé, à elle, à moi ou à tous deux, un signe de reconnaissance. D'autre part, je sais aussi qu'il ne faut pas attacher trop d'importance à de tels signes. Je n'ai jamais entendu dire qu'un homme reconnaissait et respectait instinctivement sa mère en tant que telle, s'il la rencontrait pour la première fois ayant atteint l'âge adulte. Dans l'histoire grecque du roi Œdipe... Non, Lucrèce n'était pas aussi proche de moi. Elle était la sœur de César. L'enfant qu'elle a eu ne me concerne pas. Car, à supposer que je m'identifie à lui, la question de la paternité serait alors soulevée et je me verrais confronté une fois de plus aux rumeurs entendues à Naples. A moins que... Qui dit que Giovanni Sforza était réellement impuissant ? Ils voulaient s'en débarrasser, il devait partir. Même si Lucrèce était enceinte... Pourquoi pas ? La possibilité d'une naissance légitime, d'une parenté réelle avec Isabelle et Bonne et les seigneurs de Milan... Toute ma vie en serait changée si je pouvais le prouver.

En France, j'écartai de moi de telles pensées ; dans cet entourage, ces suppositions me semblaient bizarres, trop loin de ce qui était à ma portée. Mais depuis mon retour à Rome, la question ne cesse de me hanter. En l'absence de meilleures informations, je m'appelle « le bâtard Borgia ». Je n'ai pas de passé et, par conséquent, pas non plus d'avenir. Même le privilège d'éprouver de la honte ou de la fierté m'est refusé. Je ne sais rien. La question que je me suis si souvent posée et que j'ai posée à d'autres reste actuelle : comment un homme peut-il savoir quelle ligne de conduite adopter s'il ne se connaît pas lui-même ? N'est-il pas déjà suffisamment difficile de trouver sa voie dans le vide du temps à venir, même quand on connaît son pays d'origine ?

Plus je vois et entends ici ce qui se passe, plus intolérable est la pensée que je n'ai ni le droit ni le pouvoir de revendiquer Camerino ou Nepi. Dans le premier cas, il me faudrait expulser ce gros bigot de Varano ; dans le second cas, c'est à la famille de cette femme – la fameuse Vittoria Colonna, qui règne à nouveau sur Nepi – que je devrais m'en prendre.

Mais le temps n'est plus où l'on pouvait, en tant que condottiere, avec de l'audace, de la volonté et une poignée de soldats, assujettir des villes et des régions. Avant de quitter la France, j'ai encore parlé de mes chances de réussite à Louise. Elle m'a promis d'écrire aux membres de notre famille qui vivent en Espagne et y gèrent les possessions des Borgia. Je n'en ai plus entendu parler. Louise ne répond pas à mes lettres.

Du reste, depuis que je fais partie de la suite du chancelier de Milan, mon prestige s'est considérablement accru. Je continue à me demander à qui je dois l'obtention de ce poste. Je suis convenablement logé, j'ai suffisamment à boire et à manger. Mes frais sont payés et l'on a généreusement rempli mon escarcelle. A présent, je peux du moins me rendre à Rome à cheval avec les autres seigneurs de la suite, je n'ai plus besoin de passer mes journées à traîner dans la chancellerie, ou à parcourir les galeries interminables du Vatican par manque d'argent ou pour tuer le temps.

Dans la ville poussiéreuse et étouffante, règne une atmosphère que je reconnais pour l'avoir connue autrefois : odeurs de fumée, relents de poisson frit, de détritus et d'abricots, le tout mêlé à d'autres puanteurs écœurantes que le vent apporte des quartiers où la peste fait rage. Comme je l'ai déjà dit, il ne s'y passe rien. On a tenté de créer un peu d'animation en organisant dans les rues des concours comiques, des courses à pied, des sauts en longueur entre vieillards, estropiés, aveugles, juifs dans leurs longs tabards, catins à demi nues. Le long de la route, de nombreux individus poussaient des hourras et sifflaient, les cabarets étaient pleins à craquer, on chantait et dansait comme pendant le carnaval. Je dois dire honnêtement que je n'ai pu découvrir les raisons de toute cette gaieté. Pour faire oublier un instant Pavie et la peste, quelques processions et défilés ont aussi été organisés. Si les récits de Lucrèce n'étaient pas fort exagérés, les choses ont dû se passer ici très différemment lors de la précédente célébration de l'année sainte, en 1500. Au demeurant, dans certaines occasions de moindre importance à la cour du roi François, on pouvait voir des chevaux plus nombreux et surtout plus beaux et mieux soignés, des chars plus grands et admirablement décorés, en tout cas on n'y aurait pas toléré du brocart fané, des étendards décolorés et des participants qui flânaient en désordre. Rome semble être peuplée de prélats de tous les rangs, drapés dans des vêtements dont la coupe et la couleur sont des plus diverses, de filles bizarrement accoutrées, d'oisifs, de laquais, de clercs, de scribes et de charlatans et d'une horde d'artistes ou prétendus tels auxquels s'ajoute la populace la plus éhontée du monde. Banquiers et nobles parcourent la ville avec une armée de gens de leur suite, s'accompagnant de bruit et d'ostentation comme s'ils allaient livrer bataille au lieu de se rendre à deux ou trois rues de là.

Ma principale distraction consiste à me promener dans les vignes hors de Rome ou à chasser les pigeons ramiers parmi les ruines, dans le voisinage du Colisée. Lundi après-midi, nous en avons capturé un bon nombre, puis nous les avons fait plumer et préparer dans une auberge, aux portes de la ville. Mangeant la volaille et buvant quelques cruchons de vin, nous avons ensuite discuté, jusqu'à ce que la lune se lève, sur les commérages qui circulent à Rome à propos de la visite de messire Morone et du marquis de Pescara. Un secret que connaît toute la ville : un beau thème pour la *commedia dell'arte*. Mais des hommes tels que Pescara et Morone ne sont pas des bouffons. Sur le chemin du retour, toujours plongé dans le feu de la conversation – et qui plus est passablement ivre –, je heurtai de plein fouet une litière avec mon cheval. Les seigneurs qui accompagnaient le palanquin, eux-mêmes pris de vin, crurent qu'ils avaient affaire à des voleurs. Il s'ensuivit un échange grotesque de coups et d'insultes qui se termina par un rire général, par des embrassades, des excuses et des courbettes à droite et à gauche. Je jetai en passant un coup d'œil dans la litière. Deux dames y étaient assises, l'une d'elles vieille et grosse, encore tout essoufflée de s'être démenée, l'autre, jeune, d'une beauté exceptionnelle, appuyée dans un coin, qui bâillait d'ennui. A la lueur des flambeaux, elle semblait couverte des pieds à la tête d'or et d'autres bijoux scintillants. Je demandai à mes compagnons qui elle était. « Une courtisane, que voulez-vous qu'elle soit d'autre ? » Une certaine Tullia, qui – comme ces femmes ont coutume de le faire – s'est approprié le nom patronymique d'une célèbre famille princière : d'Aragon. Peut-être parce que ce nom m'est si familier, peut-être parce que, sous la lune, le visage pâle, indifférent, de la jeune fille m'a séduit, ou simplement du fait que j'ai si longtemps été privé d'aventures amoureuses, en tout cas, j'ai l'intention de demander à l'Arétin de me la présenter comme il me l'avait promis.

Au secrétariat du dataire et dans la suite de Morone, j'ai appris pas mal de choses sur messire Pietro. Je ne prétends pas connaître maintenant la vérité sur son compte. Il est originaire d'Arezzo, c'est un fait avéré. Son père serait un cordonnier ou un aristocrate déchu, sa mère une catin ou une religieuse. Avant de venir à Rome, il a mené une vie mouvementée, tour à tour compagnon d'un peintre, brigand, moine, valet dans un cabaret, laquais et j'en passe. Il s'est fait un nom ici en tant qu'auteur d'innombrables épigrammes. Il compose sur commande des écrits diffamatoires et porno-graphiques, des traités politiques et des hagiographies. Il aime les jeunes garçons sans dédaigner pour autant les femmes. Dans diverses cours, il joue alternativement le rôle d'espion, de polichinelle, de secrétaire, d'entremetteur, selon ses propres dires. On prétend que personne dans toute l'Italie n'est aussi prompt à la riposte ni aussi redoutable que lui. Bien qu'il passe pour n'avoir pas la conscience nette, le pape lui-même n'ose pas l'expulser. Toutes ces nouvelles jettent une certaine lumière sur le personnage de mon ami en bleu paon.

Pietro l'Arétin
et Giovanni Borgia

« Je suis heureux, messire, que vous daigniez enfin me fournir l'occasion de vous faire découvrir la ville de Rome. Vous ne regretterez pas cette soirée-ci. Tullia d'Aragon représente une classe à part ! Vous l'avez vue passer dans la rue. Attendez donc d'entrer chez elle. L'aménagement de sa demeure donne la mesure de son succès. A ce propos, je puis vous raconter une histoire amusante. Lorsque le banquier Strozzi, l'un de ses plus fidèles visiteurs, un riche Florentin habitué au luxe depuis toujours, pénétra pour la première fois chez Tullia, il resta simplement bouche bée devant cette magnificence. A un moment donné, il lui fallait un crachoir, mais, il avait beau regarder partout, nulle part il ne trouvait un tel objet. Il fit signe à son valet et lui cracha au visage. Tullia demanda aussitôt pourquoi il avait agi de la sorte. Et Strozzi de répondre : "Parce que son visage est ce qu'il y a de moins beau dans ces appartements ; je n'ose cracher ailleurs !" Plus tard, il récompensa les faveurs de Tullia en lui offrant un jeu de crachoirs en or massif. Cette Tullia est du reste une gentille jeune fille, et je n'ai pas coutume de qualifier ainsi les femmes de cette espèce. La plupart des courtisanes sont en fait des ribaudes quelconques qui se déguisent par tous les moyens en femmes du monde. Stupides, impudentes, superstitieuses, foyers ambulants d'infection, il n'existe pas de maladies qu'elles n'aient pas. Grattez le plâtrage de fard, arrachez les atouts dont elles se parent, et ce qui reste ne vaut pas grand-chose. Je ne vous apprends rien

193

de neuf, c'est partout pareil, à Rome, à Paris ou à Madrid. Cette Tullia, par contre... c'est vraiment le merle blanc. Jeune, saine, intelligente, issue en outre d'une grande famille, cela vaut la peine de lui rendre visite. Mais venez d'abord boire un verre de vin chez moi. Nous nous connaissons encore trop peu, messire. Vous devez tout me dire de vous. Vous me faites confiance, n'est-ce pas ?

— Jusqu'ici, vous ne m'avez donné aucune raison de douter de votre bonne foi.

— Je constate que vous êtes prudent. Eh bien, c'est une bonne habitude. Surtout très populaire chez ceux qui ont quelque chose à cacher, ou qui visent un certain but, ou qui ont intérêt à se faire passer pour des gens très importants...

— Où sommes-nous en ce moment ?

— Dans les dépendances du Vatican, cher monsieur. Comme vous le voyez, ici, pas de marbre, pas de fresques ni de colonnades, et, Dieu soit loué, pas non plus de ces horribles fantoches de pierre datant d'une époque disparue. Nous sommes dans le labyrinthe du Borgo, messire, un vrai nid de rats que ces maisons, ces tours, ces passages, qui abritent les personnages de moindre importance de la cour. N'êtes-vous jamais venu ici ? Vous demeurez de l'autre côté du palais, je crois ?

— Au-dessus des locaux de la garde.

— Donc hors d'atteinte des rats du Borgo. Celui à qui vous devez votre habitation avait sans doute des raisons de vous tenir à l'écart de ce quartier.

— J'ai l'impression que vous cherchez toujours des motifs en toute chose.

— Messire, je connais comme ma poche le monde, les gens et surtout la vie de cour. Nous sommes arrivés. Veuillez me faire l'honneur d'être un instant mon hôte. Matteo, Pirro, ouvrez la porte ! Où sont-ils encore nichés, ces ânes ! Enfin, on tire le verrou ! Qu'est-ce qui vous prend, coquins, de me faire attendre devant ma propre porte ? Entrez, messire.

— Nous dérangeons, ce me semble...

— Attendez, messire, je vais régler cela en moins de rien.

Afrosina, ne t'ai-je pas dit ce matin que tu devais disparaître ? Ma maison est-elle un cabaret ou une maison de passe ? Crois-tu pouvoir rester couchée dans mon lit toute la journée pour y accueillir messieurs mes valets dès que j'ai tourné les talons ? Allez, file, je ne veux plus te voir ici. Retourne chez la maquerelle, qu'elle te bazarde à quelqu'un de moins exigeant que moi. Dehors ! Excusez ce dérangement, messire. Les domestiques et les catins de Rome... tous des canailles ! Matteo, Pirro, faites le lit, balayez le plancher, enlevez les miettes, les noyaux, et essuyez les flaques de vin, apportez des verres propres et un cruchon de Falerne. Prenez place, messire. J'ai le malheur d'être trop bon et de tomber trop vite amoureux. Toujours, mon personnel et mes maîtresses me trompent et me volent. Disparais, Afrosina, disparais, sèche tes larmes de crocodile ! Si du moins tu étais une bonne cuisinière, je pourrais peut-être me laisser attendrir... mais je n'aime pas ta polenta, et tes parures me coûtent trop cher. Si je n'avais pas l'habileté de m'occuper de moi-même comme il convient, j'en serais maintenant réduit à mendier dans les rues... Je sais ce qu'elles valent, croyez-moi. A l'occasion, je vous ferai lire quelques fragments d'une comédie que je suis en train d'écrire, *La Courtisane*, dans laquelle je dévoile sans ambages la vie et les ambitions de ces femelles...

— Les filles de joie valent-elles la peine qu'on leur consacre une comédie ? On peut se distraire avec elles, ou ne point s'en occuper, mais penser à elles...

— Et pourquoi pas, messire ? Ce sont des êtres humains comme vous et moi. Un inépuisable sujet d'étude pour qui veut connaître les vertus et les défauts de son prochain. La putain et les affaires qu'elle dirige, c'est le monde en petit. Aussi devez-vous interpréter ma *Courtisane* surtout comme étant avant tout symbolique, en tant que satire de la société. La cour tout entière y est tournée en ridicule. Non, ne refusez pas, il faut vider ce cruchon, sinon, avec cette chaleur, le vin va s'aigrir. Donc, vous avez récemment rendu visite au dataire... Que pensez-vous de Berni ?

— Votre ennemi, si je ne me trompe, messire ?

– Ah... vous êtes déjà bien informé, à ce que je vois. Que vous a-t-on raconté sur moi chez cet intrigant, ce rimailleur ? On vous a dit pis que pendre de moi, sans doute. Mensonges et calomnies que tout cela ! Berni me déteste parce que j'ai plus de talent que lui, parce que des personnages puissants recherchent mon amitié. Avant ma venue à Rome, il avait un certain succès en qualité d'auteur d'épigrammes et de toutes sortes de poèmes de circonstance. A présent, il n'a plus qu'à plier bagage. Il ne me le pardonne pas. En ce temps-là, le pape Alexandre lui-même était sur le point de me confier la fonction qu'exerce Berni. Je m'étais distingué pendant des années dans la suite de messire Agostino Chigi, le grand banquier. J'étais la prunelle de ses yeux, son bras droit, il ne concluait pas une seule transaction importante sans en discuter avec moi. Ils m'ont supplié de venir à la cour. A grands honneurs grands envieux, messire. Je suis l'objet de calomnies. Giberti m'a pris en horreur parce que je sais tout et ne cache jamais mes opinions. Il fait tout pour miner mon influence. J'ai la chance qu'en ce moment le pape soit moins intime avec Giberti pour ne pas déplaire au cardinal de Capoue. Depuis la victoire des Impériaux à Pavie, ce Schomberg est maintenant le grand homme, comme vous l'avez sûrement remarqué. Si le prestige de Giberti n'en avait pas souffert, il y a beau temps que l'on m'aurait mis dehors. Le pape Clément et Giberti sont de grands amis de longue date ; autrefois, on appelait Giberti *il cuor del papa*, le "cœur du pape". Ce que monseigneur désirait, il l'obtenait immanquablement. Aussi ai-je dû y laisser bien des plumes. Ils m'ont supprimé une partie de ma rente annuelle, m'ont banni de la cour pendant une certaine période, et lorsque je revins je n'avais plus qu'à chercher un logis ici, dans le Borgo. Regardez autour de vous. Est-ce là un décor décent pour un poète de génie, un chevalier de l'ordre de Rhodes, l'homme de confiance du marquis de Mantoue ? Une chambre, que dis-je ? un taudis, une écurie, quatre murs et un toit, rien de plus. Les serviteurs, les meubles, le boire et le manger et mes vêtements sont tous à ma charge. Et tout cela uniquement à cause de quelques sonnets.

– J'ai entendu parler de légendes accompagnant certaines gravures...

– Ah, vous êtes donc déjà au courant. Je la vois d'ici, je l'entends d'ici, la noble indignation au secrétariat de Giberti. Je reconnais que ces vers ne manquaient pas de sel. Mais vous auriez dû voir les gravures de Marc-Antoine Raimondi ! Seize variantes sur les jeux de l'amour, fort affriolantes et témoignant en outre d'une technique sans faille. Des chefs-d'œuvre, l'une autant que l'autre, messire. Un artiste n'est-il pas libre de choisir son sujet ? Est-il interdit d'offrir aux regards l'union de l'homme et de la femme ? Sommes-nous peut-être si inférieurs aux animaux, qu'il nous faille avoir honte d'un acte auquel nous devons tous notre existence ? Je ne prétends pas être meilleur que je ne suis. Je reconnais que c'est du sang et non de l'eau qui coule dans mes veines. Lorsque le peintre Romano – qui n'est pas non plus le premier venu – en a eu l'idée et m'a demandé si j'accepterais d'écrire les légendes correspondantes, je l'ai fait, et avec beaucoup de plaisir, messire ! C'est tout. Mais ici, à la cour, un branle-bas, comme si c'était la fin du monde ! *Dio !* J'ai vu et entendu bien d'autres choses plus laides depuis ma venue à Rome. Le bouquet, c'est que ces gravures, y compris les vers, ont connu le plus grand succès parmi les membres de la curie. Pas un cardinal qui ne les eût sous son oreiller... Tout cela, c'est le travail de Giberti, il lui fallait un prétexte pour pouvoir me renvoyer. Je pensais, messire, que vous connaissiez bien Giberti puisqu'il est le président des guelfes, partisans du roi de France.

– Je connais monseigneur de vue, c'est tout.

– Mais vous entretenez sûrement des contacts avec la France et leurs partisans après un si long séjour là-bas. A votre santé, messire, et au succès de vos projets.

– Vous semblez mieux connaître mes projets que moi-même.

– Il faudrait être idiot pour accepter un poste à la cour de Rome sans avoir des projets – de grands projets ! Ce n'est sûrement pas la nostalgie de l'*Italia bella* et de notre Ville éternelle qui vous a poussé à abandonner la cour de France où il fait bon vivre, si j'en crois ce que l'on m'a dit.

– J'ai été soldat, messire. Si la campagne du roi François avait pris une autre tournure, je ne serais certainement pas à Rome aujourd'hui.

– Peut-être avez-vous spéculé sur un beau poste au service de la France, commandant d'un fort ou même gouverneur d'une quelconque ville de la vallée du Pô ?

– Vous montrez une si grande compréhension pour mes ambitions... Je serais porté à croire que vous déplorez plus que moi que j'aie définitivement perdu toutes mes chances de réussir dans cette voie depuis la bataille de Pavie.

– Définitivement ? Allons, allons, vous êtes moins optimiste que les partisans des Français. Sa Sainteté elle-même n'a pas une vue aussi sombre de la situation. Vous savez évidemment qu'en secret – comme cela s'appelle ici – le pape travaille activement à un rapprochement avec la France, et que des courriers exceptionnels font la navette entre Rome et l'Angleterre... Je ne vous apprends rien, messire Giovanni – permettez-moi de remplir à nouveau votre verre... c'est un excellent Falerne, vous l'avez sûrement constaté. Soit dit en passant, vous pouvez parler de politique en toute sécurité avec moi, je suis aussi bien renseigné que vos relations à la cour.

– Qu'est-ce qui vous permet de penser que j'ai des relations au Vatican ?

– Qui veut réussir à Rome doit avoir de puissants amis, sinon il n'essaierait même pas. Un poste à la chancellerie peut mener à un chapeau de cardinal. Sinon, qu'y chercheriez-vous d'autre, mon cher ami ? Vous devez être très sûr de votre affaire, si vous briguez une fonction parmi ceux qui portent la pourpre. Surtout compte tenu du fait que – si je ne me trompe – vous ne pouvez vous targuer d'une naissance légitime.

– La question de ma naissance ne regarde que moi.

– Vous êtes trop susceptible, Borgia ! Je n'ai pas voulu vous offenser. Je tente de vous aider de mes conseils. Je n'ai

198

sûrement pas besoin de vous dire que l'illégitimité ne constitue pas un obstacle pour qui veut faire carrière. Citez-moi donc une demi-douzaine de grands hommes en Italie qui ne soient pas des bâtards. Ici, à la cour, c'est exactement la même chose. Fonctions, rentes, terres, titres en veux-tu en voilà... même si l'on vous a tiré du ruisseau. Mais avec la pourpre, Clément est moins généreux que ses prédécesseurs. Même contre de l'argent, il ne fera pas de quelqu'un un cardinal. Rappelez-vous Léon ! Au besoin, il aurait vendu Dieu lui-même. Savez-vous ce qu'il disait ? "Le christianisme, un commerce qui remplit la caisse." Je pourrais citer les noms de seigneurs qui ont offert une fortune à Clément pour un chapeau rouge. Mais aussi pusillanime qu'il soit en d'autres circonstances, dans ce domaine, il reste sur ses positions. La peur, bien sûr ! La peur est la seule motivation que connaisse ce pape. La mauvaise réputation de ses prédécesseurs est à la source de son comportement. Et Giberti, qui se targue aujourd'hui d'être le grand réformateur de l'Église, ne manque pas de placer son mot. J'ai un bon conseil à vous donner, messire : si vous voulez faire carrière à Rome, vous devez avant tout vous efforcer de vous concilier les bonnes grâces de Giberti.

– Dans ce cas, je ne comprends pas pourquoi vous continuez à offenser le dataire jour après jour.

– Pour moi, Rome est une affaire liquidée. Je ne veux plus y rester. Ce marais nauséabond me répugne. Le temps n'est plus où un poète recevait d'importantes commandes, où il trouvait toujours un mécène disposé à le nourrir, à le vêtir et à lui procurer des appartements luxueux en échange de quelques centaines de couplets. Croyez-moi, il n'en est plus question maintenant. Écrire, c'est une manière déguisée de mendier, rien de plus. Vous choisissez un prince ou un autre personnage éminent que vous avez entendu vanter comme étant un amateur d'art exceptionnellement généreux ou vaniteux, vous le glorifiez dans des tercets et des quatrains, vous le comparez à tous les dieux de l'Olympe, à tous les héros passés et présents, vous encensez son épouse comme une merveille céleste, vous louez son nain, son cheval favori, son bichon... et vous lui envoyez le tout accompagné d'une lettre flatteuse, ou vous offrez en personne votre ouvrage, genou en terre, et même, de préférence, en y ajoutant un discours en vers, et quelle est votre récompense ? "Nous vous remercions, messire Pietro, nous sommes très satisfait. A l'occasion, nous demanderons que vos vers nous soient lus à haute voix. Vous aurez de nos nouvelles..." Dans le meilleur des cas, une poignée de pièces d'or, de quoi payer les frais de plumes et de papier, ou de nouveaux vêtements. Mais c'est exceptionnel. Je ne compte plus les fois où j'ai dû quémander, prier, supplier, menacer, maudire avant d'obtenir une obole. A votre santé, messire, videz votre verre à la gloire des poètes.

– Mais, à en juger par ce que j'ai entendu dire à votre sujet, vous n'avez pas lieu de vous plaindre d'un manque d'intérêt pour vos écrits.

– Ah, messire, c'est mon secret. Je sais ce que je veux et comment je dois faire pour atteindre mon but. Personne ne connaît les hommes aussi bien que moi. Je cueillerai les fruits de mon génie, croyez-moi. Convertir en espèces sonnantes et trébuchantes leur lâcheté, leur vanité, leur mauvaise conscience, leurs passions, leurs vœux les plus secrets : c'est ma trouvaille ! Je fournis ce que l'homme désire, avant même qu'il ait pris conscience de ce désir. Je tire parti d'humeurs et de sentiments régnants, avant même qu'ils aient été exprimés. Je détecte une rumeur quand elle n'est encore qu'un nuage ténu... je lui donne forme, couleur, lui insuffle une longue vie et la présente comme la vérité. Rien n'est plus lucratif qu'un scandale. Les hommes aiment être chatouillés, messire. Le ridicule, la critique, les propos équivoques ont plus de pouvoir que tout le lyrisme du Parnasse. Et cela, les grands sont prêts à le payer, pour obtenir mon silence ou pour encourager mes calomnies. Croyez-moi, je sais comment tenir le monde entier dans le creux de ma main. J'attends seulement le bon moment. Je tends l'oreille, j'ouvre les yeux, je recueille des renseignements, je suis partout et nulle part à la fois. Je mets mon point d'honneur à tout savoir, tout... la vérité mais aussi le mensonge. Le sort de celui autour de qui je tisse ma toile n'est pas enviable. De temps en temps, je fais ma petite enquête.

— Sur Giberti et ses adeptes parmi d'autres.

— Jugez vous-même ; les résultats se passent de commentaire. Giberti est furieux, mais pour l'heure impuissant. Si sa position était moins chancelante, il y a beau temps que je serais dans les cachots du château Saint-Ange, comme mon ami Marc-Antoine Raimondi, le graveur. Maintenant, il n'ose rien entreprendre contre moi, sinon il ne ferait que confirmer lui-même mes allégations.

— Quelles allégations ?

— Que monseigneur est responsable de toutes les stupidités et tergiversations du pape. N'est-il pas significatif que lui-même et son satellite Berni ne sévissent pas ouvertement contre moi ? Pensez-y, messire, la prochaine fois que l'on vous parlera de moi au secrétariat. J'ai infiniment plus de pouvoir que vous ne pouvez vous imaginer. Je me rends bien compte que vous voulez d'abord voir de quel côté vient le vent. Vous avez tout à fait raison. Moi non plus, je n'aime pas les gens qui s'en laissent conter trop facilement. Je vous demande seulement de prendre ceci en considération : je peux vous rendre des services inestimables. Il n'est rien que vous ne puissiez atteindre si je vous apporte mon aide, messire. Bien entendu, vous devez me faire confiance et me placer au-dessus de toutes vos autres connaissances.

— Messire Pietro, j'admire la persistance avec laquelle vous tentez de tirer de moi des confidences. En récompense de votre zèle, je vous dirai que je ne connais pas un seul personnage influent à la cour et que mon ambition ne va pas jusqu'à espérer la pourpre et tout ce qui va de pair avec elle...

— Nous devons être honnêtes l'un envers l'autre. Cessons de jouer la comédie, messire. J'ai fait le premier pas en vous racontant bien des choses sur moi-même que je n'ai pas l'habitude de crier sur tous les toits. Il est évident que vous souhaitez faire carrière. Je répète, celui qui n'est pas ambitieux ne peut supporter de rester un seul jour à la cour. Vous êtes un Borgia. Vous avez dans le sang – comment en serait-il autrement – le don de l'intrigue, de parvenir à vos fins envers et contre tout. Vous en possédez sûrement les moyens, les méthodes... Restez calme, vous n'avez aucune raison de vous emporter... Laissez-moi remplir encore votre verre... Je suis mieux renseigné que vous ne croyez.

– Que savez-vous ? Que dit-on de moi ?

– Messire, je ne voudrais à aucun prix gâcher cet entretien en évoquant un sujet que vous préférez ne pas aborder. Chacun a ses propres susceptibilités. Ce que je sais de vous ne court pas les rues. Rien de ce que l'on dit de vous ici à la cour, rien, je parie, de ce que vous-même jugeriez important ne mérite d'être répété. Et en outre, pour vous rassurer, ce que je sais ne sortira pas de ma bouche...

– Mais que diable ! De quoi parlez-vous ?

– Ne vous offensez pas. Que nous le voulions ou non, nous vivons dans un siècle où règne le péché, messire. Il se passe des choses sur lesquelles des hommes du monde comme vous et moi ferment les yeux, mais qui font horreur à l'homme du commun... Les rois de l'ancienne Égypte se glorifiaient même d'être nés d'un frère ou d'une sœur... Ah, ah !... Rengainez ce poignard, mon cher, asseyez-vous donc !

– Je veux des preuves de ce que vous venez d'oser insinuer !

– *Dio !* Vous avez le sens de l'honneur espagnol, messire Giovanni... S'emparer du poignard sur-le-champ lorsque l'on parle de la famille autrement qu'en termes de profond respect !...

– Quand et où avez-vous entendu pour la première fois ces... rumeurs ?

– Cher ami, on les criait déjà sur tous les toits à l'époque. A Rome, dans toutes les villes, tous les villages et hameaux de l'Italie. Je l'avais déjà appris quand j'étais enfant, à Arezzo. Mais croyez-moi, aujourd'hui, la plupart des gens l'ont oublié.

– Et les preuves ?

– Les preuves, les preuves ! Si vous tenez à les avoir à tout prix, je trouverai le moyen de les découvrir. Un travail difficile et laborieux, mais enfin, pour un ami… Si j'avais su que cette affaire vous tenait tant à cœur, je n'aurais pas ouvert la bouche. N'y pensez plus, mon cher. Jouez-vous aux cartes ?

– Je compte sur ces preuves.

– Bien sûr que vous jouez aux cartes. Vous venez de France… Je me suis laissé dire qu'on ne joue nulle part avec autant de passion qu'à la cour de France. Les cartes feraient, dit-on, circuler plus de ducats que le commerce de Flandre et les opérations militaires d'Italie réunis. Voulez-vous battre ces cartes ? Regardez-les bien, chacune d'elles est une œuvre d'art. Oui, de Marc-Antoine Raimondi. Et un homme de cette qualité, on le jette dans les cachots du château Saint-Ange. Celui qui est capable de représenter d'une telle manière les symboles du jeu de cartes est plus qu'un artiste, c'est un philosophe.

– J'aimerais savoir quel jeu vous jouez avec moi, messire Pietro. A quel égard espérez-vous vous servir de *moi* dans cette conversation ?

– Me servir de vous : quelle expression désagréable. Videz votre verre, je vous prie.

– Le vin ne me rendra pas plus loquace que je ne suis par nature, messire.

– Écoutez. Vous dites que vous n'avez pas de contacts avec Giberti et sa clique. Mais je connais le monde. On a coutume de dire A, de faire B et de penser C, et éventuellement de vouloir signifier D.

– Si cela peut vous rassurer, je veux bien vous donner ma parole d'honneur.

– Une parole d'honneur ! Messire, vous me prenez pour un grand naïf.

– J'ai vécu sept ans en France. Dans ce pays, la parole d'honneur fait partie du bagage d'un gentilhomme accompli.

– Vous devrez désapprendre bien des choses si vous souhaitez réussir à Rome. Un homme d'honneur subit ici le même sort qu'un poisson dans l'huile bouillante. Bien, admettons que vous ayez une parole d'honneur. Vous êtes-vous engagé sur l'honneur à ne rien dire de l'époque où vous avez rendu visite au marquis de Pescara, dans la suite de Girolamo Morone ?

– Vous paraît-il vraisemblable que messire Morone m'ait fait des confidences ? J'ai été placé dans sa suite sans en connaître la raison.

– Mais vous avez tout de même dû remarquer qu'il se passait quelque chose, que diable ! Vous n'avez pas l'air d'un benêt, ni d'un idéaliste. Écoutez-moi bien... Si vous vous y prenez adroitement dans cette affaire, vous ferez carrière. Croyez-moi, il se mijote quelque chose... et il s'en dégagera une belle puanteur quand plus tard on soulèvera le couvercle de la casserole. Quel jeu de cartes admirable. Je suis un joueur passionné. Dormir et jouer aux cartes sont pour moi les deux grands bienfaits de la vie, la panacée. Écoutez, Borgia. Dans cette affaire dont nous parlions il y a un instant, nous devrions nous associer. Avec mes relations et mon expérience, je peux vous rendre des services inappréciables. Arrangez-vous pour découvrir ce qui se trame entre Morone et Pescara. Communi-quez-moi les nouvelles, et laissez-moi m'occuper du reste. Si je ne me trompe, nous trouverons vite une personne qui offrira une fortune pour obtenir notre silence ou nous délier la langue, c'est selon. Qu'en dites-vous ?

– J'espérais faire carrière d'une manière plus honorable.

– Laissez-moi rire. Avec votre nom et vos antécédents ! Ah, ah, vous voilà de nouveau piqué au vif. Grands dieux, messire, cette histoire vous préoccupe-t-elle tant ? Pourquoi donc puisque je vous assure qu'ici personne ne s'intéresse à ces vieux ragots. Pas encore, du moins. Seul un homme comme moi pourrait transformer ces rumeurs en un ouragan qui balaierait tous vos projets et vos rêves... Retenez bien cela, messire. Mais pourquoi seriez-vous mon ennemi ? Nous nous entendons si bien. J'attends beaucoup de notre collabo-ration. Cependant nous ne devons pas laisser quiconque nous couper l'herbe sous les pieds. Classez d'abord vos cartes, examinez tranquillement le jeu que vous avez en main, messire Giovanni. Il est encore tôt, nous avons tout notre temps. Chez Tullia, ça ne devient vraiment intéressant que quand on allume les chandelles. Je fais une annonce ? Qu'est-ce qu'un ambitieux sinon un joueur, Borgia, un joueur à grande échelle, et le monde, son jeu de cartes ? »

Tullia d'Aragon

Tullia s'est retirée à l'intérieur de l'*altana*, la clôture de bois sur le toit en terrasse de sa maison. C'est là qu'elle se lave la tête et blondit ses longs cheveux, une occupation qui prend une journée entière et exige la plus grande précision. Elle est seule. Pas une servante, pas une amie, pas même sa mère ne veut lui tenir compagnie sous le soleil brûlant. Celles qui n'ont pas besoin de se laver les cheveux évitent la terrasse découverte avant le coucher du soleil. Tullia est assise parmi des cuvettes et des baquets, en train de faire sécher ses boucles, qu'elle a réparties sur le large bord de la *solana*, un chapeau sans fond spécialement prévu pour ce lavage, qui protège son visage et son cou de la lumière crue. D'une main, elle tient son miroir, de l'autre un bâton muni d'une éponge à l'extrémité. De temps à autre elle humecte les mèches avec un décolorant.

Le blond vénitien, la couleur en vogue, c'est cela qu'elle veut. Tullia, nonchalante par nature, ne se donnerait pas tout ce mal pour obtenir une coiffure d'or roux. Mais sa mère sait à quelles obligations doit se plier une jeune courtisane qui veut réussir. Que ferait Tullia sans son aide, ses conseils, sa présence constamment vigilante ? Question posée cent fois par jour, à laquelle sa fille ne peut répondre.

« Oh, Tullia, fainéante, souillon, rêveuse, dis-moi... Qui t'éveille le matin, te coiffe et t'habille ? Qui prépare tes produits de beauté, et fait en sorte que tu te fardes convenablement ? Qui veille à ce que tu ne sois ni trop grosse ni trop maigre ? Qui t'a appris comment parler et marcher pour plaire, qui est toujours dans ton voisinage pour t'aider d'un geste, d'un mot d'encouragement ou d'avertissement ? Qui noue pour toi des relations, qui négocie les cadeaux, reçoit ces messieurs et les raccompagne ensuite jusqu'à la porte ? Qui te fournit l'occasion de briller par ta bonne éducation, et à qui dois-tu cette éducation ? »

Tullia ne peut rien faire d'autre que de hausser les épaules. Tantôt elle bâille, tantôt elle regarde par la fenêtre en chantonnant, ou passe dans une autre pièce. Que pourrait-elle objecter puisque sa mère a raison ? Elle n'a pas le choix. Si elle se montre récalcitrante, rebelle, sa mère est toujours là pour lui rappeler les choses qu'elle n'a pas le droit d'oublier.

« T'imagines-tu que tu aurais eu pour père un cardinal si, dans mon temps, je ne m'étais pas constamment soumise à une discipline sévère ? Je savais ce que je voulais. Je n'ai épargné aucun effort pour arriver à mes fins. Tu dois te rendre irremplaçable, être la plus belle, la plus cultivée, la plus désirée, la seule. Et une fois le but atteint, tu ne dois en aucun cas te laisser aller. Tu as des occasions splendides, meilleures que je n'en ai jamais eu. Qu'étais-je ? Une simple fille de Ferrare, qui s'est retrouvée un beau jour dans la rue, à Rome, sans amis ou parents et sans argent. Si j'avais été incapable de veiller au grain, je serais morte depuis longtemps, ou j'en aurais été réduite à coucher pour un *soldo* sous le ponte Sisto avec des mendiants... Et toi ? Ton père, un grand seigneur, moi, sa bien-aimée. Il ne voulait personne d'autre que moi. "Giulia Ferrarese, c'est la reine de Rome", disait-on. Toi, tu es née et tu as grandi dans un palais. Tu as appris le grec et le latin, appris à jouer de la harpe comme les filles des meilleures familles. Tu as lu des livres, tu peux participer à toutes les conversations. Le malheur a voulu que ton père meure jeune et que ses débiteurs ne nous aient rien laissé. Sinon tu aurais pu faire un beau mariage. Tu n'aurais pas eu à te satisfaire de moins qu'un gentilhomme campagnard. Mais à quoi bon épiloguer ? Nous devons nousmêmes subvenir à nos besoins. J'ai fait ce que je pouvais, maintenant je suis trop vieille pour l'amour. C'est ton tour,

Tullia. Réfléchis. Tu peux faire ton chemin. Tu m'en seras reconnaissante. »

Tullia connaît par cœur ces arguments. Ils lui tiennent compagnie nuit et jour, une horde de silhouettes fantomatiques, armées de becs et de griffes acérées, telles des harpies : l'envie, la vénalité, la luxure et l'intrigue, aussi vigilantes que les vieilles sorcières que sa mère fait venir pour préparer les repas, piler des épices et tirer les cartes. « Réfléchis, sois raisonnable, exploite ta jeunesse, mets ta beauté à profit, tu dois progresser dans le monde, ma chérie, monter plus haut. » Si elle réussit un instant à chasser ces fantômes, à faire taire ces bourdonnements, ces voix sifflantes, ces gloussements, sa mère se charge de ramener vers elle ces démons. L'oisiveté aristocratique est dangereuse et, plus dangereuse encore, la fierté espagnole innée, héritage de son père, cet orgueil qui préfère la pauvreté et la mort au déshonneur. Ces rêves pleins d'assurance, sa mère sait les neutraliser.

« Que ton père ait été un descendant de la maison d'Aragon, c'est un fait que tu dois considérer comme une enseigne, ma petite fille, comme une lettre de passe qui t'ouvre l'accès au grand monde, dans lequel, autrement, tu n'aurais guère de chances d'entrer. A quoi te servent ton savoir et tes belles manières si tu ne sais pas en tirer parti ? Ce sont des armes grâce auxquelles tu peux triompher de tes rivales. Faire de la musique, déclamer des poèmes, t'exprimer en latin : raffinements qui donnent du piment à ta beauté. Les hommes qui sont captivés par ces charmes, ces hommes aux goûts aristocratiques qui ont les moyens de satisfaire leurs désirs, ce sont les protecteurs dont ma Tullia a besoin. Je connais les secrets du métier, laisse-moi faire... Il te suffit d'obéir. »

Tullia se tait. En même temps que la nostalgie de son défunt père, vénéré comme le symbole du grand seigneur, et que son aspiration à retrouver les grands espaces et la paix du palais où elle a passé son enfance, elle éprouve une aversion croissante pour la grosse femme à la peau foncée, parée de bijoux cliquetants, qu'elle doit appeler sa mère. Lorsque

Tullia fut en âge de se marier, elles quittèrent Sienne, la ville guindée où, depuis la banqueroute du cardinal, elles vivaient à la périphérie d'un cercle de poètes et de savants, et s'installèrent à Rome. Giulia Ferrarese loua pour elle-même et sa fille un appartement dans une belle demeure neuve du Campo Marzio, paroisse de San Trifone, appartenant au couvent des augustins. Leurs voisins : au rez-de-chaussée un évêque et à l'étage deux courtisanes, Vascha et Speranza, deux filles de joie du commun qui ne représentaient pas une concurrence. Derrière, jouxtant le *cortile*, une école pour enfants. Les premiers admirateurs, anciennes connaissances de Giulia – sa célébrité, ne s'étant pas encore ternie, était la meilleure recommandation pour sa fille inexpérimentée –, payèrent l'aménagement, les vêtements, le palanquin, le personnel et les mulets.

L'*altana* est haute et forme un mur de séparation entre Tullia et les toits du quartier, jaunes, gris, blanc sale, noircis par la fumée, et le bruit qui monte des rues et des cours. Seule la voix puissante de sa mère pénètre jusqu'à elle depuis la loggia ; elle énumère lentement les ingrédients nécessaires à la préparation d'un lait de beauté censé assouplir la peau : « ... essence de térébenthine, pétales de lys, œufs frais, miel, coquillages broyés et camphre... Fais infuser le tout à petit feu dans un bol en verre, ajoute plus tard du musc et de l'ambre ; une préparation sans pareille avec laquelle ma fille doit s'humecter le visage sept fois par jour... » Tullia se bouche les oreilles. A travers un écran de cheveux brillants, elle voit le ciel où voltigent des pigeons. La séance de lavage et de teinture hebdomadaire des cheveux est pour elle la seule occasion d'échapper aux immixtions de Giulia dans sa vie privée, aux papotages des vieilles sorcières, aux indiscrétions de Vascha et Speranza, qui veulent échanger par-dessus leurs balcons leurs expériences et leurs secrets de beauté. Ici seulement, sur ce toit brûlant, à demi nue, étourdie par l'odeur de sa propre transpiration et les senteurs puissantes, épicées, des baumes, aveuglée par le soleil, écœurée par la chaleur, Tullia est libre. Elle chantonne pour chasser jusqu'au souvenir de la voix maternelle, et laisse ses mules de bois se balancer au bout de ses orteils. Elle prend son écritoire sur ses genoux et y cherche une nouvelle plume d'oie bien aiguisée.

Un jour, dans ses salles de réception, parmi les visiteurs familiers et leurs invités, apparaît soudain cet inconnu, le compagnon de messire Pietro. Un regard noir qui voit tout, peu de mots, pas un sourire. Ce qui l'a surtout frappée c'est que, plus tard, au cours d'une querelle des plus regrettables, il ait pris parti pour le plus faible, l'Espagnol.

Giulia désire que sa fille, en étalant son savoir et ses manières courtoises, enlève aux réceptions le caractère d'un marché de l'amour.

« Allons, Tullia… Un poème, un chant accompagné du luth ou de la harpe, une danse, une *rosina* ou une pavane, parle de Dante ou de Platon, suscite une discussion, ne reste pas là comme si tu n'étais pas concernée. »

Alors Tullia, après un instant de résistance qui passe inaperçu, lance d'une voix forte, avec le sourire :

« Que croyez-vous, messire Strozzi ? Pétrarque a-t-il, dans ses œuvres, fait de nombreux emprunts aux anciens poètes provençaux et toscans ? »

Applaudissements, bravos. Tullia sait flatter aussi bien l'esprit que les sens. Un cercle se forme. Tullia entretient sans conviction le débat. Elle est sans cesse consciente du regard vigilant de sa mère, qui surveille la salle depuis un coin stratégique.

« Emprunter des idées à d'autres, c'est indigne d'un grand poète.

– Pétrarque n'a volé ni plus ni moins d'idées à ses prédécesseurs que ne l'ont fait les Espagnols à l'égard de nos poètes. Ils portent nos barrettes, mais ils les ornent de broches et de médailles et qualifient maintenant cette calotte d'"invention espagnole".

– Les Espagnols annexent encore bien d'autres choses que nos couvre-chefs…

– ¿ *Che dizis vos, segnor, de los Espagnoles ?* »

211

Mon Dieu, le seul Espagnol de l'assistance! De loin, Giulia a vivement agité son éventail en signe d'avertissement. Un hôte, un étranger, insulté dans sa maison à elle! Pétrarque est oublié, il s'agit maintenant de politique. Un duel verbal, une algarade, suivis d'un défi d'aller vider cette querelle au-dehors. L'invité de messire Pietro prend fait et cause pour l'Espagnol. Tous deux sont les premiers à sortir. En moins d'un quart d'heure, les salons de la courtisane se sont vidés; tout ce qui reste : pour Giulia, furieuse, un chaos de verres cassés et de chaises renversées, et pour Tullia, l'amant qui a payé la fête. Dans les bras de ce dernier, elle a continué à penser au jeune homme. Pourquoi ne lui a-t-il pas adressé la parole, demandé de passer une heure, une nuit en sa compagnie comme le font les autres? Elle veut savoir qui il est. Sa mère balaie d'un haussement d'épaules toutes les questions. « Oublie-le. Ce n'est pas ce qu'il nous faut, je l'ai vu au premier coup d'œil. Un visage sombre, renfrogné, une attitude rigide. Est-ce cela qui t'impressionne? Je parie que c'est le nouveau Ganymède de messire Pietro. Celui-là joue sur tous les tableaux, tu le sais bien! »

Mais la pensée est libre. Ce que Tullia veut savoir, c'est à messire Pietro qu'elle le demandera. Cet homme est un ami de la famille, le conseiller, le confident. Un homme du monde, un courtisan que tout le monde connaît à Rome et au-dehors, il est au courant de tout, il est plus influent qu'on ne peut s'imaginer, mais il peut aussi passer des heures à parler de choses auxquelles seules les femmes s'intéressent : vêtements, recettes, aventures galantes. Il peut amener à la maison aussi bien un client fabuleusement riche qu'une diseuse de bonne aventure, il sait comment il convient de placer son argent, connaît les meilleures adresses pour tous les articles imaginables, il déborde de plaisanteries, de nouvelles piquantes et de ragots passionnants – une pure merveille, dont Giulia surtout ne se lasse jamais. Ce n'est pas un aristocrate à proprement parler. Giulia l'a compris tout de suite, mais qu'importe... On doit le respect à celui qui a su faire son chemin jusqu'à devenir un personnage important

à la cour pontificale – « prends exemple sur lui, Tullia ! » –,
et quel camarade, quel appui, quelle source inépuisable de
plaisir que ce messire Pietro ! Il vient aux heures où les
portes sont fermées à n'importe quel autre homme, le matin,
ou au début de l'après-midi, quand les femmes font la sieste.
Peu lui importent les cheveux défaits, un corsage dégrafé,
des jupes enfilées à la hâte. En sa présence, on peut manger,
dormir, se poudrer. Il partage les douceurs et le vin que l'on
consomme, renifle les pommades et les parfums, se prélasse
même, les jambes sur la table, en chantonnant, jonglant avec
un jeu de cartes, jouant avec le singe de Tullia.

« Oui, mon nouvel ami est un curieux jeune homme, il
faut l'avoir à l'œil... Une énigme, ce qui le rend d'autant
plus fascinant. Mais il n'est pas d'énigme si compliquée que
je ne parvienne à la longue à résoudre. Est-ce un homme
qui manque d'assurance et cache son jeu en faisant l'important, ou un pion dans les mains d'un puissant, ce Giovanni
Borgia ? »

Qui, quoi ? Un Borgia ? Dans ses années de gloire, Giulia a
contribué à l'éclat des fêtes organisées par le pape Alexandre
et son fils César.

« *Dio !* elles n'ont plus jamais été égalées depuis. Savez-
vous, messire Pietro, que j'étais présente à la fête des Châtaignes, donnée au Vatican ? Cinquante Romaines, les plus
belles, évidemment. Nues comme des vers, nous devions
avancer à quatre pattes entre les chandeliers, toutes bougies
allumées... C'était un concours à qui ramasserait le plus
de châtaignes. Une idée d'*il Duca*. Mon Dieu, ce que nous
avons pu rire... mais vous connaissez l'histoire, je l'ai souvent racontée.

– Trop souvent, mère...

– Tais-toi, Tullia, joue à la grande dame quand tu peux en
imposer à tes hôtes. Mais je veux en savoir plus long sur ce
Borgia dont vous parlez, messire Pietro ; est-ce un parent
du pape Alexandre et d'*il Duca* ? Je m'en doutais... l'un des
nombreux fils sans nom... Pas d'argent ? Pourtant ces Borgia
étaient fabuleusement riches. »

Messire Pietro a levé les mains en un geste éloquent :
« Notre ami possède les qualités de ses illustres ancêtres,
il a l'art de s'envelopper de mystère. A la chancellerie du
Vatican, on parle plus de lui que de n'importe qui d'autre. Il
fait semblant de ne pas le remarquer, va son chemin, garde le
silence et ne cesse de donner matière à de nouvelles suppositions. Ne pourrais-tu pas tenter de le faire parler,
Tullia *mia*? Qui sait? Dans tes bras, il deviendrait peut-être
aussi communicatif que messire Strozzi... As-tu déjà soutiré
quelque chose de ton Florentin, ma colombe? Tu sais ce que
je veux dire. »

Tullia ne peut pas rejeter la tête en arrière d'un brusque
geste de colère; il est aussi difficile de se débarrasser de la
solana que de chasser la pensée qui l'importune. Son grand
chapeau la retient prisonnière, elle est gênée par le poids de
ses cheveux mouillés et se sent livrée à l'ambition de Giulia
et à la curiosité de messire Pietro concernant les secrets politiques et d'affaires des seigneurs qui achètent ses faveurs.
Autrefois, à la cour du cardinal, son père, elle n'a jamais
rencontré que des hommes de qualité; c'est pourquoi elle
accepte maintenant aussi comme allant de soi les hommages
de gentilshommes, prélats, banquiers. Du reste, Giulia
repousse tous ceux qui ne répondent pas aux plus hautes
exigences dans le domaine du rang aussi bien que de la
richesse. Mais l'intérêt de messire Pietro pour les amants de
la courtisane a d'autres motifs. Giulia insiste pour que sa fille
accède aux prières de ce fidèle et précieux ami de la maison
– « Nous lui devons bien un service en remerciement de ceux
qu'il nous rend! »

Ce n'est pas sans raison que Rome vante les dons intellec-
tuels de Tullia. Que les affaires politiques et financières puissent être discutées au lit avec elle, qu'elle soit capable de partager avec ses amants les problèmes personnels et sociaux,
tout cela ne fait qu'accroître son prestige. Strozzi, le diplomate florentin, l'appelle son Aspasie parce que, lorsqu'il
lui ouvre son cœur, elle lui donne l'impression d'être un
Alcibiade. C'est pour elle qu'il prolonge son séjour à Rome,

contre les ordres de Florence. Il est amoureux, voudrait l'emmener avec lui plus tard, mais Giulia ne voit aucun avantage à une telle relation, tant que Tullia est jeune. Strozzi continue donc à venir avec de riches présents et un cœur plein de soucis et de griefs. Il lui chuchote à l'oreille ce qui lui pèse : là-bas, à Florence, la jalousie de sa femme qui ne cesse de le tarauder, la lenteur des négociations diplomatiques qui lui ont été confiées, son irritation et ses inquiétudes à propos de la situation en général, son aversion républicaine pour les Médicis qui – pour combien de temps encore ? – règnent sur Florence.

Messire Pietro saisit avidement les échos de ces entretiens nocturnes et donne des instructions à Tullia en vue des rencontres suivantes : « Tullia, ma perle, j'aime savoir tout ce qui se passe. Je sais déjà beaucoup de choses, mais hélas je n'ai pas le don d'ubiquité. Fais en sorte que Strozzi remarque que tu es au courant de la présence de son ami, messire Nicolas Machiavel, à Rome. Que tu connaisses ce nom est tout à ton honneur, il fait de toi une femme aux idées avancées. Fais tomber la conversation sur messire Girolamo Morone, le chancelier de Milan. Montre-toi inquiète sur le sort de notre chère Italie : tu pourrais la comparer à un morceau de viande que se disputent deux chiens. Je présume qu'après cela Strozzi t'en dira bien davantage… »

Messire Pietro connaît le point faible de Tullia. Elle est plus fière de son intelligence que de son corps. Mais chez elle ce n'est pas que de la vanité. L'esprit libère, ennoblit. Tullia aspire de plus en plus passionnément à la liberté, à la dignité, à mesure qu'elle se sent veule, manipulée comme un objet par sa mère, par messire Pietro, par ses amants. Quelque chose en elle se révolte contre les contacts physiques, la pression exercée sur sa volonté et ses pensées. Elle souffre de cette passivité forcée qu'elle considère comme indigne. Le savoir signifie la puissance, mais la capacité de créer est la clé magique qui permet de briser toutes les chaînes. Une courtisane, si riche, si fêtée soit-elle, reste un instrument de jouissance. Une jouissance que l'on doit subir passivement est humiliante. Mais une artiste qui tolère un jour la présence d'un amant et le lendemain celle d'un autre – parce qu'elle aime, ou parce qu'il lui faut bien vivre, qu'importe ! – a le droit de dire qu'elle *accorde* ses faveurs. Tullia ne veut pas devoir sa valeur aux hommes qui la possèdent. Elle veut donner un sens à sa vie autrement qu'en servant presque machinalement une divinité en laquelle elle ne croit pas. Le sérieux acharné, l'attention de tous les instants que porte sa mère au commerce de la courtisane suscitent l'impatience et le mépris de Tullia.

Elle est prête à affronter la chaleur de l'*altana* et le poids du chapeau et des cheveux en échange d'une journée de solitude que rien ne vient troubler. Avec une écritoire sur les genoux, une plume à la main, elle se prend pour un grand poète et une savante. Elle manie assez habilement la rime, à Sienne ses vers jouissaient d'une certaine réputation. Tullia chante le printemps, l'amour, la fugacité de toutes choses dans une langue riche en images empruntées à la mythologie, comme en contient l'arsenal de tout poète, des Alpes à la Calabre. Par courtoisie, Strozzi a appris par cœur les meilleures odes et stances, messire Pietro, moins honnête, mais plus éloquent, les appelle de « petits chefs-d'œuvre » et qualifie la poétesse de « seconde Sapho ». Aspasie, Sapho : femmes de génie, dont Tullia voudrait suivre l'exemple. Elle fera imprimer ses poèmes. *Divae Tulliae Aragonensis Opera*, en lettres d'or sur une reliure de parchemin : quelle gloire ! Sur ce papier, elle vivra encore, admirée, honorée, quand son corps sera épuisé, son visage à jamais fané sous la couche de fard. Tullia croit si passionnément à son talent que le moindre doute secret est étouffé dans l'œuf. Quiconque loue ses poèmes en se prétendant connaisseur est sûr de son succès auprès d'elle. Messire Pietro ne se fait pas prier : il consacre de longues tirades aux strophes qu'elle compose pendant les heures passées dans l'*altana* et ses rares nuits de solitude. Bien que Tullia se méfie quelque peu de cet enthousiasme, elle lui est pourtant reconnaissante de nourrir ainsi l'estime qu'elle a d'elle-même. En échange, elle parle avec Strozzi de politique aussi souvent que messire Pietro le désire. Giulia ne tolère l'écritoire entre les mains de sa fille que lorsqu'une lettre doit être rédigée. Réciter des vers est un talent qui fait honneur à une courtisane, mais pourquoi *écrire* des vers puisque Rome compte déjà tant de poètes ?

Tout en haut, sur le toit, haletant sous le bord du chapeau, Tullia se sent, tout au moins pour un temps, délivrée des bains, des massages, des repas, des traitements de beauté compliqués qu'il lui faut supporter. Songeant à l'ami de messire Pietro, elle compose chaque jour un poème sur un regard sombre qui a plus d'éclat que le soleil. Les strophes la troublent ; agitée, elle soupire, essuie la sueur qui couvre son visage et ses bras, dessine des figures sur la partie encore blanche de la page : un soleil, un cœur d'où s'échappent des gouttes de sang. Messire Pietro l'a assurée sur l'honneur que ce jeune homme ne jouait pas auprès de lui le rôle d'un Ganymède. « Cet ami-là rêve de belles femmes, de la marquise de Pescara, si je ne me trompe, peut-être de toi, depuis la soirée qu'il a passée ici – qui pourrait le dire ? Quant à moi, je me suis amendé, l'ignorais-tu ? Je suis converti à l'amour que, toi et tes amies, vous savez rendre si séduisant. »

Pourquoi Tullia est-elle attirée par Giovanni Borgia ? Ce regard plein d'amertume et de révolte secrète, cette impression de solitude qui se dégage de lui ; seul mais combatif, seul mais libre – aux yeux de Tullia, un privilège qui fait pâlir tout ce qu'elle pourrait s'offrir en tant que courtisane.

Elle a entendu dire qu'il avait obtenu un poste dans la suite du chancelier de Milan, une information qui peut lui être utile, car Strozzi lui a appris – secret, secret ! – quels intérêts Morone venait défendre. Messire Pietro, qui a été à son tour mis au courant d'un certain nombre de détails, ne manque pas de souligner que, si Morone réussit éventuellement dans ses démarches, son entourage immédiat – messire Giovanni inclus – en récoltera également les fruits. Tullia sent croître son agitation. Elle va et vient à travers sa maison comme dans une prison. Elle a plus que jamais conscience d'être vraiment captive entre les sièges et les coussins, les tables chargées de candélabres et de verrerie précieuse, les tapis à pompons et à franges, les crachoirs dorés. Elle ne sort que pour parader dans sa luxueuse litière le long des rues les plus larges et les plus animées, ou exceptionnellement, escortée d'une demi-douzaine d'adorateurs, pour une promenade à travers un vignoble, hors des murs de la ville.

Le fameux soir où elle a rencontré Giovanni Borgia, il n'y a rien eu d'autre entre eux qu'un échange de regards. Il était adossé à un mur, à quelque distance des autres, comme s'il était venu pour les observer, elle et ses hôtes, comme l'on regarde, dans une ménagerie, d'étranges et divertissants animaux. Un homme qui admire la marquise de Pescara croit peut-être pouvoir regarder de haut une courtisane... Ne sait-il pas qu'elle, Tullia, compose des poèmes et qu'ils ne sont certainement pas inférieurs à ceux de cette Colonna qu'il admire tant, au dire de messire Pietro ? Des connaisseurs le lui ont assuré. Elle pourrait lui en dire bien davantage sur cette autre : une femme froide comme la pierre, que son mari fuit car elle n'y connaît rien en amour. Cette Colonna, qu'elle envie pour son assurance aristocratique, sa naissance sans tache, sa célébrité de poète, cette femme qui est tout ce qu'elle, Tullia, voudrait être, donnerait peut-être le ciel et la terre pour être capable de faire ce que peut Tullia : plaire.

S'il revient jamais la voir, ce Giovanni Borgia – et il faut qu'il vienne, elle le veut –, elle lui donnera librement ce qu'aucun homme n'a jamais pu lui acheter : une passion non simulée.

Elle ne sait quelle en est la raison. Elle est en proie à un sentiment qu'elle ne comprend pas. Chaque soir, elle le cherche en vain parmi ses visiteurs. Finalement, quand elle se renseigne, messire Pietro éclate d'un rire significatif : « Ma colombe, il n'est pas assez riche pour faire la cour comme il convient à une femme de ton niveau. Peut-être Dame Fortune lui sourira-t-elle si ce projet hardi de messire Morone – tu sais ce que je veux dire... – réussit. Si je savais tout ce que sait Strozzi, je pourrais, par le truchement de mes relations à la cour, hâter favorablement le cours des événements... Mais que veux-tu ?... le Florentin amoureux ne me fait pas de confidences, à moi. Écoute, *bella mia*, si c'était le cas, je lui demanderais... » Tullia retient ces questions et sait les poser au bon moment. Elle s'acquitte de sa tâche avec plus de zèle qu'autrefois parce qu'elle espère que la voie qu'elle s'est maintenant choisie croisera celle de Borgia. Pour la première fois, Strozzi se montre inquiet : « Jure-moi, Tullia, que cela restera entre nous. » Tullia lève la main droite en souriant. Strozzi baise cette main – qu'elle veuille bien lui pardonner son excitation, il ne se domine plus, de grands changements se préparent, la délivrance de l'Italie est proche. « Écoute, Tullia... »

Lorsque messire Pietro revint, elle échappa aux mains des vieilles femmes et alla tout droit à sa rencontre, pieds nus, le visage et le cou encore couverts d'un onguent destiné à blanchir la peau.

« Le marquis de Pescara est maintenant acquis à la cause italienne. Strozzi l'a appris par quelqu'un qui l'a entendu de la bouche même de messire Girolamo Morone. »

Mais messire Pietro claque impatiemment des doigts :

« Je le savais depuis des jours, tout Rome le sait, ce n'était pas la peine de priver ton Florentin de son sommeil. Tudieu ! tes baisers ne peuvent-ils plus apporter autre chose que des nouvelles dépassées ? »

Plus tard, il est venu la voir dans la chambre où elle se pare pour le soir. Dans le miroir, elle l'a vu apparaître derrière elle. Tullia ne sourit pas, reste froide, même quand messire Pietro déclare que le spectacle de ses épaules et de ses seins est encore plus beau que celui des sept collines de Rome. Elle vient de décider de ne plus jamais faire ce qu'il lui demande. Qu'il paie des espions pour découvrir les secrets et les lui rapporter. Tullia n'est pas stupide. Quand messire Pietro, tournant vers le ciel un regard dramatique, parle de la pitoyable Italie asservie, elle sait qu'il fait l'hypocrite. Il est aussi passionnant, mais aussi faux qu'un acteur virtuose. Elle lui a rendu des services sans jamais lui demander ce qu'il faisait des renseignements qu'elle lui fournissait. Mais elle n'a pas l'intention de tolérer des grossièretés de sa part. Elle n'est ni sa fille, ni sa maîtresse, ni sa servante. Elle n'accepte plus d'être dressée par sa mère, par messire Pietro, ces deux parasites. Ils ne tireront plus rien d'elle, dorénavant, elle fera ce qu'elle voudra. Ils l'ont exploitée, maintenant c'est elle qui les exploitera.

Dans son miroir, elle rencontre le regard contrit mais en même temps inquisiteur de messire Pietro. Elle sent la barbe noire frisée effleurer son épaule. « Fâchée, chère Tullia ? Une étrange lumière brille dans tes yeux. Quand je suis en colère, je dis des choses désagréables. Oublie-les. Je joue gros jeu. Il est indispensable que je sache tout. Je dois sauvegarder ma réputation. » Tullia se penche sans répondre vers son reflet dans le miroir et suspend deux perles piriformes à ses oreilles. Lorsque messire Pietro tente obligeamment d'écarter une mèche, elle évite sa main. Il lève les sourcils. « Je n'ai plus le droit ? Ne puis-je plus t'aider à te faire belle pour ton banquier ? » Tullia le fixe jusqu'à ce que l'ironie ait disparu de ses yeux. « Écoute, Tullia. Strozzi est trop partial dans ses opinions. L'affaire n'est pas aussi simple qu'il y paraît. Il se prétend ami et confident de Morone et de Machiavel, mais je doute que ces deux fins matois dévoilent à notre Florentin le fond de leurs pensées. Il se cache beaucoup plus de choses derrière tout cela que Strozzi ne semble le supposer. Il est de la plus grande importance que je sois au courant. Il nous faut trouver une personne du proche entourage de Morone, de préférence l'un des seigneurs de sa suite. Tu es bien d'accord ? »

Le clin d'œil envoyé à l'image reflétée dans le miroir n'a pas échappé à Tullia. Elle n'a réagi ni par une parole ni par un regard, mais a continué à étaler calmement sur ses joues et son front un mélange de pommade rouge et de sublimé. Il a continué à tourner autour d'elle en palabrant et en plaisantant avec Giulia et les vieilles femmes, mais en lançant des regards scrutateurs vers la silencieuse Tullia.

Elle ouvre à nouveau son écritoire et relit ses derniers vers en plissant les yeux sous l'effet de la lumière aveuglante.

Mais les mots sont plats, exsangues, comparés à l'impatience qu'elle a accumulée en elle. Tullia est sûre maintenant que la rencontre qu'elle espère si passionnément est proche. Elle sent une lourdeur dans ses membres, une tension inhabituelle de ses nerfs. Pour la première fois, les artifices de l'amour et les caresses qu'elle a appris et appliqués sans conviction ont un sens et lui paraissent même tentants.

L'air, là-haut sur la terrasse, tremble dans la chaleur, ce feu pénètre dans les pores de la peau de Tullia ; tout en elle devient flamme. Elle connaît cette sensation, c'est un avertissement, il est temps qu'elle fuie le soleil. Elle frappe sur la trappe du toit. L'une des vieilles femmes vient ouvrir et l'aide à descendre l'escalier conduisant à l'intérieur de la maison. Prise de vertige, à demi nue, tenant à la main la *solana* dont elle s'est débarrassée à la hâte, ses cheveux encore chauds, brillant d'un éclat vitreux, retombant en désordre autour de sa tête et de ses épaules, elle entre dans la pièce où elle s'attend à trouver sa mère. La lumière blanche là-haut l'a aveuglée. Un certain temps s'écoule avant qu'elle découvre messire Pietro et son compagnon.

« *Ecco la bella !* J'ai amené messire Borgia. » Elle cherche le regard qui n'a pas quitté ses pensées depuis la première rencontre, mais voit qu'il n'a d'yeux que pour ses lourdes mèches blond-roux, qui ondulent comme des serpents, renvoyant l'éclat du soleil et exhalant une forte odeur d'épices et d'essence de jasmin. Messire Pietro prend une boucle entre le pouce et l'index, tâte les cheveux d'un geste d'expert : « Beaux, beaux ! Pas trop secs, ni trop roux… Pas une femme de Rome ne parvient à ce résultat. »

Giulia s'approche avec du vin et des sucreries. Le timbre de sa voix trahit qu'elle a contenu provisoirement son irritation par curiosité, mais qu'elle n'approuve pas cette visite. Par-dessus le plateau, elle lance de temps à autre un regard courroucé et méfiant à l'homme qui, au mépris du cérémonial selon lequel il convient de faire d'abord connaissance et de négocier avec elle, ose faire irruption dans sa maison dans le sillage de messire Pietro, qui plus est en dehors des heures fixes de réception. En aucun cas elle ne laisse la direction de la conversation lui échapper.

« Je disais justement à messire que tu blondis tes cheveux selon la méthode qu'utilisait sa parente, *madonna* Lucrèce. Je l'ai connue personnellement ; il faut vous dire qu'autrefois j'étais souvent au Vatican. *Dio !* quelle merveille que ces cheveux ! Ils étaient toujours dénoués. Ma fille a exactement la même chevelure, aussi lourde, aussi ondulante, c'est un miracle qu'une telle chose puisse se reproduire... »

Messire Pietro sait comme toujours donner son avis sur n'importe quel sujet :

« A l'époque, il n'y avait pas de cheveux plus célèbres en Italie que ceux de Lucrèce Borgia. L'on dit que *madonna* aurait été capable de faire attendre Dieu et le diable en personne quand elle était occupée à brosser ses cheveux et à les blondir. Cheveux dangereux aussi ! Fatals pour un certain Strozzi en particulier, un parent de ton Florentin, Tullia, qui fut poignardé à Ferrare pour avoir rapporté une boucle de madame la duchesse à son amant, monseigneur Bembo. »

Tullia rejette d'une secousse ses cheveux en arrière, les noue, en fait un lourd chignon. Un étrange quatuor, là, dans le demi-jour de cette chambre étouffante. A travers les stores baissés, passent de minces rais de soleil. Messire Pietro se dépense en subtiles allusions et insinuations, mais Giulia, têtue, ne veut rien savoir de son insistance à laisser Tullia et Giovanni seuls. Tullia attend et se tait, elle entend le sang bourdonner dans ses oreilles. Il est là maintenant, en face d'elle, le regard plein de désir, mais elle le sait déjà : ce n'est pas *elle* qu'il désire.

Vittoria Colonna

Elle n'avait pas été autrement surprise que Morone souhaitât un entretien avec son mari. Elle savait que Pescara et le chancelier de Milan se connaissaient. Son arrivée avec une importante escorte donnait un caractère officiel à cette visite, mais cela non plus ne l'étonna pas. Ce n'était un secret pour personne que l'empereur s'était déclaré disposé à inféoder le duché de Milan au jeune Sforza sous certaines conditions. Dans les milieux favorables aux Impériaux, l'habileté de Morone à marchander était devenue proverbiale. Depuis qu'il négociait au nom de Sforza avec les envoyés espagnols, il était clair, après chaque conférence, que l'empereur était contraint de mettre de plus en plus d'eau dans son vin. Après la chute de Pavie, Morone s'était à plusieurs reprises tourné vers Pescara. En soi, il était tout naturel qu'il cherchât la médiation du plus important général de l'empereur. Vittoria considérait comme de bon augure que Morone, si bien informé grâce à ses fonctions, appréciât encore hautement l'influence de Pescara à Madrid. Elle y voyait la preuve que les rapports tendus entre lui et l'empereur ne devaient pas être aussi graves qu'il y paraissait ou, en tout cas, que le bruit de ces difficultés ne s'était pas encore répandu. Elle croyait aussi comprendre pourquoi Pescara, malgré ses vomissements de sang, avait insisté pour recevoir immédiatement Morone. Il se considérait comme plus qualifié que n'importe quel autre porte-parole de l'empereur pour affronter le chancelier de Milan. Chaque succès diplomatique pouvait l'aider à remonter dans les faveurs qu'il croyait avoir perdues.

Après l'entretien, qui dura longtemps, elle attendit Morone pour le reconduire. Bien qu'elle n'y fût pas obligée, il lui semblait qu'un geste de courtoisie était nécessaire pour clore la séance. Lorsque Pescara souffrait, il était véhément et soupçonneux, se montrait sans raison ironique et blessant dans ses propos. Aussi cherchait-elle à lire sur le visage de Morone des traces de mécontentement, mais elle y trouva le contraire de ce à quoi elle s'attendait. Dès qu'il la vit, il mit un genou en terre, baisa la main qu'elle lui tendait, et lui adressa la parole en termes solennels, d'une voix qui tremblait d'émotion. Il la félicita du complet rétablissement de son époux ; visiblement, le marquis avait réussi à surmonter les conséquences des blessures reçues à Pavie. Vittoria eut peine à cacher sa surprise, due moins au comportement de Morone qu'à ses paroles. Elle le regarda longuement pour découvrir quels motifs l'avaient poussé à déguiser si grossièrement la vérité. Mais le chancelier de Milan ne tarissait pas d'éloges. A la vue de *madonna*, il lui avait semblé voir se lever une vive lumière. Il savait certes qu'il allait voir la femme la plus belle et la plus douée d'Italie, la noble Colonna, qui se vouait corps et âme à l'idéal de la paix, mais, maintenant qu'il était face à face avec elle, il comprenait combien tout cela était vrai... Qui plus est, une voix intérieure lui disait qu'elle réussirait là où des hommes puissants, courageux, avaient échoué.

Vittoria l'écouta jusqu'au bout en silence, confuse en même temps qu'irritée par ces louanges excessives, ces allusions à une tentative qui lui inspirait un sentiment de honte et d'impuissance chaque fois qu'elle y pensait. Elle devinait que les flatteries de Morone n'étaient pas désintéressées. Que lui voulait-il ? Par-dessus l'épaule de son visiteur, elle jeta un coup d'œil sur les membres de sa suite qui, immobiles, attendaient à distance que le chancelier eût fini de parler. L'un d'eux s'inclina lorsque son regard se tourna vers lui ; ensuite, elle sentit constamment peser sur elle celui de cet homme. Elle fouilla dans sa mémoire : avait-elle déjà vu ce visage quelque part ? Ce regard fixe l'embarrassait, contribuait dans une large mesure à accroître le malaise qu'avait fait naître en elle le comportement de Morone.

Dès que la compagnie eut disparu elle se rendit dans les appartements de son mari. Dans les antichambres, elle ne trouva pas de serviteurs ni d'autres membres de la suite. Pescara était assis à une table, le dos tourné vers la fenêtre. Un volet à claire-voie recouvert d'une étoffe rouge tamisait la lumière de midi. Il ne l'entendit pas entrer. Lorsqu'elle s'arrêta devant lui, il leva la tête comme quelqu'un qui s'éveille en sursaut.

*

* *

Depuis ce matin, Ferrante a totalement changé. L'homme assis là : une forme ressemblant à s'y méprendre au Ferrante que je connais ; mais à l'intérieur de cette écorce, cette enveloppe fragile, tout a été bouleversé, disloqué. Si je n'étais pas venue à cet instant précis, je n'aurais jamais rien su. Il aurait reconquis sa maîtrise dans la solitude, nous aurait laissés, moi et les autres, dans l'ignorance de ce qui fermente derrière ce masque impénétrable. Mais je l'ai surpris, tandis qu'il était momentanément sans défense. A présent, il ne peut plus me dissimuler son désarroi intérieur. C'est la première fois qu'il se révèle à moi sans voile, vulnérable. Pour la première fois, non pas un simulacre d'homme, mais l'homme lui-même, nu. La sueur perle sur son front, son regard est incertain. Que révèle-t-il : la torture de la tentation ? Il vient de penser : *Vade retro, Satanas !* Pourquoi ? De quoi a-t-il été question ici ? Entre Ferrante et le siège où Morone a dû prendre place : une large table et un espace plus large encore de sol carrelé. Morone n'a-t-il vraiment pas vu ce que je vois, ce que chacun peut voir au premier coup d'œil, que Ferrante n'est plus que l'ombre de ce qu'il fut ? Cette impuissance le rend plus accessible. Toujours, même souffrant ou malade, il m'a tenue à l'écart, repoussée. Il n'en est plus de même à présent. Il me regarde comme s'il voyait en moi la personnification de la force qu'il a perdue. Je pose la main sur son front, et il me laisse faire. Nous n'avons jamais été aussi proches que dans ce mutisme. Il se penche vers moi, ce n'est pas une illusion. Ce semblant d'étreinte, sans une trace de désir physique, cette attention silencieuse immobile qui nous porte tous deux à écouter notre respiration, nos battements de cœur : enfin la grâce. Qu'importe si mes larmes tombent sur son front, ses mains. Pour la première fois, il a besoin de moi.

*
* *

« Ne dites rien. Ne bougez pas. Vous êtes épuisé.
– Je n'ai pas de temps à perdre.
– Pourquoi êtes-vous si inquiet ? Dites-le-moi en un mot. Est-ce parce que Milan persiste à s'opposer aux exigences de l'empereur ? »
Pescara se mit à rire doucement, mais son rire fit aussitôt place à une quinte de toux. Elle le soutint, tandis qu'il essayait de reprendre son souffle.
« Il n'a pas été question des exigences de l'empereur.
– Mais alors, quel était le but de la visite de Morone ? »
Pescara écarta le bras de sa femme et se redressa :
« Regardez-moi. Prenez place là, où est ce siège. C'est ainsi que Morone m'a eu sous les yeux. Il s'est laissé abuser par la magie de cette lumière rouge. Il m'a félicité en toute sincérité de ma guérison.
– Ne doutez-vous pas qu'il ait été sincère ?
– Ce qui a suivi ces félicitations me fournit la preuve de sa bonne foi, du moins sur ce point. Seul un fou qui serait conscient de mon état pourrait me soumettre une proposition comme celle qu'il m'a faite. Et Morone n'est pas fou, loin de là. Par ma foi, cet homme commence à m'inspirer le respect.

Je ne lui vendrais mon âme pour rien au monde, mais quel démon rusé, quel risque-tout !

– Que veut-il ?

– C'est moi qu'il veut. Et pas pour une bouchée de pain. Les perspectives qu'il m'offre ne sont pas négligeables : commandant suprême des forces armées italiennes réunies, roi de Naples si tout se passe comme prévu. Devinez ce qu'il veut ! Que je trahisse l'empereur. Que je fasse assassiner une demi-douzaine d'autres chefs militaires, que j'emprisonne ou renvoie mes officiers espagnols et que je soudoie ceux qui ne sont pas espagnols en leur promettant la célébrité et le butin de guerre ; que j'allèche les mercenaires étrangers à mon service avec l'argent que mes nouveaux protecteurs m'enverront à la pelle et enfin que je disperse, et au besoin passe au fil de l'épée, les troupes qui ne voudront plus reconnaître mon autorité. Non, Morone n'est pas fou. Il peut compter sur l'appui de Milan, de Venise, de Florence et du Saint-Père en personne. La France a déclaré que, si son plan réussissait, elle renoncerait à tous ses droits sur le territoire italien. Une offre qui mérite réflexion… Et cela uniquement dans l'espoir de voir Sa Majesté impériale mordre la poussière. Une fois parvenus à nos fins, les Espagnols chassés, le calme et la paix revenus – l'un étant la conséquence de l'autre, comme semblent le croire ces braves patriotes –, Sa Sainteté déposera de ses propres mains la couronne de Naples sur ma tête. N'ayant pas de descendants, nous ne deviendrons pas les fondateurs d'une dynastie, vous et moi, mais néanmoins… n'êtes-vous pas tentée par cet honneur ?

– Voyons, Ferrante, vous ne pensez pas un mot de ce que vous dites.

– Avez-vous vu comment Morone s'en allait ? Il s'efforçait de se maîtriser, mais le triomphe était inscrit sur son visage.

– Vous n'avez pas accepté sa proposition ?

– La liberté et la paix… N'est-ce pas là aussi votre idéal ?

– Je ne vous crois pas. Vous plaisantez.

– Vous appelez cela une plaisanterie ? Je n'ai jamais été

plus sérieux de ma vie. Cette conspiration contre l'empereur est la goutte d'eau qui fera déborder le vase. Ce qui suivra, personne ne pourra l'empêcher.

– Au nom du ciel, c'en est assez. Vous êtes amer parce que l'on a osé vous croire corruptible. Dites-moi comment vous avez éconduit Morone.

– Je ne l'ai pas éconduit. Peut-on refuser une telle proposition ? Dire non et courir le risque que, demain, l'un des autres chefs militaires de l'empereur dise oui, avec toutes les conséquences qui en découleraient ?

– Je ne comprends pas ce que vous voulez dire.

– Je dois d'abord savoir quelles garanties me sont offertes, s'il est possible, juridiquement parlant, qu'un ancien vassal de l'empereur accepte la couronne de Naples, si les sommes promises pour l'entretien des armées seront effectivement versées, si je pourrai vraiment disposer de pleins pouvoirs pour accomplir ma tâche. Je dois être mieux informé, connaître tous les détails, les noms de tous ceux qui sont concernés. Des garanties noir sur blanc. Morone comprend que je ne suis pas de ceux qui bâtissent sur du sable. »

Vittoria recula, les deux mains dans le dos, se cramponnant au rebord de la table. Pescara était resté assis, raide sur son siège. Le regard fixe, les yeux profondément enfoncés dans leurs orbites, les dents découvertes en un sourire sarcastique.

Une tête de mort, pensa-t-elle, et cette pensée en appela une autre qui l'effraya encore davantage. Elle se laissa tomber sur les genoux, près de la chaise.

« Vous êtes malade. Vous délirez. Laissez-moi convoquer votre serviteur ou votre médecin pour qu'ils vous mettent au lit. Mieux encore, permettez que je le fasse moi-même. Appuyez-vous sur mon épaule. Vous avez de la fièvre, vous êtes brûlant. »

Pescara retira d'un geste brusque sa main qu'elle avait saisie.

« Laissez-moi tranquille. De quoi vous mêlez-vous ? Je ne vous ai pas demandé votre avis et n'en ai pas l'intention. Apportez-moi une plume, de l'encre et du papier ou appelez un valet pour le faire. Levez-vous. Cette attitude ne vous sied point. Levez-vous, dis-je. »

Vittoria obéit sans mot dire. Elle avait perdu son assurance. Elle était comme autrefois devant un mur sans issue. Elle alla chercher ce qu'il avait demandé et déposa les objets sur la table.

« Lisez à mesure que j'écris. Il est de la plus haute importance que ceci soit impeccablement formulé. Nous n'avons pas besoin de secrétaire pour ce travail, une lettre à Sa Majesté impériale à Madrid. »

Par-dessus son épaule, elle regardait la feuille. Sans une hésitation, Pescara écrivit : *Hieronimo Moron a hablarme por grandes arodeos y ultimamente dezirme que sy yo le prometia la fe de le tener secreto que el me dyria y descubrizia grandes coses...*

Vittoria arrêta la main qui dirigeait la plume :

« Le rôle de délateur est au-dessous de votre dignité.

– C'est donc bien vrai que vous avez une secrète sympathie pour les sauveurs de l'Italie ? Avant de poursuivre, j'aimerais vous entendre me dire dans quelle mesure vous étiez déjà au courant de ce beau projet. Messire Morone ne trouvait pas assez de mots pour chanter vos louanges : "symbole de la victoire", "le pilier sur lequel repose la paix", et bien d'autres jeux de mots fleuris sur votre nom. Le pape ou votre ami monseigneur Giberti vous ont-ils chargée de m'influencer dans cette affaire ? Pas d'échappatoire, je vous prie. La vérité.

– Je jure devant Dieu que je ne sais rien de tout cela. Peut-être a-t-on fait certaines insinuations, mais, si c'est le cas, je ne les ai pas comprises. Vous oubliez que le Vatican se méfie de moi. Giberti me connaît trop bien pour croire que je voudrais pousser mon époux à la trahison.

– Pas même pour l'amour de cette patrie que vous avez coutume de présenter dans vos vers comme l'innocence désastreusement enchaînée ? L'Italie, violée par des envahisseurs, en particulier par ces misérables Espagnols. Telle est bien votre opinion, pourquoi ne pas l'admettre ? Vous ne pouvez désavouer votre sang. Comment pouvez-vous comprendre un peuple qui a encore le courage de croire, de découvrir, de conquérir... ? »

Vittoria pressa ses deux poings sur sa poitrine dans un effort pour se dominer. Elle posait son regard sur un visage méconnaissable dans son hostile impénétrabilité.

« Quels que soient mes désirs et mes idées, jamais je ne minerais votre position. Je vous soutiens. Nous devons faire front ensemble. »

Les lèvres de Pescara esquissèrent un sourire sardonique.

« Et pourtant, vous voulez m'empêcher de signaler à mon seigneur et maître ce qui se prépare contre lui.

– Laissez cela aux bons soins des espions de l'empereur.

– Aucun espion ne parviendra jamais à savoir tout ce qui vient de m'être offert sur un plateau d'argent.

– Ne vous abaissez pas à jouer un double jeu. Emprisonnez Morone ou tenez-vous à l'écart de tout ce qui se passe.

– Je suis entouré de trahison et de ruse, dois-je en devenir la dupe ? L'empereur saura qui est son serviteur le plus fidèle et le plus capable. Il n'est pas de meilleur moyen de lui ouvrir les yeux. » Pescara pâlit encore davantage et frappa violemment du poing gauche sur la table. « *Por Dios*, réfléchissez. Ce projet n'est pas né d'hier. Quelles rumeurs a-t-on répandues sur mon compte, peut-être intentionnellement, pour semer la méfiance envers moi ? L'empereur est parfaitement conscient d'avoir manqué à ses obligations. Il croira immédiatement toutes les calomnies dont je ferai l'objet, ne serait-ce que pour faire taire sa conscience... »

*

* *

Une longue lettre. Phrase après phrase, un compte rendu logique, méthodique, du complot. La proposition de Morone et les causes profondes. Ferrante écrit sans interruption. Je ne peux m'empêcher de penser qu'il ne se serait jamais lancé dans cette affaire s'il avait été

230

parfaitement sûr de lui. Ce zèle est inspiré par la nécessité de se convaincre lui-même. Il est en proie à un dilemme. Je n'oublie pas le regard que j'ai lu dans ses yeux quand je suis entrée. Il n'était pas sur le qui-vive comme maintenant. Il a dû être sur le point de céder à la proposition de Morone. Dieu me pardonne cette pensée, mais je sens que c'est la vérité. Obtenir d'un seul coup tout ce qu'il a jamais désiré, la réalisation de ses rêves les plus ambitieux. Le sentiment secret de sa culpabilité le pousse à fournir cette preuve exagérée d'allégeance. Ai-je raison ou bien a-t-il d'autres motifs d'agir ainsi ? La maladie et la rancœur n'ont-elles pas blessé son orgueil au point de l'amener à se traîner dans la boue pour rentrer dans les bonnes grâces de l'empereur ? Ferrante écrit. Sa plume glisse en crissant sur la feuille. Pourquoi suis-je impuissante à sonder les pensées de cet homme ? Si seulement je pouvais, avec lui, *pour* lui, lutter pour le maintien de son intégrité. Si je savais que cette victoire sur l'ambition, l'aspiration au pouvoir, la jalousie est possible, je pourrais croire en un avenir meilleur... Hésité-je encore ? Ce combat pour obtenir la grâce divine est plus conforme à ma nature que les prières et la distribution d'aumônes. Le sentiment de libération qui m'a envahie après un instant d'immobilité auprès de Ferrante, lorsque je suis entrée chez lui, n'a pas pu être une illusion. Pourquoi ne serait-ce pas l'annonce d'une nouvelle phase dans nos rapports ? Il a besoin de moi, même s'il l'ignore, même s'il refuse mon aide. Mais lentement, prudemment, il faut qu'il en prenne conscience. Qu'il tente de m'intimider par ses sarcasmes prouve que j'ai plus d'influence sur lui qu'il ne veut l'admettre.

Les discussions avec Morone le retiendront à Rome. Pendant tout ce temps, il sera près de moi. Je veux qu'il m'accorde sa confiance, pleinement. Il doit sentir que je veux servir ses intérêts les plus profonds, les plus essentiels.

*

* *

Victoria prit la page écrite que Pescara avait poussée au bord de la table. Les mots espagnols, dans cette écriture raide, coléreuse, qui lui est propre, semblaient contenir la douleur et la passion qu'il n'avait pas laissé paraître pendant la conversation.

... L'espace d'un instant, je me suis demandé si j'allais le faire châtier sur place parce qu'il avait osé me faire une telle proposition. Mais j'ai songé qu'il serait plus utile d'obtenir d'abord des détails. J'ai donc répondu que j'avais effectivement des raisons d'être mécontent. Que ce qu'il m'offrait n'était pas sans intérêt, mais que je ne pourrais me dégager de mes obligations envers Votre Majesté impériale qu'en agissant d'une manière digne d'un gentilhomme. Finalement, que j'étais prêt à entreprendre cette démarche, ne fût-ce que pour faire comprendre à Votre Majesté impériale qu'elle pourrait moins facilement se passer de moi que de ceux auxquels elle accorde plus de crédit. A présent, Girolamo Morone a l'impression que j'accepterai ses propositions. Or ces procédés vont à l'encontre de mes principes.

Si je consens à être impliqué dans cette affaire, c'est uniquement parce que les circonstances l'exigent. Si Votre Majesté ne se rend pas compte de l'importance d'une action énergique en Italie à l'heure actuelle, cela veut dire qu'elle a été mal renseignée par les conseillers auxquels elle a accordé sa confiance...

Compte tenu de la puissante position de Votre Majesté, cette conspiration a peu de chances de réussir. Toutefois, je ne vous dissimulerai pas le danger qu'elle présente. L'Italie vous redoute, mais la présence de vos armées est ressentie comme un horrible fardeau. Vos amis et serviteurs ici sont las et découragés. Les soldats qui ne sont pas payés passent à l'ennemi, les chefs aigris perdent leur vigilance. Je vous en conjure : envoyez-nous de l'argent et des troupes fraîches.

Le roi de France est entre vos mains ; obligez-le à conclure une alliance...
Que Votre Majesté veuille bien me pardonner le ton de cette lettre. Il est inspiré par le seul désir de servir mon souverain. L'enjeu maintenant est de tout gagner ou de tout perdre...

Vittoria laissa tomber la lettre, qui glissa en bruissant le long de sa robe. Sans se retourner, Pescara tendit la main gauche.

« L'avez-vous lue ?

– N'envoyez pas cette lettre. Écrivez-en une autre où ne sera pas mentionné le nom de Morone...

– Dois-je faire une bêtise, pis que cela, me rendre coupable d'une grave omission, uniquement parce que mon attitude ne concorde pas avec l'image du noble héros sans peur et sans reproche que ma femme souhaite voir en moi ? » Pescara jeta le papier devant lui sur la table. Il ouvrait et fermait convulsivement le poing. « Cette question ne peut être résolue sans tromperie. Ce qui compte, c'est de savoir quelle tromperie est la moins infamante. Écoutez-moi, je ne me prétends pas meilleur que je ne suis. » Il lut en appuyant sur les mots : « *... car je sais fort bien que, de toute façon, je commets un acte de trahison, même si je le fais pour ne pas enfreindre l'engagement que j'ai pris sous serment de servir Votre Majesté.* Eh bien, que dites-vous de cela ? »

Vittoria ne répondit pas. Pescara entendit derrière lui le léger frou-frou des jupes de sa femme, tandis qu'elle se dirigeait vers la porte.

« Si vous ne voulez pas être reine de Naples ni l'épouse du commandant suprême de l'empereur, le vainqueur de l'Italie... au nom du ciel, que voulez-vous donc ?

– Être la femme de Ferrante d'Avalos, que j'aime et que j'estime. »

Lorsque Pescara se retourna avec un haussement d'épaules impatient, la porte s'était déjà refermée sur elle.

Les jours suivants, il l'évita. Elle non plus ne chercha pas à le voir ni à lui parler. Elle se tenait dans la cour, tout près de la fontaine, là où l'air déplacé par le jet d'eau qui retombait en chuchotant créait l'illusion de légers coups de vent. Parfois, Varano et *madonna* Caterina lui tenaient compagnie, mais le plus souvent elle parvenait sous un quelconque prétexte à rester seule. Depuis qu'elle s'était épanchée un jour auprès d'eux dans un moment de désespoir, elle ne pouvait plus se défaire de l'idée que ses amis, surtout Caterina, attendaient d'elle d'autres confidences. Ils ne s'imposaient pas, ne lui offraient jamais leur aide ou leurs conseils sans qu'elle l'eût demandé, mais leur vigilance était indéniable. L'attention dont elle avait fait l'objet, et que Vittoria avait trouvée réconfortante et stimulante après le retour de Pescara, l'oppressait maintenant, éveillait en elle un sentiment de culpabilité. Pendant la lecture commune des Saintes Écritures, les Épîtres de Paul, ses pensées s'égaraient, et les discussions qui suivaient la fatiguaient et la rendaient nerveuse. L'antipathie, non exprimée mais néanmoins évidente, du couple pour Pescara, qui ne l'avait jamais dérangée pendant les années d'absence de son mari, creusait un fossé entre eux. L'indifférence bienveillante de Varano lui apparaissait comme un masque derrière lequel il l'épiait ; dans tout ce que disait Caterina, elle s'imaginait entendre une nuance d'impatience.

*
* *

Je suppose que les paroles de Varano et de Caterina me sont destinées. J'ai des yeux pour voir et des oreilles pour entendre et je me tiens à l'écart. J'ai été appelée et pourtant je ne fais pas mon devoir. Je veux croire que la grâce divine est le bien le plus précieux, mais mon amour pour Ferrante est plus fort que mon amour pour Dieu. Et alors ? Pour la première fois, je les ai contredits. L'engagement de Varano dans ces affaires repose sur des intérêts personnels ; en d'autres circonstances, Caterina aurait mis sa véhémence au service d'autres convictions. Ce ne sont pas des prophètes, des anges

annonciateurs. La foi qu'ils professent n'est pas néces-
sairement ce en quoi je crois. A chaque humain, son
propre ciel, son propre enfer. Chaque être doit suivre sa
propre voie, rude, solitaire, pour venir à Dieu. Cette
soudaine découverte, je la ressens comme un choc, j'ai
l'impression que le sol familier se dérobe brusquement
sous mes pas. Quoi que Varano et Caterina décident
de faire dans l'avenir, en ce qui me concerne, leur tâche
est terminée. Ce qu'ils n'ont pu éveiller en moi à force
d'explications et d'encouragements est en train de
mûrir, maintenant que je prends conscience des diffé-
rences qui nous séparent. Je n'ai pas tenté de leur expliquer ce qui avait changé. Ils se comportent comme je
m'y attendais : ils gardent leurs distances.

Le fossé qui s'est creusé entre moi et ces deux êtres qui
furent mes amis et confidents me semble inévitable
depuis que j'ai compris que je devais poursuivre seule
ma route. Ici, dans cette cour entourée des murs du
palais Colonna, je me sens plus isolée qu'en n'importe
quel autre lieu.

Là-bas : l'aile où demeure mon frère Ascanio. Nous
sommes depuis longtemps des étrangers l'un pour
l'autre. C'est un homme qui s'acharne à vouloir jouer
un rôle important dans la politique, qui ne supporte pas
l'idée d'avoir moins de pouvoir et d'argent que ce qu'il
croit devoir lui revenir. Il veut avoir Ferrante et moi
sous son toit par ambition, mais il nous déteste.

De l'autre côté, les appartements où réside Ferrante…
Proches et pourtant inaccessibles. Derrière ces per-
siennes closes, il attend d'autres nouvelles de Morone
et la réponse de l'empereur. Son valet et son médecin
me rapportent comment il passe son temps. Il reste dans
sa chambre, ils l'entendent faire longtemps les cent
pas. Il mange peu, la nuit il ne trouve pas le sommeil.
Il a de nouveau craché le sang. Personne n'est autorisé
à le voir ; ils ont reçu l'ordre de dire que le marquis travaille.

Je dois être forte, bannir tout ce qui n'a pas pour but de servir ses intérêts : c'est-à-dire faire en sorte qu'il reste incorruptible, fidèle aux lois de sa conscience, qu'il se remette de cette maladie qui le mine physiquement et mentalement. Pour pouvoir l'aider, je dois m'oublier moi-même, ne plus rien désirer, ne plus rien espérer de lui pour moi. Je l'ai touché, j'ai osé parler d'amour, j'ai pris sa main quand il me tendait un doigt. La conséquence, j'aurais pu la prévoir : il me repousse, il se méfie de moi. Je sais aujourd'hui que je me suis leurrée de vaines espérances, même si j'ai pensé que la période des chimères appartenait à jamais au passé. Je croyais avoir totalement renoncé à Ferrante. C'est faux, mon désir est aussi fort qu'avant, plus fort même. Ma souffrance me fait comprendre avec quelle intensité je n'ai cessé d'espérer. La tâche qui m'attend, ce qu'il faut que je fasse pour lui et aussi pour trouver la voie ultime de la délivrance, c'est oublier mon désir et ma peine. Il me permettra seulement de l'approcher quand il aura senti que je n'exige plus rien de lui, plus jamais. Que Dieu m'aide, le temps est si court.

*
* *

Lorsque Pescara lui fit savoir qu'il souhaitait avoir un entretien avec elle, le courage qu'elle avait si laborieusement rassemblé au cours des nuits et des jours précédents l'abandonna. Elle vit qu'il avait reconquis sa maîtrise et fixé irrévocablement son point de vue.

« Je regrette vivement que vous m'ayez vu dans un tel état de confusion. C'est fini. N'en parlons plus. J'ai eu hier un nouvel entretien avec messire Morone. » Lorsqu'il vit l'éclat de surprise dans son regard, un bref sourire apparut sur ses lèvres. « Comme convenu, il est arrivé seul et par une porte de côté. Il m'a apporté le résultat de l'enquête juridique que j'avais demandée. Tout était correct, comme on pouvait s'y attendre. Les plus brillants esprits de Rome m'ont assuré noir sur blanc que rien ne s'opposait à ce que j'accepte la couronne de Naples. Cela vous intéresse-t-il?» Il déplia quelques documents, les lui tendit. Elle ne fit pas un geste pour les saisir. «C'est bien. Peu importe, du reste. Je vous mets au courant pour la bonne règle, puisque je vous ai fait des confidences. Ces seigneurs fournissent ici la preuve qu'en fait Naples est restée un fief de la papauté, malgré trois siècles de domination étrangère. Ils ont calculé pour moi que je pouvais abandonner sans dommage mes possessions en Espagne. Voilà qui est fait. En outre, Morone m'a apporté des garanties écrites pour les sommes d'argent qui m'ont été promises. Je peux dès aujourd'hui disposer d'un montant considérable. Compte tenu de la situation, il est important que je retourne au plus vite à Novare. J'ai donné des ordres pour les préparatifs de mon départ.»

Vittoria regarda les carreaux émaillés à ses pieds. Sur un fond rouge éteint, des arabesques : un entrelacs de serpents et de vrilles. De loin, ces motifs de fleurs et de feuilles, ces formes ondulantes de reptiles ressemblaient à des corps humains resserrant chaotiquement leurs étreintes. Vittoria pensa : Il retourne vers *elle* pour retrouver la paix, pouvoir faire ce qu'il veut sans être dérangé.

Pescara esquissa un sourire.

«Naturellement, ce que j'ai écrit à l'empereur reste ma ligne de conduite. Pauvre Vittoria. Mon jeu diplomatique vous dépasse-t-il? Ne vous en occupez plus. Je n'aurais jamais dû vous importuner avec des problèmes sur lesquels une femme ne peut porter un jugement.»

Il toussa et détourna son visage pour cracher dans son mouchoir. Lorsqu'il se fut ressaisi, il vit les yeux de Vittoria rivés sur lui.

«Vous savez, je suppose, quel est mon état. Vous êtes l'une des trois ou quatre personnes qui l'ont compris. N'en parlez pas. Il est pour moi de la plus haute importance que cela ne s'ébruite pas. J'ignore combien de temps cela durera. Je vous donne ma parole d'honneur que je vous ferai venir le moment venu. Venez alors... à Novare, ou à l'endroit, quel qu'il soit, où je me trouverai à ce moment-là. »

Pescara fut sensible au fait que sa femme lui avait épargné ses larmes et des allusions à ses circonstances personnelles lors du bref adieu. Il s'était attendu à une scène sentimentale qu'il jugeait inévitable parce qu'il était convaincu qu'après cet instant ils ne se retrouveraient plus jamais en tête à tête. Impassible, silencieuse, elle reçut son baiser sur la joue, sur la main. Pescara avait déjà laissé Rome derrière lui lorsque la pensée lui vint qu'en cet ultime instant seulement elle avait compris qu'en réalité il était mourant.

Giovanni Borgia

Je n'aurais jamais su ce que je sais aujourd'hui si j'avais cédé à ce premier mouvement de colère et pris congé de messire Pietro lorsqu'il me donna sa version du secret de ma naissance. Mais, à ce moment déjà, j'avais bu plus que de raison. Ses révélations me préoccupaient tant que je ne compris pas tout de suite l'importance de ce qu'il me disait à propos de Morone et du marquis de Pescara.

Plus tard, je l'accompagnai chez Tullia d'Aragon. Je n'avais guère envie de rester seul avec mes pensées. Dans la maison du Campo Marzio, il y avait déjà tant de monde que je ne pus échanger que quelques mots de politesse avec la courtisane. Je vis qu'elle avait les yeux verts et les cheveux teints. Elle s'avançait en balançant les épaules et les hanches avec tant d'exagération qu'elle semblait vouloir ridiculiser les tactiques de séduction de ses sœurs de la guilde. Mais ce faisant elle affichait une mine sévère et chagrine, ne se donnant pas la peine de se montrer affable. Réflexion faite, je n'avais pas envie de me joindre à la compagnie bruyante qui se pressait autour d'elle comme une garde du corps. Ils buvaient du vin dans ses chaussures tout en discutant de problèmes philosophiques et littéraires. Messire Pietro, plus loquace que jamais lorsqu'il était pris de vin, se tenait debout sur un tabouret, criant par-dessus les têtes des autres : « La littérature, allons donc ! En Italie, la littérature est morte, tout ce qu'il y a de plus morte. Qu'a-t-elle à offrir, sinon des plagiaires de gloires passées, des imitateurs de Virgile, de Plaute et de Térence, des épigones de Boccace et de Pétrarque ? Et la langue elle-même : des formes figées, un style affecté. Morte la langue, messieurs ! »

Puis il se mit à raconter l'une de ses anecdotes favorites : l'histoire d'une aristocrate qui l'avait un jour invité à passer la nuit chez elle. A peine est-elle dans sa chambre à coucher que l'époux rentre de voyage à l'improviste. Messire Pietro, encore entièrement vêtu, s'apprête à livrer un combat acharné, mais le maître de la maison le salue courtoisement et dit : « Je vous en prie, déshabillez-vous, prenez vos aises, bonne nuit à tous deux », puis il sort discrètement de la pièce.

Après ce récit, messire Pietro continua pendant un moment à parler dans le vide, hoquetant et gesticulant sur son tabouret, tandis que cette grosse femme, la mère de Tullia, remplissait de temps en temps son verre. Non moins ridicules me semblaient les autres, qui, le visage en feu, discouraient d'une voix forte sur Pétrarque et les secrets de l'art poétique ; on eût dit une académie littéraire vue dans un miroir déformant. Quant à moi, les vapeurs du vin se dissipaient progressivement, et je continuais à décortiquer des noix près de la crédence couverte de plats et de pichets. Chaque fois qu'un espace se créait entre les causeurs excités, je remarquais que Tullia me regardait.

J'aurais probablement passé toute la nuit appuyé au mur, à compter les motifs de la tapisserie dorée et les fils des tentures, si une querelle n'avait éclaté parmi les visiteurs de Tullia. S'il s'était agi d'une escarmouche entre tous ces messieurs, je me serais contenté de jouer le rôle de spectateur. Mais quelque chose dans le comportement d'un Espagnol qui, l'épée au poing, se préparait à se défendre seul contre tous s'accordait avec le sentiment que je n'avais pu réprimer de toute la soirée. Je tirai mon poignard et me précipitai à son secours. Lorsque la mère de Tullia nous conjura d'épargner les statues, les meubles et autres ornements, nous nous rendîmes tous en une masse confuse à la *piazza*. L'Espagnol se battait en jurant et sifflant pour s'encourager et s'aiguillonner. Finalement, nous n'eûmes plus que trois ou quatre adversaires – les autres assistaient à la scène avec leurs écuyers et leurs porte-flambeaux. Messire Pietro, étendu par terre de tout son long, déclamait des vers improvisés chantant le combat des Titans sur le champ de Mars. Après qu'un peu de sang eut été versé de part et d'autre – presque tous avaient une égratignure ou une coupure –, les opposants se lassèrent. L'Espagnol voulait poursuivre la lutte, insistait pour obtenir réparation, mais les seigneurs firent venir leurs chevaux et s'en allèrent. Il finit par comprendre qu'il n'était plus question de se battre, cracha par terre pour exprimer son mépris, m'embrassa, me remercia de mon soutien et disparut avec sa suite dans l'obscurité, son bras blessé enveloppé dans son manteau.

Cette échauffourée m'avait partiellement rendu ma confiance en moi. Je laissai messire Pietro, qui continuait de discourir pour les étoiles, aux bons soins de ses valets. De retour dans ma chambre, je me demandai pourquoi, au fond, je restais à Rome. C'est aussi cette nuit-là que l'idée me vint de quitter la ville où l'on sait sur mon extraction trop de choses qui pourraient me nuire. Je ne suis pas un courtisan et ne veux pas être un clerc. Jamais je ne serai dans mon élément parmi les parasites et les sycophantes du Vatican, parmi les flâneurs élégants, les habitués des débits de vin et des maisons de passe de Rome. Tandis que j'attendais l'aube, allongé dans mon lit, je pensais à la possibilité d'offrir à tout hasard mes services dans une armée, celle du marquis de Pescara ou de Giovanni de Médicis, commandant d'une célèbre troupe de mercenaires. Ce qui, finalement, m'a dissuadé de quitter Rome sur-le-champ, c'est la conviction que, sans appui ni lettre de recommandation d'un personnage influent, je serais condamné partout et toujours à me satisfaire d'une fonction dans les rangs subalternes.

Une bagatelle, un hasard peuvent changer la manière dont l'homme considère les circonstances de sa vie. Un incident tel que cette bagarre plutôt insignifiante m'a fait comprendre qu'ici, à Rome, j'étais acculé dans une impasse. Par ma naissance et ma nature, je suis déplacé dans ce milieu où ne réussissent que ceux qui peuvent construire sur un bastion de noms, de fortunes et de protections, ou qui possèdent assez de talent et de patience pour ourdir de savantes intrigues. Je suis à ma place dans un monde où les choses n'ont ni commencement ni fin, où le présent doit être exploité immédiatement, où l'on exige de l'action au lieu de titres de noblesse et de bourses bien pleines, où l'homme doit montrer par son comportement au moment crucial qui il est et ce qu'il est. Le monde du soldat sur le champ de bataille. Le passé ne compte plus, l'avenir est incertain. Moi qui n'ai ni passé ni futur au sens habituel de ces termes, je ne me suis jamais senti si bien et si libre que pendant les expéditions en Navarre et dans le Dauphiné, et plus tard en Lombardie et devant Pavie. N'étaient cette maudite agitation que je porte en moi, ce besoin de donner un sens à ma vie uniquement par l'accomplissement d'actes héroïques, je me contenterais d'être un simple mercenaire, sans autres possessions que des armes et une solde, un homme entre les hommes, toujours soumis aux ordres d'un autre. Mais ici, une angoisse secrète me force à prouver constamment que je suis vraiment quelqu'un. Soldat, je vivais en harmonie avec mon entourage. Mon existence empruntait son sens à la réalité tangible à laquelle je contribuais par mes actes. Ici, à Rome, on ne m'a même pas donné une chance de faire quoi que ce soit. Notant mes pensées et mes souvenirs – une compensation pour ce stupide travail de clerc –, j'ai, du moins par moments, l'impression d'agir. Mon affectation dans la suite de Morone me parut d'emblée un prélude à l'action. Or, si les renseignements de messire Pietro contiennent un fond de vérité, je suis pris dans un nœud gordien d'intrigues. Pour celui qui est habile dans ce domaine, c'est une chance inespérée. Hélas, je ne possède pas cette habileté.

César et Lucrèce. Une possibilité qui me semble de plus en plus crédible à mesure que j'y réfléchis. Mais la crédibilité ne me suffit pas, je veux des *preuves*. Ensuite, finis les tourments, l'incertitude. César serait donc bien mon père, ce qui expliquerait l'ambivalence de mes sentiments à l'égard de Lucrèce. La conscience d'être un Borgia, engendré par un Borgia et né d'une Borgia, l'un et l'autre ayant eu le même Borgia pour père, voilà ce que je dois accepter, savoir porter en moi, sans espoir mais aussi sans peur. Je peux du moins considérer mon existence dans une perspective bien déterminée.

Arrivé à cette conclusion, je décidai de rendre une nouvelle visite à messire Pietro. L'homme chez qui j'entrai sans être annoncé n'avait plus aucun rapport avec le poseur bravache en bleu paon qui traîne sans cesse dans les couloirs du Vatican. Le chaos de sa maison était encore plus grand que lors de ma première visite. Plus tard, il s'avéra qu'il avait surpris ses valets en train de le voler et les avait chassés. Parmi des pichets et des verres, des vêtements, des os de poulets et des noyaux de fruits, des boulettes de papier et toutes sortes d'autres détritus, il était assis à une table, vêtu seulement d'une chemise et d'un haut-de-chausses, en train d'écrire sous la fenêtre. D'abord, il lui déplut visiblement d'être surpris dans cet état, plus tard, il sembla au contraire éprouver un plaisir évident à grossir encore le laisser-aller de sa tenue et de son décor. Il donna un coup de pied dans quelques bouteilles vides qui volèrent en éclats, et jeta par terre un tas de livres et de paperasses posés sur un siège, soulevant ainsi des nuages de poussière qui nous coupèrent la respiration. Il allait et venait sur des sandales en raphia, la chemise débraillée, grattant et frottant tellement sa poitrine velue, noire, que sa collection d'amulettes et de médailles représentant des saints se mit à tinter comme un carillon. Évidemment, il ne me laissa pas placer un mot. Il commença par me lire une lettre d'insultes au marquis de Mantoue, dans laquelle il menaçait de lancer une campagne en diffamation si certaines sommes dues ne lui étaient pas immédiatement envoyées.

« J'ai besoin de nouveaux vêtements, dit-il après avoir tiré son feu d'artifice d'insinuations et de menaces. Là-bas, à Mantoue, ils sont toujours négligents lorsqu'il s'agit d'honorer des services rendus. Heureusement, Son Altesse sérénissime attache une grande importance à sa réputation à Rome ; de temps à autre, je prends la liberté de le lui rappeler. Cette fois-ci, je parie que cela me rapportera quelques barrettes et du tissu pour un manteau. »

Messire Pietro ramassa ensuite quelques feuillets éparpillés sous la table et le lit. Il me les mit énergiquement dans la main avec prière de lire à haute voix sa *Courtisane*, tandis qu'il allait se changer. Quand il s'aperçut que j'avais du mal à déchiffrer cette écriture noire comme de la poix et couverte de taches, il s'impatienta. Il déclama par cœur ce qu'il avait écrit, s'enflamma progressivement et finit par interpréter tout le texte en acteur accompli.

Aussitôt qu'il eut terminé, il me demanda mon avis. A bout de souffle, transpirant, il se penchait vers moi dans une attente fébrile, ouvrant de grands yeux flamboyants. « Eh bien, qu'en dites-vous ? Vous n'avez jamais rien entendu de semblable, n'est-ce pas ? C'est totalement nouveau, des êtres de chair et de sang, un dialogue débordant de vie, un échantillon de réalité, messire, et en même temps un symbole, une satire ! »

Je répondis que je m'étais fort diverti, mais que je trouvais l'action plutôt maigre et confuse et le sujet sans grand intérêt. Ce n'étaient que filles de joie, laquais, voleurs, ratés insolents, aventuriers timorés venus tout droit de leur province, cabaretiers et escrocs, tout juste bons à jouer les seconds rôles. Quel intérêt y a-t-il à étaler sur scène les conversations, les querelles et les tours pendables de la racaille romaine ? Ma préférence va aux pièces qui proposent des énigmes à résoudre, ou des exemples à suivre, et dont tous les éléments sont si savamment stylisés qu'elles se situent hors de la réalité. Ceux qui s'intéressent aux actions et aux pensées de personnages que messire Pietro érige en héros d'une comédie auront plus de chances de satisfaire leurs penchants dans les rues, dans une auberge, ou un lupanar.

Messire Pietro explosa avant même que j'eusse fini de parler. La chambre sembla soudain trop petite pour contenir tant de bruit et de commotion. « Finissons-en avec ces déguisements d'un autre âge. Pourquoi ne veut-on accepter la vérité que si elle est déclamée en vers par des rois, des saints ou des dieux et demi-dieux, des bergers ou des satyres ? Les héros et les bouffons existent, messire, mais il y a infiniment plus de gens du commun qui mentent et volent, souffrent, pleurent, rient, se jouent des tours réciproquement, comme mes personnages que vous appelez la "racaille romaine" ! » Les larmes aux yeux, il me supplia de croire que les tragédies et les farces qui sont si populaires aujourd'hui avaient fait leur temps. « La littérature tout entière n'est plus qu'un cadavre habilement embaumé, peint et décoré, messire, un mélange de formes et de règles sans vie. Devons-nous continuer à vénérer une momie ? La mythologie et l'histoire ne peuvent rien nous apprendre, tout est autour de nous, dans la nature, dans la réalité quotidienne. Pas d'action dans ma *Courtisane*, dites-vous ? Messire, elle déborde de vie, et cela vaut mieux qu'une action. Ce n'est pas une sottie qui fait se tordre de rire le public, c'est une sottie qui fait se recroqueviller de honte et de remords celui qui a des oreilles pour entendre. Tenez, ce passage-ci vous aurait-il échappé ? »

Je vis que je l'avais blessé. Son excitation était teintée de colère. Il resta debout devant moi et répéta avec force gestes obscènes, en formant soigneusement chaque mot de ses lèvres épaisses, humides, mouvantes, une partie du texte qui, si j'ai bonne mémoire, se ramenait à peu près à ceci : guerre, peste, famine, prédictions de catastrophes conduisant l'humanité à rechercher la jouissance ont fait du monde entier un immense bordel, où parents et enfants, frères et sœurs, sans éprouver de remords, de regrets ou de honte, se livrent entre eux à... Je ne lui donnai pas l'occasion de s'étendre davantage. Visiblement, il voulait se venger de ma critique. Cette fois, il faisait mon jeu, parce que j'avais moi-même l'intention d'aborder ce sujet. Je lui demandai de me fournir les preuves promises de ce qu'il avait osé insinuer dans cette conversation et la précédente. Il joignit les mains et ses yeux se révulsèrent, laissant apparaître le blanc.

Ah, ah ! Je venais donc de lui demander quelque chose d'impossible. Ce ne serait pas si facile à tirer au clair. Après coup, il se souvenait d'avoir découvert deux ou trois autres faits… Lucrèce avait trois frères. Pourquoi aurait-elle, dans un certain domaine, donné la préférence à l'un d'entre eux ? Ignorais-je donc comment on avait jadis tenté d'expliquer la mort énigmatique du fils aîné du pape Alexandre, le duc de Gandía ? César aurait liquidé son frère, parce qu'il avait, lui aussi, joui des faveurs de Lucrèce. Et en ce qui concernait le numéro trois, Gioffredo…

Lorsque, avec un ample geste et un regard rusé, fureteur, plein d'un plaisir secret, il me proposa de rassembler à mon usage toutes les épigrammes, tous les libelles, lettres et rapports de courtisans de l'époque et autres écrits concernant la lignée Borgia, je me fis violence pour repousser son offre aussi calmement que possible, comme si nous avions parlé d'affaires parfaitement insignifiantes.

Depuis cette rencontre, un duel secret se déroule entre nous, entre ma volonté de cacher ma propre incertitude et sa volonté à lui de découvrir le fond de mes pensées et de me mener par le bout du nez. Il avait presque atteint son but. Il a bien compris où le bât blessait, mais il m'a cru lâche – sans doute parce que lui-même, comme presque tous les vantards et les bavards, ne brille pas par le courage. Si un homme a été obsédé pendant des années par certaines pensées, il ne cède pas si vite à la tentation de se laisser aller à des déclarations ou des actes irréfléchis. Je pourrais jouer le rôle d'espion auprès de Pescara et de Morone par ambition, mais jamais par peur de messire Pietro. Il connaît bien les hommes, mais il n'a pas compris cela. Il a été visiblement interloqué lorsque, après cette allusion à un quadruple inceste, je ne me suis pas départi de mon calme.

Au contraire, loin d'être bouleversé, je suis même prêt à examiner cette affirmation à la lumière de ce que j'ai vu et entendu au cours des ans, et cette fois encore je ne ressens aucune surprise. Certaines remarques de Sancia qui me reviennent à l'esprit prennent un sens. Par exemple, ses paroles ironiques et blessantes envers ce Gioffredo toujours déconfit. Un jour, à Naples, il lui reprocha son comportement dissolu en ma présence et devant Rodrigo. Les doigts écartés au-dessus de son front, imitant les bois d'un cerf, elle lui lança d'un ton sarcastique : « Va donc retrouver ta sœur, ta chère Lucrèce, elle te consolera, te cajolera comme autrefois. » Elle lui cria aux oreilles qu'il devrait remercier Dieu qu'elle ne lui fasse aucun reproche, qu'elle ne dévoile rien de ce qu'elle savait sur son compte. Passant devant Rodrigo et moi comme une furie dans un tourbillon de jupes noires, elle cracha sur nous. Je pense aussi aux étranges lamentations de Vannozza jadis, au château Saint-Ange. Je me rappelle également certains instants auprès de Lucrèce à Ferrare, où j'ai soupçonné, derrière le mince écran de sa maîtrise, un monde caché, ténébreux.

Dix fois, vingt fois, devant un verre de vin ou un jeu de cartes, messire Pietro m'a exposé tout ce que nous pourrions accomplir si nous collaborions. Avec la régularité d'une horloge, suit alors l'énumération de nouvelles atrocités et de débauches des Borgia. Il persiste à croire qu'il parviendra à me gagner à ses projets en me faisant peur. Pour lui, il existe un lien étroit entre posséder le pouvoir et faire naître l'angoisse. Il ne sait pas ce que je redoute. Pour un homme tel que lui, la peur et l'agitation ne peuvent avoir que des raisons tangibles.

Ainsi se poursuit notre simulacre de combat, interrompu par la lecture qu'il me fait d'extraits de ses comédies ou par des promenades dans Rome, où il semble connaître chaque prêteur sur gages, chaque bijoutier, marchand ambulant de fruits ou de poisson, chaque crieur public, patron de débit de boissons, chaque tenancière de maison de prostitution.

Je lui avais dit que je n'avais pas envie d'être le dernier d'une longue queue attendant les faveurs de Tullia. Lorsqu'il répondit qu'il serait difficile d'arranger un rendez-vous si l'on ne disposait pas de beaucoup d'argent, je considérai l'affaire comme close.

Il a probablement remarqué que je regrettais malgré tout

de ne pas pouvoir approcher cette femme. Un jour, à midi, il vint m'annoncer avec un clin d'œil et de nombreuses plaisanteries préliminaires que j'étais attendu. Je me trouvais dans une position privilégiée : Tullia elle-même souhaitait me voir. Je l'accompagnai donc de nouveau à la maison du Campo Marzio. Je la trouvai plus attrayante que lors de ma première visite. Elle n'était pas pomponnée et peinturlurée, mais avait les cheveux défaits et portait une camisole et une jupe, comme les filles du peuple. Ni elle ni sa mère ne me traitèrent en hôte bienvenu, ce qui me fit douter de la fiabilité du message de messire Pietro. La mère surtout était hostile. Tullia me fixait sans rien dire. Si elle faisait un mouvement, c'était pour arranger ou brosser ses cheveux récemment lavés, encore récalcitrants. Une toison dorée, crissante. Je n'aurais jamais cru que la chevelure d'une femme pût être aussi fournie, aussi longue. Même si personne ne me l'avait dit, j'aurais compris que je devais me représenter de cette manière les boucles devenues légendaires de Lucrèce. Lorsque Tullia remarqua que je ne pouvais détacher les yeux de ses cheveux, elle en fit des nattes et un chignon, et plus tard les couvrit d'un fichu. Cela m'excitait d'être ainsi forcé de songer à Lucrèce et à son besoin de mystère. Peu m'importait maintenant d'être ou non le bienvenu. Je n'avais plus qu'un désir : obtenir qu'elle dénouât ces nattes. Lorsqu'elle céda enfin – des heures plus tard : il avait fallu tout le talent oratoire de messire Pietro pour réconcilier la mère avec ma visite –, je m'étais enrichi de deux nouvelles expériences. La première : ses caresses étaient sincères ; la seconde : l'effleurement de ce flot de cheveux doux, chauds, parfumés, m'ensorcelait au point que je n'étais plus capable de répondre à ses étreintes comme je l'aurais dû. Elle ne dit pas un mot de ma défaillance. Elle était couchée à côté de moi, s'appuyant sur un coude. Ses yeux ne quittaient pas mon visage. Ne sachant comment interpréter ce silence et ce regard, je l'assurai finalement qu'elle n'avait aucun reproche à se faire. Elle hocha la tête d'un geste fier, impatient. Nous restâmes ainsi allongés paisiblement dans la pénombre de la pièce, comme deux gisants sur un sarcophage. Avec une autre femme, j'aurais éprouvé de la honte et de la rage, et ce calme m'aurait été insupportable. Tullia se montra pleine de compréhension et m'accorda courtoisement le temps de me ressaisir. Elle fit apporter du vin et d'autres rafraîchissements, congédia la vieille femme qui s'attardait indiscrètement sur le seuil et me servit de ses propres mains. Elle ne me posa pas de questions, mais me parla d'elle-même. Elle est la bâtarde d'un cousin d'Isabelle d'Aragon. Cette race ne peut se démentir ; j'en vois la preuve dans le maintien de Tullia, ses mains, son aversion pour les rires et le bruit. Elle chanta et déclama des vers de sa composition avec beaucoup plus de ferveur que le soir de la réception où je l'entendis pour la première fois. Elle fit exécuter des tours à son singe. Plus tard, elle me permit de rester auprès d'elle tandis qu'elle se faisait habiller et coiffer. En l'espace d'une heure, je la vis se métamorphoser d'être humain en idole. Un brocart bouffait autour de ses hanches et de ses bras en bruissant. Un corselet serré faisait bomber ses seins. Ses cheveux, partagés en torsades entremêlées de toutes sortes d'ornements, perdaient leur troublante séduction. Elle peignait sur son visage grave le masque figé, étudié, d'une courtisane.

Au moment de l'adieu, je lui donnai la broche ornée de pierres précieuses de ma barrette, l'un des rares objets de valeur que j'eusse conservés d'une époque révolue. Elle me pria de revenir souvent, très souvent.

Si je garde un mauvais souvenir des heures passées auprès d'elle, ce n'est sûrement pas sa faute. Si seulement ses cheveux n'étaient pas d'or rouge, n'exhalaient pas cette odeur de jasmin. Chaque fois qu'elle me tournait le dos et que je voyais ce large fleuve tombant en vagues sur ses épaules jusqu'au-dessous de sa taille, j'étais envahi d'un trouble indescriptible. Je maudis tous les Borgia.

Message écrit de Tullia : est-ce la méfiance qui me retient de venir la voir ? Elle jure de ne jamais, au grand jamais, faire partager à un tiers (ceci souligné) ce que je pourrais lui confier en secret lorsque nous sommes ensemble. Elle me supplie de venir, par égard pour elle, et de ne rien dire de cette visite et de cette lettre à messire Pietro. J'irai.

Messire Morone est brusquement retourné à Milan. Le marquis de Pescara, lui aussi, est parti en grand secret. Lorsque je fus appelé auprès de Berni pour recevoir de lui, en même temps que sa gratitude pour les services rendus, une seconde et dernière bourse remplie de ducats, je me maudis d'avoir été si crédule. Dans ce jeu que je crois avoir maintenant percé à jour, me fondant sur les renseignements fournis par messire Pietro et sur ce que Tullia m'a murmuré à l'oreille pendant nos heures de sieste, je n'ai été qu'un figurant. J'ai laissé passer la chance d'être plus que cela, parce que je n'ai pas compris assez tôt de quoi il s'agissait. Comparé à ma fonction de clerc de la chancellerie, je considérais comme un progrès le privilège de caracoler en grande pompe derrière un homme important. Ai-je été choisi justement parce que je ne me doutais de rien ? Ou m'avait-on attribué d'entrée de jeu un rôle de traître et, dans ce cas, qui l'a fait ? Tullia m'a avoué que messire Pietro lui avait demandé de me faire parler. Ce qui laisse à penser qu'il me tenait depuis longtemps pour l'un des initiés.

Messire Pietro est alité, grièvement blessé, dans sa maison du Borgo. Il paraît qu'il a perdu connaissance. Les médecins qui le soignent et les gardes armés devant sa porte ne laissent entrer personne. Il a été attaqué la nuit dans la rue par des inconnus. Le bruit court dans la ville que cet attentat a été commis sur l'ordre du dataire Giberti. Ici, au Vatican, on se borne à hausser les épaules avec des visages qui en disent long. Entretemps, chacun sait que les cardinaux pro-espagnols se sont rendus au chevet de messire Pietro et qu'un certain nombre de suspects ont été jetés en prison sur les ordres de monseigneur Schomberg… bien que le pape s'y soit opposé. Il n'est pas difficile de deviner ce qui se cache derrière cette histoire.

J'ai fini par obtenir l'autorisation d'entrer dans la maison de messire Pietro. Ses jours ne sont plus en danger. Sept coups de poignard l'ont mis provisoirement hors d'état d'agir, mais pas hors d'état de parler, tant s'en faut. Il était couché, dans l'ombre des courtines, soutenu par une pile d'oreillers, la tête, la poitrine et les bras enveloppés de bandages. Son visage avait une couleur cendreuse. Sa barbe, qui n'était plus frisée, pendait en mèches noires, inégales, sur sa chemise maculée de sang séché.

Il parut heureux de me voir et m'invita à venir m'asseoir au pied du lit. Ses yeux étaient brillants de fièvre et d'excitation tandis qu'il me regardait avec une certaine insolence mêlée d'excuse.

« Hé, voici notre messire Giovanni. Comme vous le voyez, je suis encore en vie. Cette fois-ci, ils ont fait de leur mieux pour m'envoyer *ad patres*. Quelle déception pour Giberti et Berni que ce soit raté. Pire, bien pire qu'une déception, j'espère. Ils vont avoir quelques ennuis ! Monseigneur Schomberg, l'archevêque de Capoue, m'a promis qu'il n'aurait de cesse que les coupables soient châtiés. Dommage qu'il ne soit pas venu une demi-heure plus tôt. L'assassin était assis sur mon lit, là où vous êtes, pour prendre de mes nouvelles : Della Volta, le factotum de Berni. Dès que je fus revenu à moi après l'attentat, j'ai dit que c'était lui qu'ils devaient arrêter, je l'ai reconnu sur-le-champ, malgré la nuit noire, dans cette ruelle où ils m'ont attaqué. Mais comment vont les choses ? La prison est pleine d'individus qui ne sont au courant de rien et Della Volta vient sans être inquiété rendre visite à la victime. Et le comble, c'est que j'ai devant ma porte un garde du corps pour me protéger. Dites-moi donc comment c'est possible ! »

Je lui demandai quelle avait pu, selon lui, être la raison de cet attentat. Il voulut hausser les épaules, remarqua trop tard qu'il n'en était pas capable et grimaça de douleur.

« Doucement, messire, dis-je. Peut-être avez-vous communiqué au parti espagnol certains faits en rapport avec Girolamo Morone et le marquis de Pescara ?

– Comment pouvez-vous penser cela de moi, messire Giovanni ? Vous faites erreur. Il ne s'agit pas de politique, Dieu m'en garde ! Je suis amoureux de la fille de cuisine de Giberti et il n'est pas d'accord. » Il cligna de l'œil et éclata de rire. « Croyez-vous vraiment que Giberti admettra jamais ouvertement être impliqué dans une conspiration contre l'empereur ? Et cela au moment où cette conspiration semble être vouée à l'échec ? Écoutez ce que j'ai à vous dire et prenez-en de la graine. Pourquoi Morone et Pescara ont-ils tous deux quitté Rome ? Je sais de source sûre que Morone n'a toujours pas, noir sur blanc, l'accord de Pescara, même si, par son intermédiaire, le marquis a déjà reçu une belle poignée de ducats pontificaux. Ces messieurs ne sont pas fous. La liberté de l'Italie, ou la puissance de l'empereur, de beaux mots, de magnifiques idées, mais dans la pratique il n'y a rien au-dessus de la liberté *personnelle*, de la puissance *personnelle*. Ouvrez l'œil. Ces deux-là jouent un vilain jeu. Morone a l'argent, Pescara dispose d'une armée bien entraînée, et ensemble ils savent tout ce qui mérite d'être su dans le domaine des rapports intérieurs et extérieurs. D'ici peu, les plans du pape aussi bien que de l'empereur seront déjoués et nous aurons en Italie deux souverains : le roi Morone à Milan et le roi Pescara à Naples... »

Il me fit signe d'approcher. Lorsque je me penchai sur lui, dans ces émanations étouffantes de sueur et de médicaments, il me tira par la manche et murmura, courroucé :

« Si vous n'aviez pas été si têtu, messire, je ne serais peut-être pas ici. A présent, il est trop tard. Dommage, dommage ! Il n'y a plus de secret à vendre puisque peu à peu chacun sait tout de cette question, chacun en parle, chacun se met en quatre pour fournir des renseignements plus ou moins importants au parti opposé afin que, quel que soit le résultat, *ad votum*, comme on dit, il puisse en faire son profit. Nous aurions pu être les premiers, messire. Ce n'est pas pour rien que l'on dit : "Il faut battre le fer pendant qu'il est chaud." Tout compte fait, vos hésitations ont failli me coûter la vie. »

Je lui rappelai que, même sans ma collaboration, il savait

se procurer les renseignements qu'il voulait. N'avait-il pas espéré obtenir de la bouche de Tullia ce que je lui avais tu ? Il leva les sourcils en jouant la surprise. Mais son regard restait pénétrant et rusé.

« Ah, ah, cela aussi, vous le savez ? Mais alors, elle est encore plus amoureuse de vous que je ne pensais, messire. En tant qu'amant, vous devez avoir des qualités exceptionnelles. Si j'avais pu me douter... Je reconnais que je voulais vous damer le pion. A votre tour maintenant. Que savez-vous, vous-même, de cet attentat ? Ou bien ai-je fait erreur cette fois sur toute la ligne ? »

Je le rassurai, répondis qu'il n'avait aucune raison de me mettre dans le même panier que messire Della Volta.

« Je viens chercher les preuves que vous m'avez récemment promises. »

Visiblement, dans sa position horizontale forcée, il se sentait moins à l'aise que de coutume pour donner le change. Après un instant de réflexion, il finit par nommer les noms d'informateurs d'autrefois : un envoyé vénitien, un espion de Ferrare, un valet de chambre du maître de cérémonie du pape Alexandre, dont la plupart sont morts ou introuvables.

« Dieu du ciel, messire, c'est beaucoup d'embarras pour quelque chose d'aussi peu important qu'un couple de parents. Vous n'êtes pas né dans un chou, vous ne devez pas votre existence à un miracle céleste. Vous êtes vivant, que voulez-vous de plus ? Vous portez en tout cas un grand nom. Sur ce point, vous êtes en meilleure position que moi, puisque, faute de patronyme, je dois emprunter mon nom à ma ville de naissance, Arezzo. Croyez-vous que cela me dérange ? Ai-je moins de valeur pour autant ? J'ai déjà fait mon chemin, messire, et j'irai encore plus loin. Je leur montrerai qu'un homme, même sans toutes ces cérémonies, peut être l'égal, que dis-je ? le supérieur de rois et d'empereurs. Avec ma plume, je régnerai sur le monde. Retenez bien ceci, ils m'appelleront le "fléau des princes". Ils déposeront des trésors à mes pieds pour rester en bons termes avec moi. Comment y parviendrai-je ? C'est que je suis un homme libre, messire.

Je fais ce que je veux. Je dirai ce qui me plaît aussi longtemps que je vivrai. Je ne reconnais personne comme mon maître. Et en tout cas, vous ne me verrez jamais devenir l'esclave de chimères. Prenez exemple sur moi. Au diable le passé, songez à l'avenir, vous aurez de quoi faire ! »

Il m'observait, plissant les yeux d'un air inquisiteur. Je me demande ce qu'il lisait sur mon visage. Il s'échauffait en parlant. Appuyé sur ses oreillers, dessinant en l'air des motifs de sa main restée intacte, il donna un nouvel échantillon de son éloquence. Changeant de batteries, il brossa un tableau flatteur de la lignée Borgia, avec le même feu que naguère, lorsqu'il avait fait allusion aux scandales et aux forfaits de la famille. Ces Borgia avaient tous été des personnalités douées, fascinantes, calomniées par un monde envieux et borné qui n'est plus capable d'apprécier l'attachement à l'égard des proches et la fierté familiale. Le pape Alexandre ? Un diplomate de premier ordre. Évidemment, il avait un penchant exagéré pour les belles femmes, mais, que voulez-vous ? il était lui-même une figure imposante, dit-on, sauf dans les dernières années, où il était devenu trop gras. Grand, solide, le teint basané, d'un commerce des plus agréables, brillant orateur, un homme plein d'esprit et de tact, capable de plier tout un chacun à sa volonté. Il n'aurait jamais dû devenir pape, c'est tout. Les problèmes religieux ne l'intéressaient nullement, c'est à peine s'il connaissait la liturgie, et il oubliait sans cesse le protocole. Lors de cérémonies officielles, ses prélats avaient toutes les peines du monde à camoufler ses bévues. Se considérant avant tout comme un prince séculier, il était trop fier et trop indifférent pour observer même un semblant de dignité sacerdotale. Avouez-le, c'était tout à son honneur de montrer ainsi que dans ce domaine il refusait l'hypocrisie.

Lucrèce, poursuivit-il, était plus intelligente qu'on ne le prétend généralement. Savais-je qu'elle avait à deux reprises exercé les fonctions de vicaire lorsque son père était en voyage ? A Spolète, elle avait assuré la régence pendant deux mois d'une manière exemplaire. Sa dignité et la sagesse de son jugement étaient, depuis, devenues proverbiales. « Et à Ferrare elle est vénérée comme une sainte. Elle y a créé une fondation qui permet aux filles pauvres d'obtenir une dot afin de ne pas être condamnées à s'écarter du droit chemin pour vivre... "Il n'y a rien au-dessus du mariage", disait Lucrèce... En outre, elle dansait comme un ange, et savait s'habiller avec plus de goût que toutes les autres Italiennes réunies... On ne le lui pardonne pas facilement, messire... Les grandes dames qui redoutaient la concurrence n'ont pas peu contribuer à établir la mauvaise réputation de *madonna* Lucrèce. J'ai moi-même entendu la vieille marquise de Mantoue, la mère de mon seigneur et maître, comme vous le savez, dire des vilenies sur la défunte, qui ne pouvait se défendre. Que ces propos sortent de sa bouche est révélateur. Elle est la sœur du duc Alphonse de Ferrare, vous ne l'ignorez pas, je suppose... Je connais cette mégère tyrannique qui a toujours voulu être la première, la plus noble, la meilleure, la plus célèbre, la plus riche. *Prima donna d'Italia* : laissez-moi rire ! Protectrice des arts et des sciences ! Elle enferme dans une tour, au pain sec et à l'eau, les artistes qui ne répondent pas à ses exigences stupides. Elle saura leur apprendre ce que l'on attend d'eux. Ah, mais !... Ses idées font dresser les cheveux sur la tête d'un vrai artiste. Je pourrais en dire long... Mais de quoi parlais-je donc ? Ah, oui ! les Borgia, la branche espagnole greffée sur le tronc italien... Une famille remarquable, le monde n'a pas fini de s'en étonner, croyez-moi, messire... »

Il me décrivit César comme un homme qui méprisait les mœurs de la cour et l'amollissement général. Taciturne, parce qu'il avait en horreur les discours superflus et les conversations oiseuses, de préférence solitaire, parce qu'il ne pouvait supporter les flatteurs et les flagorneurs. Fort et adroit dans les courses de taureaux, un chasseur et un cavalier hors pair. En Romagne, les gens racontent encore comment, le soir, César venait souvent à pied, sans escorte, dans un quelconque village pour se mesurer à la lutte, sur la place, avec les paysans les plus forts.

« Cruel, froid, changeant, cela aussi bien sûr, messire. Un Espagnol pur sang. C'est dans leur nature, que voulez-vous ? Vous le savez bien. Le dernier des gueux se prend pour un hidalgo, a sa fierté, son honneur. Ils sont toujours prêts à tirer l'épée ou le poignard de son fourreau. Ils ont une susceptibilité à fleur de peau et se battent pour un rien comme des diables. A plus forte raison lorsqu'ils descendent d'une grande famille. Je considère pour ma part que les seigneurs Borgia ont pu connaître tant de gloire, ici dans ce pays, pour la simple raison qu'ils étaient étrangers. N'étant pas tenus par les liens du sang, ils n'avaient aucune obligation envers les familles italiennes, ni aucune querelle ancestrale à vider. Tous les Borgia formaient une unité fermée. Sans doute se sentaient-ils toujours menacés, haïs. Ils se sont battus de toutes leurs forces pour se maintenir. Quant à l'inceste... » Messire Pietro leva sa main gauche déployée en éventail en un geste dubitatif vers le ciel. « Y avait-il quelqu'un pour tenir la chandelle à ce moment-là, messire ? »

Non, personne n'était présent. Comme si c'était pour moi le point capital de l'affaire ! L'opinion du monde ne m'importe qu'en tant que moyen de trouver qui je suis. Ce que l'on pense et dit de moi me serait totalement égal si l'être que je suis n'était pas déchiré, si j'avais trouvé ma réalité intérieure. Ce qui empoisonne mon existence, c'est de savoir que je ne suis *pas* moi-même. Ceux qui m'ont engendré sont en moi plus forts que moi-même. Voilà pourquoi, uniquement pourquoi, je veux les connaître. Je veux savoir de quoi ils étaient coupables, car leur culpabilité continue à vivre en moi. Pourtant, je suivrai le conseil de messire Pietro et m'occuperai de l'avenir. Sans cette rumination du passé, j'aurais peut-être pu – avec ou sans lui – attirer sur moi l'attention d'hommes influents. C'est le premier pas à franchir. Si j'ai des appuis, je peux trouver des partisans. Qui peut compter sur des partisans ose avoir de hautes exigences. C'est à ce niveau que commence le jeu. Et je n'en suis pas encore là, il s'en faut de beaucoup.

Les Impériaux seraient au courant de ce que Morone a demandé à Pescara. Celui-ci a promis sa collaboration. Cela aussi, les Impériaux doivent le savoir. Et pourtant, ils le laissent s'en tirer impunément. Morone et ses comparses savent, de leur côté, que les Impériaux sont au courant de tout. Néanmoins, ils soutiennent financièrement Pescara. Dans cette affaire, qui est la dupe ? Cette situation inextricable ne peut signifier qu'une chose : chacun des deux partis espère que son représentant finira par faire baisser pavillon à l'adversaire. Dans l'intervalle, selon messire Pietro, Morone et Pescara formeraient secrètement ensemble une nouvelle communauté d'intérêts. Pourquoi pas ? Ce ne serait pas la première fois que messire Pietro sèmerait l'étonnement à Rome parce qu'il s'est avéré que ses prédictions osées se réalisaient.

Ici, à la cour et en ville, on assiste à une ridicule manœuvre de diversion. Apparemment, personne ne sait rien, mais chacun prétend tout savoir. En réalité, personne ne connaît la vérité sur ce qui se passe.

Nicolas Machiavel
et François Guichardin

Nicolas Machiavel à François Guichardin

De San Casciano, en grande alarme. *Vir illustrissime*, je vous salue. Que Morone ait été attiré dans un guet-apens et fait prisonnier par Pescara est une nouvelle qui n'a pas de quoi surprendre après les machinations et tripotages autour de cette affaire, ainsi que vos avertissements et prédictions. Au contraire, maintenant que Pescara a annexé Milan à l'Empire au nom de l'empereur et que Sforza est accusé de félonie, je me rends compte que tout cela a dû être comploté dès le début. Pescara a joué ce jeu avec Morone, le pape et l'Italie uniquement pour se rendre maître de Milan et destituer Sforza. Vous avez mesuré le danger dès les premiers instants, moi, en revanche, je me suis laissé aveugler. En Lombardie, les Espagnols sévissent maintenant comme le diable en personne.

De nouvelles troupes de lansquenets allemands franchissent sans cesse les Alpes dans l'intention de se regrouper sur les routes du Nord pour constituer une armée. Des réfugiés de Milan, de Crémone et d'autres villes rapportent de telles atrocités, commises par les Espagnols et les Allemands, qu'il n'est pas un mortel qui ne préférerait offrir l'hospitalité à Satan lui-même plutôt qu'à ces individus.

Pourquoi ne prend-on aucune mesure à Rome ? En ce moment même, à cette heure, il est encore temps d'agir. Pescara est à Novare, gravement malade, dit-on ; c'est maintenant que l'on devrait attaquer ces bandes éparpillées et désorganisées. Peu importe au nom de qui ou de quoi, pourvu que l'on agisse ! Nous avons besoin d'une armée et d'un chef, de tous les soldats que nous pouvons rassembler sous un commandement unique.

Pardonnez-moi, François, je ne peux garder cela pour moi. J'avais réussi à éveiller l'enthousiasme du pape pour le projet d'une milice populaire et vous lui avez déconseillé de l'adopter. Je sais fort bien que vous avez agi ainsi parce que vous estimiez que c'était votre devoir et non pas pour m'offenser. Pour cette seule raison, je vous pardonne. Vous servez le pape et n'entreprenez rien qui puisse lui nuire.

Dans une ligue, telle que vous vous la représentez, le pouvoir du Saint-Siège jouerait un rôle ; le plan que je propose n'a qu'un but : la liberté, l'unité de l'Italie, et selon moi, comme vous le savez, l'Église ne l'approuve pas. Vous compromettez un idéal pour soutenir ceux qui portent la tiare, vos maîtres, qui sont la cause de nos dissensions. Vous m'avez écrit que vous placiez l'honneur et la fidélité au-dessus de tout. Certes, il est fort louable que vous restiez loyal jusqu'au bout pour défendre une cause que vous avez faite vôtre. Mais cette cause, assurer l'autorité pontificale, est une *mauvaise* cause pour ceux qui veulent servir l'Italie : j'ose même prétendre qu'elle va à l'encontre de vos plus profondes convictions ; c'est pourquoi, au fond, vous n'êtes pas fidèle, pas un homme d'honneur ; vous manquez à l'honnêteté et à la loyauté envers vous-même, ce qui est à mes yeux impardonnable. Je vous suis très attaché, *signor* François, vous n'avez pas de meilleur ami que moi, mais j'aime ma patrie par-dessus tout.

Nuit après nuit, le même rêve me tourmente : je suis seul dans un immense champ plein de gerbes de blé. A perte de vue des gerbes, rien que des gerbes de céréales mûres, le pain d'une année entière. A l'horizon s'amoncellent des nuages plombés, l'orage porté par des bourrasques se rapproche, je vois arriver la tourmente qui anéantira la récolte, mais je suis impuissant, car un homme seul ne peut rentrer le grain.

A la fin de l'automne, San Casciano est un endroit mort. Le brouillard et la pluie bouchent la vue sur les collines. Je passe mes journées enfermé chez moi dans la demi-obscurité, respirant les effluves d'une soupe à l'oignon. Mon dernier-né est malade, il crie tout le jour, ma femme va et vient en le berçant. Dans la cuisine, les serviteurs se chamaillent, tandis que le vent s'acharne sur les volets. Il m'arrive de fuir le long de sentiers boueux et impraticables pour rejoindre l'une des filles du voisinage afin de faire autre chose que de ronger mon frein, ne serait-ce que pour quelques heures. Je remarque maintenant que je commence à vieillir. J'ai aussi des problèmes intestinaux et ne tiens debout qu'à l'aide de médicaments. Il me vient soudain à l'esprit que vous m'avez demandé une ordonnance. *Et tu amice ?* Seigneur ! mon cher François, nous sommes tous deux des bouffons.

Je me suis remis à écrire pour ne pas perdre la raison, pour décharger ma bile dans un acte d'accusation contre les princes et les prélats qui nous ont conduits où nous en sommes. Ainsi me voilà, vieux fou chenu qui n'a d'autre arme que la plume et le papier, d'autre rayon d'action que ce hameau perdu. Pourquoi suis-je revenu à San Casciano ? Parce que je me suis démis de la très honorable fonction de porte-parole de la guilde des tisserands (qui m'avait été offerte après mon retour de Rome). Un voyage à Venise pour rédiger un rapport de trois pages sur quelques marchands égarés, c'est une tâche qui n'est vraiment pas du ressort d'un historien et diplomate. J'avais en outre des difficultés à Florence avec mes deux fils aînés, l'un malade, l'autre confronté à des ennuis d'argent...

François Guichardin à Nicolas Machiavel

Cher ami, lorsque vous recevrez cette lettre, j'espère que vous serez de retour à Florence, loin de San Casciano, et que vous pourrez vous rendre utile dans un domaine plus conforme à vos capacités que les affaires de tisserands. J'aurais voulu

261

vous répondre plus tôt, mais, à l'heure actuelle, certaines choses ne souffrent pas d'être différées.

Je suis toujours à Rome. Après la mort de Pescara, le 2 décembre, bien des gens ont ici repris espoir. La régente du royaume de France soumet d'importantes propositions. Il s'agit maintenant de convaincre le pape de former une ligue, avant que Madrid libère le roi François à des conditions très défavorables pour nous. Ce serait faire preuve d'une folle audace que d'attaquer maintenant les Impériaux avec une armée hâtivement constituée de bourgeois et de paysans. Quoi qu'il en soit, je suis persuadé que nous devons nous y prendre autrement. Le filet que l'empereur resserre autour de l'Italie ne sera pas déchiré par un acte héroïque. Seules une préparation minutieuse, une patience et une persévérance infinies pourront peut-être nous permettre d'éviter le destin qui nous est réservé. Seule une ligue fortement appuyée par la France et Venise peut nous redonner la confiance nécessaire.

Ne vous laissez pas aveugler par les apparences. Les drapeaux espagnols et allemands en Lombardie ne sont peut-être pas très nombreux, mais les troupes se composent de guerriers expérimentés, endurcis, audacieux, qui ne craignent ni les privations ni les déboires, et ne reculent devant rien. Quant aux manœuvres diplomatiques de l'empereur, osez-vous encore prétendre, après l'affaire Pescara-Morone, que vous les percez à jour ? Pourquoi, après avoir arrêté Morone, prend-on des gants à son égard et le ménage-t-on de toutes les manières imaginables ? Il a été mis sous les verrous, mais est, dit-on, logé princièrement. Il reçoit régulièrement la visite des capitaines des armées impériales. Son argent, ses possessions n'ont pas été confisqués, sa famille n'est nullement inquiétée. Et personne ne se donne même la peine de tenir secret cet état de choses. Quelle raison Pescara a-t-il pu avoir de ne pas faire exécuter Morone ? Chacun sait aujourd'hui que, dans son testament, Pescara a glissé un mot en faveur de Morone auprès de l'empereur. Pescara a emporté avec lui dans la tombe l'explication de ces actes. Mais je crains que Morone, grâce à toutes ces ingénieuses manigances, ne soit bientôt l'un des conseillers les plus appréciés de Sa Majesté impériale.

L'amertume vous rend injuste, mon cher Nicolas. Vous m'accusez d'être déloyal envers moi-même. Croyez-vous que j'aie choisi cette voie par intérêt personnel ? Je sacrifie consciemment la satisfaction d'agir ouvertement en accord avec mes convictions les plus profondes, pour servir indirectement, en secret, le but que vous visez vous-même. Je n'aspire pas à la célébrité, mais je souhaite exercer une influence réelle, avoir mon mot à dire. Ce n'est pas l'apparence du pouvoir qui m'attire, mais le pouvoir effectif. Vous avez dit un jour que je tirais les ficelles du théâtre de marionnettes papal. Il n'est pas nécessaire que les spectateurs voient et connaissent l'homme qui tire les ficelles. Au demeurant, les honneurs ne m'intéressent pas. Je n'aime pas moins que vous ce que vous appelez la patrie. Sinon, où trouverais-je donc la patience et le courage de mener cette ronde exaspérante, ce triple saut, un pas en avant, un pas en arrière, pour atteindre le but que je me suis fixé : la ligue ?

J'ai réfléchi à ce rêve dont vous parlez. Le pire n'est pas que les gerbes soient perdues, mais que le peuple, chemin faisant, reste apathique sous cette pluie torrentielle, comme si tout allait bien. Ce qui ne va pas en Italie, ce sont les Italiens eux-mêmes. Contre ce mal, point de remède ! Espérons que vous ne serez plus tourmenté par ces cauchemars, maintenant que vous êtes de retour à Florence.

J'ai une requête personnelle à vous adresser. Voudriez-vous me faire l'honneur et le plaisir de servir de médiateur dans une affaire de famille ? Il s'agit d'une possibilité de mariage pour l'une de mes filles...

Nicolas Machiavel à François Guichardin

... Non, cette fois, je n'ai pas lieu de me plaindre. Je vous suis très redevable de votre intervention sur ce point. On m'a confié le soin d'étudier de quelle manière assurer la défense de Florence. Cela se ramène à la question de savoir dans quelle mesure les murs de la ville sont encore utilisables. Il se trouve que l'an dernier, lorsque j'étais à Rome, j'ai parlé de ce problème au pape. Sa Sainteté recommandait de prolonger les murs de telle sorte qu'ils contournent San Miniato, mais c'est là un plan absurde. Cette colline est un obstacle. Le mur serait trop long, donc trop faible, ou alors tout un quartier de la ville ne pourrait être protégé. Je vais soumettre le projet à un examen rigoureux. Dans mon rapport, j'espère démontrer que la meilleure solution consiste à fortifier les murs existants au moyen de nouvelles tours, de nouveaux forts et remparts. J'ai la tête si pleine de bastions que je ne peux plus penser à rien d'autre. Enfin une tâche directement utile.

Sans les murs de Florence, j'enragerais à longueur de journée. Je savais bien que cette idée de ligue avait peu de chances de réussir. Selon moi, elle ne pourra jamais se réaliser, maintenant que le roi de France a signé un compromis avec Madrid pour obtenir sa libération. Ce traité entre la France et l'Espagne signifie que la guerre est inévitable. Pourquoi ne constituons-nous pas une armée ? Pourquoi ne se passe-t-il rien ? Là-bas à Rome, attendez-vous donc un miracle ? Vous avez vu votre rêve d'une ligue partir en fumée. Vous devrez bien reconnaître que j'avais raison.

Je ne comprends pas votre politique d'attente. Assis à votre bureau, vous savez si noblement, si calmement formuler les choses. Lorsque je lis vos lettres si équilibrées, je me fais l'effet d'un écervelé. Je me demande alors où vous puisez cette sagesse. D'un savoir que je suis loin de posséder, ou d'un trait de caractère que je crois avoir constaté plus d'une fois, une sorte de mépris hautain envers ce qui se passe autour de vous, cette maudite *sprezzatura*, comme nous l'appelons ici, un dédain aristocratique pour les grands moyens ? C'est bien beau, Excellence, la résignation du philosophe devant le destin, parfait dans la vie privée. Mais aujourd'hui de grands événements sont en jeu.

Je vous enverrai un compte rendu des négociations que j'ai

menées en votre nom avec les parents du prétendant à la main de votre fille. Ils ont l'intention de vous saigner à blanc, en bons banquiers florentins qu'ils sont. Mes contre-propositions ne les intéressent pas, nous nous bornons à de courtoises querelles de mots. Permettez-moi de vous donner un bon conseil : si cette alliance vous tient vraiment à cœur, demandez au pape de vous accorder un prêt pour la dot. Vous êtes assuré qu'il ne vous le refusera pas...

François Guichardin à Nicolas Machiavel

... Un prêt, non, le pape ne le refusera pas, mais je n'envisage pas une seconde de lui adresser une telle requête. J'ai toujours été économe, qu'il s'agisse de mon argent ou de celui des autres. Dans le cas présent, je vais offrir ce que je peux me permettre et cela doit suffire. Si cela ne convient pas aux seigneurs de Milan, je renonce à cette affaire.

Vous êtes trop prompt à porter un jugement. Je n'ai pas vu le projet d'une ligue partir en fumée. Je considère le traité de Madrid comme une grave bévue politique de l'empereur. Il pose des conditions auxquelles la France ne voudra jamais satisfaire, ne serait-ce que par instinct de conservation. Le pape a promis d'avance au roi François de lui donner l'absolution au cas où il violerait le traité et déciderait de rejoindre la ligue. Vettori est déjà en route pour Fontainebleau, où doivent se poursuivre les négociations. Aussi, attendez encore un moment avant de parler d'échec.

Vous consacrez trop de vaines paroles à des suppositions regardant mon caractère, cher ami. Je suis un homme réaliste, sobre, scrupuleux, qui apprécie, je vous le concède, un certain décorum. Mais arrogance, mépris du monde, de ce lieu de calamités et d'impuissance humaine ? Non, certainement pas. Il se trouve simplement que je suis fait d'un autre bois que vous, cher Nicolas. A ma naissance, la Providence ne m'a pas accordé le don de spontanéité.

Le remède contre la constipation que vous m'avez envoyé

ne vaut rien. Je comprends pourquoi les médicaments ne vous apportent aucun soulagement si vous recourez à de telles recettes de bonne femme. Consultez un bon médecin, soignez-vous mieux.

François Guichardin à Nicolas Machiavel

Par estafette, afin que vous soyez le premier à Florence à l'apprendre. Nouvelles favorables de France. La ligue est une affaire faite. *Sis felix.*

Tullia d'Aragon

La mère et la fille sont toutes deux agenouillées dans l'une des chapelles de San Trifone, devant l'autel où est célébrée la messe. Cette fois, Giulia a rapproché son coussinet de celui de Tullia et les plis de sa robe frôlent l'ample manteau de sa fille. Les yeux de Tullia sont rivés sur les cierges de l'autel. Pas un regard, pas un geste ne laissent supposer qu'elle est consciente de la présence de sa mère qui, tenant un éventail d'une main et un rosaire de l'autre, ne cesse d'entremêler les répons formulés à haute voix de chuchotements : « Lorenzo, cet imbécile, n'a pas écouté ce que je lui avais pourtant dit expressément : derrière la châsse de San Cosmo, sur la mosaïque du Massacre des Innocents. Nous voilà maintenant agenouillés sur celle de l'Adoration des Mages, en plein dans le courant d'air – amen –, je vais encore avoir une crise de goutte et toi le torticolis, enroule ton voile autour de ton cou, Dieu veuille qu'il ne pleuve plus quand nous sortirons, toute cette boue me rend malade, regarde, Pantasilia porte une étole d'hermine, je compte au moins cinq ou six douzaines de queues, demain, elles porteront toutes ici une fourrure, retiens ce que je te dis – amen –, rappelle une fois de plus à Strozzi la promesse qu'il t'a faite de nous donner des peaux de martres, si nous ne les faisons pas préparer dès maintenant elles ne nous serviront à rien cet hiver, tu choisiras une dou-blure rouge et moi une noire, demande en même temps des agrafes et des fermoirs assortis, il n'en a pas parlé, mais je ne veux pas des cordons et des tresses ordinaires, ce doit être princier si nous ne voulons pas qu'on nous crie dans le dos que tu as fait ton temps, c'est comme ça, nous, autrefois, nous n'avions rien à craindre, cela vient de tes caprices ridicules, parle de cette fourrure à Strozzi, il ne peut rien te refuser. – *Amen*. – Tiens, messire Petrucci est revenu, il est encore pâle autour du nez, mais sans doute que sa cure lui a fait du bien ; dis donc, Tullia, j'ai entendu dire que les Français appellent *il mal francese* le mal de Naples, tu te rends compte ! Voilà que maintenant c'est la faute de l'Italie. – *Amen*. – Ce matin, une fois de plus, tu n'as pas goûté à la pâte d'amandes, elle est pourtant délicieuse, avec des noix indiennes, des pépins de melon, de l'essence de rose, fais attention de ne pas trop maigrir, cet affreux bâtard de laquais ne vaut pas la peine que tu te laisses dépérir d'amour, regarde donc Imperia, là devant toi, quelles épaules, quels bras, pleins, blancs, elle au moins se donne du mal pour obtenir cet effet, tu peux me croire, elle se vante que tous tes amants t'ont délaissée pour elle – *amen* –, tu n'as plus que la peau sur les os, tu sais bien que cela déplaît à messire Strozzi… Mon Dieu, mon Dieu, je voudrais que nous n'ayons jamais vu ce maudit Borgia, ça nous aurait épargné bien des misères. »

Après la première visite de Giovanni, Giulia avait tout fait pour convaincre sa fille qu'elle compromettait sa carrière en se lançant dans une aventure galante avec un va-nu-pieds. Mais elle eut beau hurler et trépigner rageusement, rien n'y fit. Elle changea de batteries, accabla Tullia de reproches en un flot de paroles, d'admonestations et de gémissements, fit appel à son bon sens, à l'amour filial qu'elle devait tout de même éprouver. En désespoir de cause, elle énuméra tout ce que sa fille avait atteint jusque-là : succès et célébrité, sans parler des biens plus tangibles, la maison, l'ameublement coûteux, l'or et l'argent, les œuvres d'art, les bijoux, les parfums et les vêtements de brocart et de soie. Elle dépeignit dans les tons les plus sombres le sort d'une courtisane vieillissante, condamnée à mourir comme un chien dans la misère, parmi les ordures. Mais cette tirade, cette passion, Tullia les accueillit en silence, avec un haussement d'épaules.

Quelques jours plus tard, ce Borgia réapparut, et dès cet instant il devint un hôte régulier, jusqu'à ce que... Ah, songer qu'elle, Giulia, devait fuir cet intrus dans sa propre maison ; dès qu'elle entendait ses pas, elle se cachait pour ne pas le voir, ne pas avoir à le saluer. Jamais, comme elle le faisait avec les autres visiteurs de Tullia, elle n'apportait personnellement le vin et les pâtés dans la chambre à coucher, riant, plaisantant, se montrant à la fois autoritaire et servile, arrangeant un pli de la chemise de Tullia, une mèche sur son épaule nue, comme si sa fille était un objet dont on vante les qualités et que l'on offre à l'approbation d'un acheteur.

Lorsque la porte de la chambre de Tullia se refermait sur elle et messire Giovanni, Giulia, remâchant ses griefs et pleine de rancœur, se retirait seule dans les salons d'apparat où étaient entassés les trésors qui, à ses yeux, donnaient un sens à la vie. Avec l'air orgueilleux du propriétaire, elle secouait les coussins, disposait des bocaux et des plats sur la crédence, déplaçait des tabourets et des crachoirs, parmi lesquels l'un des plus récents, élégant, décoré d'angelots en or, que lui avait offert Strozzi. Ce faisant, elle tendait l'oreille dans l'espoir de saisir un bruit venant de la chambre fermée.

Chaque fois qu'elle entendait quelque chose, elle crachait en direction de la porte par laquelle ce Borgia était entré. Elle se creusait la tête pour découvrir les raisons de l'aversion et de la haine qu'elle éprouvait pour ce jeune homme. Borgia, Borgia : il portait bien ce nom, mais qu'est-ce que cela signifiait maintenant ? Les bâtards de familles aristocratiques sont généralement capables de dire les noms de leurs père et mère ou, en tout cas, de l'un d'eux ; ce n'est un secret pour personne que messire Giovanni est en plein brouillard. Giulia éprouve le sentiment désagréable qu'elle pourrait se souvenir de quelque chose... Mais elle a beau fouiller dans sa mémoire, elle ne trouve pas.

Elle avait erré ainsi chaque jour dans sa maison pendant les mois d'octobre et de novembre à l'heure de la sieste, agitée et acariâtre, donnant un coup de pied au chat qui marchait devant elle, maudissant les perroquets somnolant dans leur cage, et la froideur de l'automne dans les appartements. Enfin, n'y tenant plus, elle descendait dans les étages inférieurs sous prétexte de réprimander les deux vieilles femmes à propos d'une quelconque négligence, mais en réalité pour se chauffer au bon feu de la cuisine. Elle restait là, assise parmi les casseroles et les pots, sous les tresses d'ail et d'oignons et les herbes séchées suspendues au plafond bas, voûté, remâchant son amertume et sa hargne, se frottant les avant-bras dans les plis protecteurs de son châle...

« On voit très bien que cette Imperia mêle de faux cheveux à sa coiffure, c'est une tout autre teinte, elle donnerait dix ans de sa vie pour avoir une toison épaisse comme la tienne. C'est d'autant plus dommage et scandaleux que tu négliges ta chevelure ; oh, cette saleté que tu utilises pour te laver la tête, Dieu du ciel, je pourrais hurler de chagrin en voyant cette tignasse brune, rêche comme une queue de cheval, et toi, qui avais la plus belle chevelure d'or de toute la ville de Rome, pourquoi donc as-tu fait cela ? Qui plus est, après le si beau poème que monseigneur Bembo a écrit, voyons, comment était-ce ? Ah oui ! "comme les boucles qui jadis enfermaient mon âme et mes sens dans un réseau d'or poli", n'est-ce pas merveilleusement dit ? Entendre de telles paroles sortir de la bouche d'un grand homme et savoir qu'il te compare à feu *madonna* Lucrèce, qui fut sa maîtresse – *amen* –, maintenant c'est toi qui aurais pu l'être à ton tour, si tu n'avais pas grossièrement offensé monseigneur en lui retournant son cadeau, un joyau si rare, un merveilleux pendentif, ce dauphin en émeraude, comment as-tu pu faire une telle bêtise ? Le cardinal était fou d'amour pour toi, c'était notre chance, notre meilleure chance, Tullia, mais non, tu préfères écouter les insinuations jalouses de ce bon à rien, venu à toi neuf fois sur dix les mains vides, et, comme si ce n'était pas suffisant, tu te fais couper les cheveux et tu les rinces avec une quelconque lotion, sans m'avoir demandé mon avis, une saleté, une huile de noix infecte, et maintenant, bonté divine, tu ressembles à la première paysanne ou vagabonde venue. – *Amen, amen.* – Si seulement je connais-

sais quelqu'un à Rome qui puisse avoir de l'influence sur toi,
je ne suis que ta mère, tu oses faire fi de mes conseils maintenant que tu t'imagines en savoir plus que moi, enfin, c'est
toujours la même histoire ; et dire que je ne songe qu'à tes
intérêts, la gloire, la puissance, la richesse pour ma Tullia ; je
veux que tu deviennes la reine de Rome, comme je l'étais
dans ma prime jeunesse, je ne recule devant rien pour y parvenir, j'aplanis la voie du succès pour toi, je te fais profiter
de ma riche expérience, écoute-moi, mon enfant, cesse donc
de te comporter comme une statue de pierre, tu me brises
le cœur et celui de messire Strozzi. Oh ! il ne vient pas se
plaindre auprès de moi, mais je le vois bien, je le remarque ;
comme moi, il ne sait plus à quel saint se vouer, si tu ne fais
pas attention tu risques de perdre le dernier ami fidèle, d'être
abandonnée par lui au profit de Pantasilea, d'Antonella ou
de Maddalena, comme ont fait les autres... Pour le moment,
il continue à se montrer courtois et à te couvrir de cadeaux
pour t'amadouer, mais si tu continues il ira chercher son plaisir chez celles qui le lui offrent plus spontanément. Remercie
le ciel à genoux d'avoir un tel protecteur, rares sont les filles
qui peuvent se permettre ce que tu t'es permis les derniers
temps, et n'oublie pas non plus tes obligations, tu as bien des
choses à te faire pardonner envers Strozzi, il ne sait même
pas que tu as communiqué tous ses secrets personnels et
d'État à messire Pietro. Ah ! que le diable l'emporte, ce fin
matois, qui nous a mis ce Borgia sur le dos intentionnellement ; je me suis laissé éblouir par ses beaux discours et sa
serviabilité, ses frasques et ses plaisanteries ; *dio !* il savait ce
qu'il faisait, il voulait nous mettre dans sa poche, nous manipuler, il a mangé et bu chez nous, nous avons lavé et ravaudé
ses vêtements, nous lui avons prêté de l'argent et l'avons
laissé se pavaner dans la maison comme s'il était le maître,
nous lui avons tout dit, tout, nous avons cuisiné nos hôtes
les plus éminents, fouillé dans leurs poches et soudoyé leurs
serviteurs uniquement pour plaire à ce fourbe, et comment
nous remercie-t-il ? Il ruine ta carrière en te faisant tomber
amoureuse de son maudit ami... »

271

Dans sa fureur et son amertume, Giulia a beaucoup songé à messire Pietro depuis qu'il a mis la clé sous la porte pour se rendre à Mantoue ou à Venise, personne ne sait exactement où. Qu'il craigne pour sa vie, cela n'a rien d'étonnant, c'est le prix que doit payer celui qui se livre à des manœuvres douteuses. Elle n'a jamais mis le nez dans ses affaires, bien qu'elle ait cru à une sorte d'alliance tacite. Ne rien demander, ne rien expliquer, mais nous nous comprenons. Je sers tes intérêts, tu sers les miens. Elle s'est sentie très à l'aise dans cette situation ; avoir toujours à portée de la main, dans son propre milieu, une personne avec qui l'on se comprend à demi-mot. Si quelque chose, dans son comportement ou ses remarques, ne correspondait pas à l'image de conseiller omniscient et habile, d'ami divertissant de la famille qu'elle avait de lui, elle se contentait de hausser les épaules.

En y réfléchissant, elle éprouve le sentiment désagréable que leurs rapports ne servaient aucunement une réciprocité d'intérêts, qu'il ne s'agissait pas d'une connivence, mais que messire Pietro s'est moqué d'elle. Giulia, qui pourtant connaît comme personne son petit monde, le royaume des alcôves, des artifices de l'amour, des philtres et des secrets de beauté, ou des voies détournées ou directes de la passion physique, elle qui, sans l'ombre d'un doute, l'avait classé sous la rubrique « vieux roué qui a réponse à tout », découvre en un éclair que les recoins obscurs de son caractère ont échappé à son attention. Quantité de souvenirs lui reviennent à l'esprit : son air extatique lorsqu'il tâtait les satins et les velours, les dentelles et les rubans, les laissant retomber en plis sur son bras ; comment il étudiait sur son propre corps, devant la psyché, l'effet des bijoux et des jeux de couleurs, prétendant s'amuser – mais le temps qu'il y consacrait démentait ses dires ; sa curiosité pour les choses que même une courtisane discute rarement devant un homme ; l'attention secrète, languide, qu'il portait à Tullia lorsqu'elle marchait, s'arrêtait, se baignait, s'habillait ; son empressement à tourner autour d'elle, à être près d'elle, la caressant et humant son parfum sans une trace de désir, mais plutôt comme s'il voulait entrer dans sa peau, devenir lui-même Tullia... avec souvent dans les yeux cet éclat soudain, plein d'une avidité morbide et d'une jalousie manifeste.

Giulia, qui en a maintenant tiré ses conclusions, aspire bruyamment dans une réaction de profond mépris : un homme qui envie les femmes pour la seule chose qui lui soit inaccessible, le sexe, s'identifie irrévocablement à ses yeux avec la canaille équivoque à laquelle elle s'estime bien supérieure, ne serait-ce que professionnellement.

Pour une femme comme Giulia, ce seul aspect ne suffirait pas à susciter la haine. En revanche, que messire Pietro ait introduit Giovanni Borgia chez elle est à ses yeux un signe manifeste de sa malice et de son esprit vindicatif longtemps camouflés. Elle ne peut réagir que par la haine à cette tentative détournée de miner son succès et sa joie de vivre. C'est l'esprit du mal qui soustrait Tullia à l'influence de sa mère par l'intermédiaire de Giovanni Borgia. C'est à lui qu'elle attribue l'indocilité de sa fille et les incidents qui ont chassé l'un après l'autre les hôtes de sa maison. Dans sa tête, messire Pietro et ce Borgia sont peu à peu devenus des manifestations du même être hostile. Messire Pietro est hors de portée, mais, s'attaquant à Giovanni Borgia, elle espère l'atteindre lui aussi.

Il lui a fallu bien du temps avant d'avoir cette inspiration, cet instant béni, qui lui a permis de donner libre cours à sa rage contenue en trouvant les mots qui ont fait fuir ce Borgia. Il est parti (« Dieu veuille que ce soit pour toujours – *amen, amen* », prie Giulia en un éclair lorsqu'elle y songe, en adressant un regard suppliant à l'autel couvert de cierges et de fleurs de cire), mais cela suffit-il à régler les comptes ?

Giulia sait encore exactement lors de quelle soirée la vie qu'elle avait échafaudée pour elle-même et Tullia a commencé à s'effondrer progressivement. Auparavant, la rébellion de Tullia s'était manifestée sous la forme d'un silence têtu et d'un regard froid, plein d'aversion. Ses après-midi étaient consacrés à ce Borgia mais, le soir, elle recevait comme autrefois les seigneurs qui avaient négocié à l'avance une visite avec Giulia. Néanmoins, celle-ci flairait le danger. Elle se vantait à juste titre d'avoir toujours découvert ce qui devait rester caché. Une question par-ci, une question par-là, et elle avait aussitôt appris que parmi les amants un bruit courait : tenir Tullia dans ses bras, c'était étreindre une morte vivante.

Giulia tenta alors par un stratagème de conjurer le mécontentement qui menaçait : « Ma fille est une poétesse, sensible et tendue, messieurs ; se pourrait-il que l'un d'entre vous lui ait donné des raisons de croire que son tempérament était considéré comme de l'impudeur, son talent de courtisane comme un manque de vertu ? » Aussitôt les plus fidèles visiteurs de la maison du Campo Marzio rédigèrent un manifeste, tout en consommant beaucoup de vin : Tullia était la femme la plus vertueuse du monde et quiconque osait mettre ce fait en doute était invité à croiser le fer sur l'heure avec Orsini, Rinuccini, Urbino, ou Mattei, des noms aux sonorités purement romaines. Ce document fut ensuite lu d'une voix vibrante à Tullia, et deux ou trois futurs champions de son honneur la soulevèrent et, malgré sa résistance, la placèrent sur leurs épaules comme sur un trône. La plaisanterie tourna à l'aigre lorsque Strozzi – qui avait fait irruption pendant la cérémonie –, blanc de rage, arracha le papier des mains du lecteur et le déchira en mille morceaux. Cet incident et la bagarre qui s'ensuivit réduisirent considérablement le nombre des visiteurs de la maison du Campo Marzio. Un second événement plus grave entraîna le silence si redouté dans les salons de réception.

Lorsque, un soir, monseigneur Bembo, masqué et en civil, accompagné d'une petite suite de fidèles, fit son apparition sans être annoncé pour, dit-il, baiser la main de la femme la plus célèbre de Rome, Giulia crut que le ciel s'ouvrait. L'ami des princes et des papes, un homme du monde, grand savant et poète, riche et puissant, peut-être destiné à la plus haute dignité ; qui peut dire quelle gloire inespérée attend encore Tullia ? Le cardinal grisonnant, à la svelte silhouette fringante, dépassant les autres d'une tête, passe pour être un connaisseur de femmes, délicat et raffiné ! Un homme comme lui ne fréquente pas sans raison la maison d'une jeune courtisane. Avant même que le premier gobelet de vin ait été vidé, Giulia a déjà tout réglé en pensée, même Strozzi devra s'incliner, monseigneur a la préséance... Tullia ne peut que se sentir flattée ! N'a-t-elle pas appris à lire à l'aide du célèbre dialogue de Bembo sur l'amour, *Les Azolains* ? N'est-ce pas sous l'influence de cette lecture qu'elle est devenue poétesse ? N'a-t-elle pas défendu ardemment, sans relâche, les œuvres du prélat contre messire Pietro, qui osait qualifier Bembo d'« imbécile pédant », de « bigot larmoyant », « profanateur de la langue » ? Giulia a incité sa fille à réciter des poèmes ; elle-même, à l'arrière-plan, a été témoin des hochements de tête bienveillants de monseigneur. Elle a supplié tous les saints de faire que les aspirations de Tullia à devenir une célébrité dans le monde des lettres soient plus fortes que sa passion pour ce Borgia. Que peut-elle désirer de plus que les éloges et les encouragements de Bembo en personne ? Sa réputation serait faite. Lorsque, plus tard, monseigneur à son tour déclame en termes choisis un poème improvisé sur les cheveux d'or rouge de Tullia, Giulia éprouve un sentiment de triomphe, une griserie qui lui monte à la tête.

Pourquoi donc fallait-il que ce Borgia vînt voir Tullia le lendemain, au moment où le More de Bembo venait lui apporter un présent, de la part de monseigneur, en remerciement de ce premier entretien si agréable ? Un pendentif, un dauphin d'émeraude, jaillissant d'une vague de perles. Lui, Borgia, a arraché ce joyau de son cou, l'a appelé un « bijou de catin », et la chevelure d'or de Tullia, des « cheveux de catin ». Tullia, pâle et affolée, l'a suivi jusqu'au *cortile* : « Si tu me le demandes, je jetterai ce dauphin aux pieds de monseigneur, même s'il me fait mettre nue à la rue par ses sbires, mais ne t'en va pas, reste auprès de moi, Giovanni, je t'en supplie. »

Elle a tenu parole et, malgré les menaces et les lamentations de Giulia (« une villa, une rente princière perdues par ta bêtise et ton obstination »), elle a rendu le même soir le bijou à monseigneur, qui ensuite est parti sur-le-champ en plaisantant d'un air apparemment désinvolte, mais avec un visage marmoréen. Elle a soudoyé l'une des vieilles femmes du sous-sol pour qu'elle lui rapporte une lotion qui rendra à ses cheveux leur couleur initiale. Le lendemain, des sbires sont venus sur l'ordre des hautes autorités interdire temporairement à Giulia Ferrarese et à sa fille de recevoir des hôtes.

Retenant son souffle, Giulia écoute chaque jour à la porte de Tullia pour tenter de saisir des bribes de conversations à voix basse, et de deviner où en était la situation. Que veulent-ils ces deux-là, que vont-ils faire ? C'est à croire qu'ils savent qu'elle les écoute ; car elle entend rarement ce qui se dit, et, si elle l'entend, elle n'en saisit pas le sens. Une fois, elle distingue clairement les paroles de Tullia : « Je ferai tout ce que tu voudras ; ne l'ai-je pas prouvé ? Je veux m'en aller d'ici, je veux t'accompagner, peu m'importe où tu iras. Aujourd'hui, demain, tu n'as qu'un mot à dire. »

Une terreur folle s'empare de Giulia. Tullia va s'enfuir, elle emportera l'argent et les bijoux pour avoir de quoi vivre avec son Borgia. Elle, Giulia, peut bien crever. Elle en est sûre. Tullia ne tolérera pas sa présence auprès d'elle, plus jamais. Et alors ? Mon Dieu, les choses qu'elle a vues et entendues quand elle était une jeune femme, avant ses jours de gloire, errant à travers Rome, seule, sans protection : des créatures qui sortent en tapinois de leurs cachettes obscures comme des animaux craignant la lumière ; sous les loques et lambeaux, une corruption repoussante ; accroupis dans l'ombre des portiques et des portails, réclamant une aumône ; fouillant les poubelles en quête de nourriture ; mendiant le long des cabarets et des bordels dans l'espoir de pouvoir attendrir un ivrogne. Épouvantails, la peau sur les os, couverts de plaies et d'ulcères, seins pendants, bouches édentées, qui continuent à errer désespérément dans le quartier des maisons closes, accostant des filles de joie : « Prends-moi à ton service, mon cœur, je veux être ton *ruffian*, je connais des remèdes contre le *mal francese*, des bains qui te rendront ta virginité, je sais lire dans la main, je sais ci, je sais ça, je te dirai tout ce que tu voudras pour une assiettée de nourriture, et un matelas où dormir...»

Combien de fois n'a-t-elle pas elle-même jadis, en frissonnant et criant des imprécations, arraché son vêtement des mains d'une telle créature qui glapissait haineusement dans son dos : «J'ai le mauvais œil, tu pourriras, sale garce, tu seras pendue, brûlée!»? Impitoyable, Tullia la condamnera à suivre ce chemin qui conduit aux quartiers misérables du ponte Sisto, aux bouges et aux grottes entre les ruines antiques, à la prison pour prostituées de la Torre Savella, et finalement au lazaret et au charnier.

Giulia ne trouve plus le sommeil, la nourriture lui reste dans la gorge. Le silence a pris possession de la maison, une fine couche de poussière couvre les meubles et les tapis de la salle de réception. Dans la cuisine, les vieilles femmes chuchotent au coin du feu ; dès que Giulia entre, elles se taisent et fourgonnent dans la cendre. Des bourrasques de pluie cinglent les pavés du *cortile*. Le soir seulement retentissent encore des rires et des chants dans la partie de la maison occupée par Vascha et Speranza. Le jour, les cris confus des enfants montent de l'école. Sans ces signes de vie, Giulia perdrait la raison. Il faut qu'elle bouge, qu'elle parle, parle... Jusqu'ici, elle avait évité tout contact avec les autres habitants du quartier, parce qu'elle connaissait la valeur d'une attitude hautaine. A présent, elle donnerait cher pour pouvoir bavarder à cœur ouvert avec les voisines et les vendeurs du marché. Finies, les soirées de réception, il n'y a plus rien à régler, rien à préparer. A longueur de journée, rien d'autre à faire que de se pelotonner près du feu, de ruminer sur la catastrophe imminente, et d'épier Tullia, qui va son chemin, calme et fière, donne des ordres aux vieilles, au page Lorenzo et au garçon d'écurie, fait préparer les repas pour elle et ce Borgia et, par temps sec, la litière et les mulets pour une promenade à travers les rues de la ville. Aucun des anciens amants ne donne plus signe de vie. Seul, Strozzi envoie parfois un messager pour demander s'il y a encore quelque espoir. Tullia

277

ne répond pas et Giulia, impuissante, sanglote et tempête. Dans le silence nocturne, une nouvelle idée lui vient à l'esprit : Tullia est ensorcelée. Les Borgia n'étaient-ils pas passés maîtres en l'art d'imposer leur volonté à chaque femme, de liquider n'importe quel ennemi ? Le duc avait jadis au Vatican un cabinet abritant une collection de vieux os, d'animaux extraordinaires, d'embryons conservés dans l'alcool, de plantes carnivores et autres bizarreries.

Giulia se tourne et se retourne, sans pouvoir trouver le sommeil. Ceux qui avaient trop entendu et trop vu de choses n'étaient plus invités aux fêtes pontificales. Giulia Ferrarese, courtisane débutante, en a toujours tenu compte. Aussi, jamais rien d'autre que des louanges sur les Borgia et leur cour ne s'était échappé de ses lèvres. Mais si elle voulait... Ils l'ont aussi offensée. *Il Duca* savait, avec un art consommé, ridiculiser les courtisanes en public. Un jour, lors d'un jeu de société, elle avait eu quelque raison de supposer que c'était lui qui, dans le noir... Lorsque les chandeliers furent apportés, il était dans un autre coin, riant à gorge déployée, et à côté d'elle Giulia avait trouvé le laquais, ce Perotto Caldès, le valet espagnol favori du pape. Pour la première fois depuis des années, elle tente de se rappeler son visage, elle se souvient qu'il alliait l'impudence de messire Pietro et le côté obscur, insaisissable, irritant, de Giovanni Borgia. Ce laquais....

Ce que Giulia ne saura jamais, c'est que, malgré les visites quotidiennes de Giovanni Borgia, c'était un étranger que Tullia recevait ; le bref instant d'intimité après les jeux de l'amour, lorsqu'ils se reposaient sans rien dire, n'a jamais créé un rapprochement suffisant pour durer jusqu'à la rencontre suivante. Elle ne lui pose pas de questions. Peu lui importe qu'il ne soit pas loquace. Elle a trop souvent dû parler avec ses amants. Elle pèle des fruits pour lui, joue du luth, nourrit les oiseaux de la volière, jette des bûches dans la cheminée. Elle comprend que sa capacité de garder ses distances est justement ce qui l'attache à elle. Elle aimerait

bien sûr savoir qui il a aimé, qui il a détesté et pourquoi.
Mais elle n'ose aborder ces sujets. Elle a fait un jour un premier pas hésitant, en avouant qu'elle éprouvait de l'aversion
pour sa mère. Tout en parlant, elle a lu dans ses yeux qu'il la
comprenait très bien. Il sait donc ce que signifie cette haine
pour la chair de sa chair. Il n'aime pas non plus que l'on
parle de sa famille. Ils partagent ce trait de caractère et aussi
la tendance à se méfier de la griserie des mots qui jaillissent
trop spontanément des lèvres.

Les seules règles de l'amour que connaisse Tullia sont
celles que sa mère lui a apprises. Mais, cette fois, elles sont
inapplicables. Elle se donne sans restrictions. Elle a oublié
la vie qui est derrière elle. Que sa mère sanglote et fulmine
ne la touche pas. Qu'importe si les hommes qui craignent
de perdre les faveurs de monseigneur Bembo en fréquentant
la maison où il a été insulté n'assistent plus à ses soirées.
Elle n'a que faire des lettres et des messages de Strozzi. Il
s'est toujours montré bon avec elle, mais elle l'a payé avec
son corps. Pourquoi aurait-elle pitié de lui ? Seul compte
pour elle Giovanni Borgia, lui qui vient sans témoignages
d'amour, s'en va sans la remercier, qui ne cherche pas en
premier lieu la jouissance dans ses bras, lui dont l'être et les
intentions restent pour elle un mystère. Elle est patiente, elle
peut attendre. Pour l'instant, ces énigmatiques rencontres, sa
présence qui l'a libérée lui suffisent.

Elle remarque que la tension accumulée chez sa mère frise
l'hystérie. Mais que peut-on y faire ? Le bonheur de Tullia
et celui de Giulia sont inconciliables.

Un après-midi, tandis qu'elle sort de sa chambre avec
Giovanni, Giulia surgit d'une cachette où elle a attendu cet
instant. Elle le menace, d'une main dont les doigts sont
recourbés comme des griffes, en l'accablant d'injures.

« Viens, dit Tullia, ne t'occupe pas d'elle. Elle ne peut
digérer que l'argent ne rentre plus comme avant. Elle m'a
vendue nuit et jour, n'a jamais exigé moins qu'une petite
fortune pour chaque enlacement – tu peux deviner quelle
perte cela signifie depuis que je t'aime. »

Giulia s'accroche aux jupes de sa fille en sanglotant, lui enserre les genoux, veut lui barrer le passage :

« Toi, toi, tu ne sais pas ce que tu fais, tu appelles ça de l'amour, il t'a envoûtée, tu es en son pouvoir, il fait de toi ce qu'il veut, ce démon, sa place est dans le Tibre avec une pierre au cou, tout comme son père. »

Giovanni a écouté en silence, impassible, ce torrent d'injures. Mais Tullia voit son visage se décomposer, ses traits se relâcher lorsqu'il entend ces derniers mots. Giulia tire aussitôt parti de ce signe de faiblesse qu'elle a décelé. Elle ne pleure plus, ne s'agenouille plus, elle peut maintenant, les poings sur les hanches, donner la réplique à son ennemi.

« Nie-le si tu l'oses, bâtard d'un laquais, même si ta mère était une grande dame avec les prétentions d'une princesse, cette femme à qui le pape Alexandre tenait comme à la prunelle de ses yeux, qui était sa Lucrèce de porcelaine, dont aucun homme au monde n'était digne... »

Giovanni repousse brutalement la main que Tullia a posée sur sa manche.

« Donnez-moi la preuve de ce que vous dites.

– C'est ça, ne te gêne pas ; tu entortilles Tullia d'Aragon, qui ne reçoit que la noblesse, les puissants hommes d'affaires, la pourpre, tu fais comme si tu valais mieux que tous ces seigneurs, tu t'imagines qu'à Rome personne ne se souvient plus que *madonna* Lucrèce a dû se cacher pendant des mois pour qu'on ne sache pas comment Pedro Caldès avait berné les Borgia. Je peux le prouver s'il le faut ; avant de rencontrer le cardinal d'Aragon, n'ai-je pas vécu dans la maison d'une femme qui avait vendu à prix d'or son assistance lors d'un accouchement dans la demeure de *monna* Vannozza ? Je pourrais aussi donner les noms de gens qui étaient présents quand Perotto a été repêché dans le Tibre pieds et poings liés, en même temps qu'une suivante de la chaste Lucrèce. Ces deux-là ne sont pas tombés dans l'eau par accident, tu peux me croire... Aujourd'hui, je ne suis plus obligée de me taire ; ils ont disparu, les assassins chargés par *il Duca* de liquider tous ceux qui osaient dire du mal de sa sœur. »

Tullia ne comprend pas pourquoi Giovanni continue à fixer ce visage haineux, grimaçant, qui lui fait face, pourquoi il n'endigue pas, au besoin par la violence, ce flot de paroles de Giulia. Ce qui se passe là devant elle la remplit d'un étonnement sans limites. Il écoute Giulia avec une attention qu'elle-même, Tullia, n'a jamais pu éveiller en lui, quoi qu'elle dise ou fasse. Il ne semble pas se soucier des propos outrageants, pleins d'une joie maligne, de Giulia. Il la guide vers un siège, s'assied même en face d'elle. Penché vers elle, les poings serrés entre ses genoux, il pose des questions et Giulia, dégrisée par ce calme, lui répond. Lorsque soudain il se lève, Tullia fait un pas dans sa direction, mais il passe à côté d'elle sans la voir et franchit la porte, comme si quelqu'un l'attendait dehors.

Une semaine plus tard, Giulia fait prévenir Strozzi. « Il est parti, elle ne mange pas, ne dort pas, n'ouvre pas la bouche, venez, je vous en prie, Excellence, *per misericordia.* » Que peut faire Strozzi ? Tullia n'accorde pas un regard aux présents qu'il lui apporte, elle ne touche pas aux gourmandises, repousse ses caresses. Elle se tient devant la fenêtre, d'où elle peut voir la *piazza*. Cent fois, elle se penche dans l'entrée, par-dessus la rampe, écoute les bruits de la cour. Elle fait les cent pas, désemparée. Quand Giulia s'approche d'elle, elle découvre ses dents, comme un animal qui flaire le danger.

Stupéfait de cette détresse, Strozzi fait une proposition qui le remplit lui-même d'une honte non dénuée d'ironie. Lui, le patricien florentin, va jouer le rôle d'entremetteur. Il envoie un serviteur sûr au Vatican en le chargeant d'un message pour messire Giovanni Borgia. L'homme revient sans avoir pu accomplir sa mission. Messire n'habite plus au-dessus des locaux de la garde, il n'est ni à la chancellerie, ni ailleurs dans le palais pontifical, il a été aperçu chevauchant dans la ville, mais personne ne sait où il est, ce qu'il fait. Strozzi transmet personnellement cette nouvelle à Tullia, avec mille précautions. Il voit cette tension anormale se relâcher, l'on dirait qu'un ressort s'est cassé, qu'un mécanisme a cessé de fonctionner. Le regard de Tullia devient vitreux. Strozzi parle, parle, dans l'espoir de tirer ce pantin de sa torpeur, de faire jaillir une étincelle qui puisse ramener la chaleur de l'intimité d'antan. « Sais-tu, chère Tullia, qu'à cause de toi la *Signoria* m'a adressé une réprimande – qu'en dis-tu, *bella mia* ? Je suis venu te voir trop souvent, disent-ils, et à Florence on estime que ma conduite, lorsque je me suis même battu pour toi, est incompatible avec la dignité d'un homme d'État. Si je n'ai même plus le droit de choisir mes propres maîtresses, ils devront à l'avenir nommer quelqu'un d'autre à ma place. Au demeurant, cette fonction n'est pas agréable. Toutes ces querelles, tergiversations, chicanes que l'on appelle la diplomatie... et cela en ce moment où Dieu seul sait ce qui est en jeu. Cela va mal, très mal, Tullia, les choses ne marchent pas comme nous l'espérions, j'ai des soucis pardessus la tête, mon enfant, et tu m'as si longtemps refusé ta consolation... »

Plus tard, Strozzi exprime sa volonté à une Giulia soumise : la maison restera fermée aux autres visiteurs, bien que le capitaine de la Torre Savella ait levé l'interdiction de recevoir. La mère et la fille doivent se tenir prêtes à l'accompagner lorsqu'il repartira pour Florence. Dans l'intervalle, il se charge de créer une distraction : un peintre viendra faire le portrait de Tullia. Strozzi choisit la pose, Giulia la parure. Tullia supporte en silence que l'on s'affaire autour d'elle pour arranger et draper sa toilette. Elle reste immobile pendant des heures, dans l'attitude voulue, la tête légèrement penchée, un sourire sur les lèvres, le regard vert, vide, dirigé sur le même point. Lorsque le peintre apprend que son modèle écrit des poèmes, il donne au tableau un fond de branches de lauriers ; ainsi Tullia sera-t-elle immortalisée dans la forêt légendaire où la célébrité peut être cueillie à loisir.

« Oh ! qu'il fait froid ici, affreusement froid, nous allons en mourir, Tullia, au nom du ciel, referme ton manteau sur ta poitrine, allons, laisse-moi faire, es-tu si plongée dans tes dévotions, ou dors-tu, ou songes-tu une fois de plus à ce qui n'est plus ? Sois raisonnable, vois les choses comme elles sont, tu as encore la vie devant toi, tu oublieras ce qui s'est passé, tu verras, tu as le *signor* Strozzi, je suis là, moi aussi, que veux-tu de plus ? A ton âge je n'avais personne pour m'aider, j'étais toute seule. Peut-être irons-nous bientôt à Florence, ce sera une diversion, le changement d'air te fera du bien. Strozzi veillera à ce que tu t'y plaises, tu le connais. Ton avenir est assuré si tu décides de rester toute ta vie sa maîtresse, mais je n'ai pas abandonné l'espoir de trouver mieux pour ma Tullia ; patience, de puissants seigneurs verront ton portrait lorsqu'il sera exposé dans le palais de Strozzi et demanderont qui est cette beauté, où elle habite. Crois-moi, ton étoile continue à monter. – *Amen, amen.* – Dieu merci, nous pouvons nous relever. Tiens, Lorenzo, emporte les coussinets, et n'oublie pas, bourrique : la prochaine fois, sur la mosaïque du Massacre des Innocents. »

Giovanni Borgia

Quelles considérations m'ont poussé à aller voir l'épouse de Pescara pour solliciter d'elle une lettre de recommandation auprès de son mari ? Je croyais que le moment était venu de quitter Rome. En réalité, j'obéissais à un besoin aveugle de faire appel au meilleur de moi-même – ou du moins à ce que je considérais comme tel jusque-là – dans un milieu d'où seraient exclues les intrigues de cour et les faveurs de prostituées. Je parvins à obtenir une audience de la marquise de Pescara, quelques jours après que l'arrestation de Girolamo Morone fut connue à Rome. Elle me reçut debout, dans une petite pièce exposée aux courants d'air, une sorte de boyau faisant communiquer deux salles. Lorsque je dis qui j'étais, elle me regarda droit dans les yeux, froidement, d'un air inquisiteur. Il me fallut toute ma maîtrise pour ne pas me jeter à ses pieds. J'aurais voulu lui crier qu'elle ne devait pas me mépriser, n'avait pas lieu de me craindre ou de se méfier de moi à cause de mon nom, puisque, en réalité, je n'étais rien, ne possédais rien et que, pour ainsi dire, je commençais seulement à vivre dans cet instant même. Elle avait peu de temps à m'accorder et me demanda ce que je voulais. Je dis donc sans détours que je voulais entrer au service de Pescara et que j'espérais pouvoir emporter à Novare une recommandation de sa part.

« Je ne puis vous recommander, messire, car je ne sais rien de vous, répondit-elle avec un haussement d'épaules, en esquissant un sourire. Pourquoi voulez-vous servir le marquis ?

– J'ai besoin d'une cause pour laquelle vivre ou mourir. Je respecte le marquis. Si la cause qu'il a choisie est assez bonne pour lui, elle l'est sûrement aussi pour moi.

– Une cause pour laquelle vivre ou mourir ! C'est beaucoup demander, messire, une grande responsabilité dont vous chargez mon mari. »

Je m'attendais à être congédié, car soudain je me rendais compte à quel point ma requête était ridicule. Mais la marquise était plongée dans ses pensées. Par les portes ouvertes derrière elle, j'apercevais une enfilade de salles obscures.

« Je vous ai vu dans la suite du chancelier de Milan. N'est-il pas étrange que vous vous tourniez à présent vers le marquis ? Après ce qui s'est passé, quiconque était partisan du *signor* Morone se détournera de mon mari. Expliquez-moi donc cela. Quelles qualités admirez-vous dans le marquis ? »

Tout en me parlant, elle ne cessait de me fixer. Elle avait l'air las. Elle portait un vêtement sombre, sans ornements, et sur les cheveux une mantille transparente. Une tenue chaste, d'une simplicité monacale. Je me souviens que je l'avais trouvée désirable la dernière fois que je l'avais rencontrée. Depuis, elle avait changé d'une manière indéfinissable. Le charme physique était resté : son port altier, ses yeux clairs, la passion maîtrisée de sa bouche. Mais cette beauté ne parlait plus aux sens. La marquise me semblait être beaucoup plus que simplement une belle femme.

« Servez-moi d'abord, dit-elle, tandis que je gardais le silence. Je dois partir en voyage. Je vous confie le commandement de mon escorte armée. »

Je ne suis plus aujourd'hui celui que j'étais dans la bibliothèque du Vatican et qui notait si minutieusement ses souvenirs. La conviction d'être le fruit d'un inceste entre père et fille ou sœur et frère, un Borgia de surcroît, m'a longtemps paralysé, je m'en rends compte à présent. S'ajoutaient à cela : l'oisiveté épuisante, le temps perdu à traîner le long des galeries du palais pontifical dans l'attente d'une tâche, les visites à Tullia d'Aragon. Elle était calme et docile, je ne regrette pas de l'avoir fréquentée. Je crois que ses protestations et ses preuves d'amour étaient sincères. Elle m'a plus apporté que je ne m'y attendais, plus aussi que je ne désirais. A la longue, on finit par se sentir oppressé par un amour que l'on ne peut payer de retour sentimentalement ou par des libéralités princières. Il n'est pas davantage possible d'étreindre jour après jour la même femme que l'on n'aime pas d'amour sans éprouver de l'ennui. L'abattement me tourmentait comme une maladie. Étendu sur le lit de Tullia, j'envisageais des centaines de projets, mais je n'aboutissais à rien. Je manquais de courage et de volonté pour me débarrasser du passé. Il fallait un choc pour me pousser à agir.

La première fois que cette harpie, la mère de Tullia, me fit certaines révélations, j'étais hors de moi. Tout concordait trop bien avec ce que l'expérience m'avait appris. Je comprenais enfin pourquoi je n'avais pas disparu dans le Tibre après ma naissance, pourquoi le pape Alexandre m'avait offert un duché, pourquoi César m'avait pris sous son aile. De cette manière, ils espéraient laver de tout soupçon le précieux pion qu'était Lucrèce sur leur échiquier. Les fameuses bulles furent naturellement écrites plus tard, pour plus de sûreté, lorsque Lucrèce épousa Alphonse d'Este. En outre, les Borgia avaient besoin de descendants mâles pour consolider à la longue leur pouvoir.

Si Pedro Caldès est mon père, on comprend pourquoi, après la mort d'Alexandre, de César et de Lucrèce, personne n'a voulu me soutenir. Les membres de la famille qui vivent aujourd'hui en Espagne, descendants du duc de Gandía et de Gioffredo, refusent de me reconnaître.

J'écris ceci dans la plus grande sérénité. J'ai cessé de spéculer sur mes origines. Je suis suffisamment renseigné. Messire Pietro avait raison lorsqu'il me conseillait de me tourner plutôt vers l'avenir. Mais pour en arriver là, je devais d'abord me convaincre que rien dans mon passé ne pouvait m'aider à construire mon avenir. Au début, j'errai sans but dans Rome. J'étais révolté et amer en songeant au mauvais tour que m'avait joué le destin. La vie que j'avais menée les derniers mois n'était-elle pas une preuve suffisante de ce que me réservait l'avenir ? J'avais passé des demi-journées à paresser dans les appartements d'une prostituée, je m'étais même trouvé à l'aise, comme chez moi dans une certaine mesure, au milieu de ce luxe, avec ses perroquets et son singe, dans un lit où, avant moi, la moitié de Rome, de Florence et de Sienne avait couché. De plus, je m'y trouvais non pas en tant que client ou protecteur, mais plutôt en qualité de favori, un peu comme un membre de la famille ; ce comportement indigne ne faisait que confirmer le droit à l'existence en moi du laquais Pedro Caldès. En m'enfuyant de la maison de Tullia, je tentais avant tout de me libérer d'un élément indésirable. Dans une rage aveugle, j'oubliais que je porte en moi-même cet élément, où que j'aille.

Cependant, quand je revins à la raison, je me rendis compte que ce qui m'était apparu comme un nouveau revers de fortune était en réalité un don que me faisait le destin. Pedro Caldès me délivre de cette autre fatalité insaisissable. Le Borgia en moi ne me fait plus peur depuis que j'ai des raisons de croire que la moitié de mon être est anti-Borgia par nature. Un laquais qui séduit la fille de son maître : un tel acte est en soi l'expression d'une révolte et d'un ressentiment.

Bien que je ne puisse ni ne veuille avoir hérité une mentalité de valet, cela ne m'empêche pas de reconnaître que, grâce à Pedro Caldès, je porte en moi un contrepoison.

Je ne considère plus comme un devoir de démêler à tout prix le nœud Borgia. Je suis un sans-nom dans toute l'acception du terme. Je ne suis pas le maillon d'une chaîne, je n'en suis pas non plus le bout. Je peux en revanche en être le début. Je ne suis pas déterminé par le passé d'une lignée, je n'appartiens pas même à une lignée. Je porte le nom de Borgia, faute de mieux. Il n'existe pour moi ni tradition, ni droits, ni obligations. La conscience de ma liberté fut pour moi une révélation.

Adieu, Camerino. Plus jamais ce sentiment crispé de regret et d'impuissance, parce que, m'étant lancé dans une certaine voie, je suis incapable d'aller jusqu'au bout. Je n'ai pas besoin de jouer un rôle au niveau où évoluent les Varano et, avec eux, les représentants de familles princières.

Je veux affirmer ma personnalité dans un cadre où triomphent les vertus que j'aurais voulu recevoir à ma naissance : la discipline intérieure et l'assurance, la capacité d'agir consciemment et, par-dessus tout, le don d'admettre que la nécessité de faire constamment des choix est ce qui donne son sens à la vie. Tout comme le marquis de Pescara fait un choix parmi une multiplicité de possibilités politiques, et comme *madonna* Vittoria fait visiblement le sien dans un recoin caché de son âme.

J'ai sûrement eu raison de faire une croix sur tout ce que j'ai vécu jusqu'ici. Je n'ai pas d'amis, messire Pietro est parti, je n'étais que l'un des nombreux satellites de la chancellerie. Tullia m'oubliera.

Une nouvelle phase de ma vie est terminée. Une fois de plus, je me vois dans l'obligation de chercher une nouvelle vocation. Pescara est mort. Elle devait savoir dans quel état il était lorsqu'elle me prit à son service. Jamais elle n'a eu l'intention de m'envoyer à Novare. Je suppose qu'elle comprenait dans quelle situation je me trouvais lorsque je lui demandai cette faveur. Elle crut bon de me protéger contre moi-même.

Elle visita successivement quelques domaines au sud de Rome, qui lui appartenaient ainsi qu'au marquis. Nulle part elle ne restait plus de deux ou trois jours. Après s'être entretenue avec les châtelains et les intendants (je suppose aujourd'hui qu'elle voulait prendre les mesures nécessaires, compte tenu de la fin proche de Pescara), elle donnait aussitôt l'ordre de reprendre la route.

L'automne finissant apporta quelques journées clémentes. La marquise prenait place dans une litière ouverte. Je chevauchais à côté d'elle. Elle me traitait avec bonté et courtoisie mais parlait peu. Jamais je n'ai été aussi conscient des couleurs et des formes d'un paysage qu'au cours de ces voyages. L'éclat du soleil enflammait les feuilles de vigne.

Les ruisseaux gonflés par les pluies écumaient, blancs entre les pâturages et les bosquets de cyprès de la vallée. Sur les hauteurs, la marquise ordonnait souvent de faire halte. Enveloppée dans son manteau, elle s'arrêtait alors un instant et contemplait le panorama en silence. Les hommes de l'escorte, pour la plupart des écuyers de la cour d'Ascanio Colonna, n'aimaient pas ces arrêts et manifestaient leur mécontentement par des soupirs et des grognements. Ils me persuadaient d'inciter *madonna* à se reposer dans des villages ou des villes où l'on trouvait des auberges, au lieu de ces sommets déserts.

Mais je ne voulais pas la déranger dans ces instants de recueillement qu'elle s'accordait. Elle me communiquait cette paix, ou ce qu'elle croyait trouver là. A cette époque, je ne souhaitais rien de plus. Je respirais profondément, je sentais le sang couler dans mes veines. Je me contentais de diriger cette petite escorte d'une halte à une autre. Je croyais en avoir fini une fois pour toutes avec la peur et le doute. J'aspirais les senteurs de la terre, de l'eau, des arbres avec l'avidité d'un prisonnier récemment libéré ou d'un convalescent.

Lorsque nous séjournions dans l'un des domaines, elle m'invitait parfois le soir à venir la retrouver dans la pièce où elle se tenait avec ses suivantes, pour faire avec elle une partie d'échecs. Elle y était très habile. Mais j'admirais plus encore la manière dont elle parvenait, par des moyens détournés, à me donner l'occasion de parler de moi sans poser de questions. J'étais toujours plus expansif que je ne le voulais. Mais, après coup, je constatais que ces conversations me libéraient chaque fois des restes d'agitation que je ressentais encore. Je ne sais si elle a tout compris. Elle m'écoutait comme si c'était la chose la plus naturelle du monde. Je n'éprouvais ni malaise ni honte à me montrer si ouvert. Il se peut aussi que le sens de mes paroles lui ait en partie échappé. Ce que je prenais pour de l'attention a très bien pu être tout autre chose, le reflet d'une tension intérieure. Même quand personne ne lui adressait la parole, on eût dit qu'elle attendait, écoutait.

Un jour, elle me fit appeler. Je la trouvai debout, une lettre à la main, immobile près d'une fenêtre. Elle dit que le marquis l'avait priée de se rendre à Novare. Pour moi, c'était là une bonne nouvelle, car j'étais convaincu qu'elle parlerait en ma faveur.

Pour hâter le voyage, nous renonçâmes aux voitures et aux litières. A sa demande, nous voyageâmes en outre jour et nuit. Le temps s'était gâté. Elle chevauchait sous une pluie battante, sans dire un mot.

A Viterbe, le premier arrêt que nous nous accordâmes, un messager nous attendait. Elle était sur le point de descendre de son cheval lorsque l'homme lui adressa la parole. Je vis qu'elle agitait la tête comme si elle suffoquait. Avant que moi ou quiconque d'autre eût réussi à l'atteindre, elle ne put se maintenir en selle et s'écroula sur le côté.

Un homme à qui est offerte la possibilité d'agir n'a pas le goût de se perdre en spéculations sur le papier. Certes, ce n'est pas en vain que j'ai formulé certains événements survenus dans ma vie et les réflexions auxquelles ils m'ont conduit. Ce que l'on a devant soi noir sur blanc n'est plus aussi comminatoire.

En revanche, je ne vois pas l'intérêt de faire un compte rendu quotidien des faits qui règlent mon existence depuis que je suis au service d'Ascanio Colonna. Je n'écris pas un journal intime. Je n'ai nul besoin de savoir exactement plus tard si c'est un mardi, un jeudi ou un samedi que j'ai été chargé d'entraîner, dans la cour, des tireurs d'élite, que j'ai dû surveiller les travaux de fortification des remparts et faire condamner les fenêtres et les portes d'accès du rez-de-chaussée (car telles étaient, et sont encore parmi d'autres, les activités à moi confiées).

Lorsque *madonna* Vittoria se fut retirée dans le couvent de San Silvestro à Capite, après les funérailles de Pescara (on disait ici qu'elle voulait entrer en religion, mais le pape semble le lui avoir interdit), j'ai été placé dans la suite du *signor* Ascanio. Il a rassemblé autour de lui un personnel de

parents masculins – oncles et neveux, bâtards, une armée
exclusivement composée de Colonna : Marcello et Giulio,
Sciarra et Marziano, peu importent leurs noms. En outre, on
compte ici de nombreux partisans des gibelins appartenant à
d'autres familles. Malgré son étalage d'importance, Ascanio
n'est pas le chef des Colonna. C'est le cardinal Pompeo
(ennemi acharné du pape Clément, et lui-même candidat à la
triple couronne), qui, après une violente altercation avec
Sa Sainteté, s'est retranché au château de Marino. Il ne vient
plus jamais à Rome, mais y envoie constamment des messagers, porteurs de ses instructions.

Aucun des Colonna – convaincus que l'empereur régnera
bientôt sur toute l'Italie – n'a cru que le pape Clément oserait
effectivement former une ligue. Ils s'attendent sans doute à
un conflit armé dans de brefs délais, car le cardinal Pompeo
et Ascanio Colonna ont fait apporter en secret, de l'extérieur
de la ville, des armes et des provisions de bouche à l'intérieur du palais. L'ambiance ici est celle d'une préparation à
un siège. Nous n'allons en ville qu'en groupes. Depuis la
proclamation de la ligue, les maisons des sympathisants de
l'empereur et des Espagnols sont sous surveillance. Le port
d'armes est interdit.

Me voici donc cette fois dans le camp de ceux qui se
vantent d'être les plus importantes troupes auxiliaires de
l'empereur à l'intérieur du pays. Personne ne se préoccupe
de savoir qui je suis et d'où je viens. Ici, les gens ne connaissent de mon passé que la période où je commandais l'escorte
armée de *madonna* Vittoria. Ils m'ont adopté comme l'un des
leurs. Je porte les couleurs des Colonna.

Chaque jour, des membres de la famille et leurs partisans
viennent se réfugier au *palazzo*. Il paraît que des soldats au
service du pape sont cantonnés partout dans la province aux
alentours des terres appartenant aux Colonna. Sa Sainteté
aurait l'intention de couper la liaison entre Naples et les
Colonna, afin que, en cas de guerre, ces derniers ne puissent
se rallier aux armées impériales.

J'apprends que l'empereur compte sur les partisans de

l'Espagne à Rome pour passer rapidement à l'action, de manière à empêcher la ligue de tirer profit des changements survenus dans la situation. Au Vatican, les discussions se poursuivent tout le jour, mais nous ne savons rien des nouvelles décisions et mesures, que nous attendons ici, pourrait-on dire, les armes à la main.

L'ambassadeur d'Espagne, *don* Hugues de Moncade, est arrivé à Rome. Au palais, on était persuadé que ce grand d'Espagne, l'un des plus compétents conseillers de l'empereur, parviendrait à détourner Sa Sainteté de l'idée d'une ligue. Après coup, l'échec de sa visite fut attribué en premier lieu à Giberti. Pendant l'entretien, le pape était visiblement peu sûr de lui et très impressionné par les lettres de Madrid que Moncade lui avait remises; mais Giberti ne le quittait pas d'une semelle et lui glissait sans cesse des commentaires à l'oreille. Finalement, l'ambassadeur dut repartir les mains vides. Sa retraite fut un scandale comme on n'en avait plus vu ici depuis longtemps. Lorsque Moncade quitta le Vatican, son visage ne trahissait aucune émotion. Mais son bouffon, qu'il avait fait monter en selle derrière lui, cracha, lâcha des vents et urina sur les dalles de la cour pontificale et sur la piazza San Pietro.

Don Hugues de Moncade s'est installé chez le cardinal Pompeo Colonna, au château de Marino.

Il semble que maintenant quelque chose soit sur le point de se produire. Les troupes du pape et de Venise ont, paraît-il, reçu l'ordre de marcher sur la Lombardie. Avant-hier, le *signor* François Guichardin, récemment nommé lieutenant général du pape, a quitté la ville; tous les espoirs de la ligue sont maintenant fondés sur lui. L'agitation croît de jour en jour. Les émeutes se multiplient. Les rues sont infestées de prophètes et d'oiseaux de mauvais augure. Les protégés de Varano – des moines qui se nomment capucins parce qu'ils sont coiffés d'une sorte de capuchon – exhortent à la pénitence à tous les coins de rues. Le glas sonne sans inter-ruption pour les victimes de la peste. Le pape a maintenant stationné à Rome des troupes d'occupation dont il a donné le commandement aux Orsini. Sa Sainteté n'aurait pu imaginer un meilleur moyen de provoquer l'exaspération des Colonna.

J'écrivais cela le 19 septembre. Dans la même nuit, le cardinal Pompeo et *don* Hugues de Moncade entrèrent dans la ville en force avec trois mille fantassins et huit cents cava-liers (essentiellement des troupes racolées dans la province), par le portail de Saint-Jean-de-Latran. Ils bivouaquèrent d'abord autour du palais Colonna, à un jet de pierre de nos murs, parmi les ruines du Forum.

Nous, les hommes d'Ascanio, nous nous joignîmes à eux. Après le lever du soleil, nous traversâmes la ville sans ren-contrer de résistance. Les gens amassés au bord de la route attendaient de voir ce qui allait se passer. Nous avançâmes sans encombre jusqu'à Sant'Apostolo, comme s'il s'agissait d'une parade. Je fus affecté à la troupe chargée de se rendre au quartier du Transtévère en passant par le Ponte Sisto pour étudier la situation. Les deux cents soldats du pape rassem-blés à la hâte se dispersèrent dans toutes les directions après une brève escarmouche. Après quoi, le cardinal Pompeo et le reste de l'armée de Colonna franchirent à leur tour le pont en criant : « Empire ! Colonna ! Liberté ! »

On eût dit la répétition de ce que j'avais vécu enfant, il y a longtemps : la masse de chevaux s'ébrouant, piaffant, les soldats qui progressaient épaule contre épaule, le ciel jaune de l'aurore au-dessus des maisons du Borgo et des chemins de ronde du Vatican. Comme jadis, les portes de l'avant-cour furent défoncées, les hommes en armes s'éparpillèrent le long des escaliers et des galeries. Au dernier moment, le pape avait fui en empruntant un passage dérobé pour se mettre en sûreté au château Saint-Ange. La plupart des cardinaux se tenaient cachés dans la ville.

Le Vatican était ouvert. Quelques Suisses de la garde se battirent avec acharnement, plus pour sauver leur réputation, je suppose, que pour des motifs rationnels. Dans les salles et les galeries au loin, laquais et fonctionnaires s'enfuyaient comme des rats devant un incendie. Le cardinal Pompeo, qui probablement se croyait déjà seigneur et maître de ces lieux, était si occupé à examiner les papiers à la chancellerie et au secrétariat du dataire qu'il en oublia d'interdire le pillage. Reste d'ailleurs à savoir si les troupes auraient obéi à un tel ordre. Dès l'instant où nous pénétrâmes dans le Vatican, aucun Colonna n'eut plus d'autorité sur les mercenaires, ni sur les paysans de la Romagne recrutés grâce à la promesse de butin.

Les salles de réception pontificales, les appartements des courtisans et des prélats, la basilique et la sacristie de Saint-Pierre, tout fut pillé. Les tentures arrachées, les statues brisées, les portes et les fenêtres défoncées à coups de pied et les chevaux chassés de leurs écuries à la débandade directement à travers le palais. Les précieux services de porcelaine de Giberti volèrent en éclats sur les dalles, des morceaux de la correspondance de Berni et de la collection de manuscrits du bibliothécaire Giovio furent emportés par le vent jusqu'au cœur du Transtévère.

Tandis que je tentais vainement de rassembler les hommes, je me retrouvai dans la partie du palais où le pape Alexandre et César avaient vécu. Les pillards avaient brisé les sceaux sur les portes. Là régnait un silence total. Les salles étant vides depuis longtemps, il n'y avait rien à voler. Les sols étaient couverts de poussière et de gravillons et sous les ouvertures des fenêtres étaient accumulées des cascades de débris de verre. Pour la première fois depuis vingt ans, j'étais à nouveau dans ces appartements des Borgia où, jadis, Rodrigo et moi nous venions présenter nos respects. Je reconnus les dalles bleues et vertes, l'enchevêtrement d'ornements dorés, tiares, clefs, taureaux et autres emblèmes des Borgia, sur les nervures des voûtes. Je reconnus aussi les fresques, en particulier celle de la Dispute de sainte Catherine. En m'arrêtant devant elle, je ressentis un choc. Ceux que j'avais voulu oublier me fixaient, déguisés en saints et personnages bibliques. César, Lucrèce. C'est elle surtout que je vis, grandeur nature. Je savais que c'était elle, bien que je ne l'eusse jamais connue sous cet aspect. Un corps gracile, un visage de jeune fille, hautain et mélancolique.

C'est dans ces pièces qu'elle l'a rencontré pour la première fois, ce Pedro Caldès, Perotto. Derrière le trône d'Alexandre, à côté de son lit et de sa table. Apportant des mets, boutonnant le camail pourpre, glissant les mules aux pieds pontificaux. Un beau garçon au teint foncé, qui jouait du luth et faisait bonne figure au jeu de paume. Espagnol de surcroît. Favori du pape. Porteur de messages privés et de lettres entre père et fille. Il connaissait les secrets de famille, était autorisé à parler à Lucrèce en tête à tête dans son palais de Santa Maria de Porticu. Elle avait le sang chaud et Sforza était impuissant. Tout cela est possible, voire probable. Debout devant la fresque, je me dis que je n'avais plus aucune raison de douter. A ce moment-là, il ne restait de mon passé que poussière et débris, et ces ombres bariolées sur le mur. Les sceaux étaient brisés. Je pouvais tourner le dos à ce que j'avais laissé derrière moi, comme à ces salles vides. Je me rappelai où j'étais et ce que j'y faisais. Au loin, j'entendais les hurlements des pillards se répercuter dans les corridors. Lorsque je me retournai pour m'en aller, je vis dans un médaillon au-dessus de la porte l'effigie d'une madone ; elle avait en tout cas un enfant sur les genoux, une auréole était peinte derrière sa tête. Elle laissait tomber sur moi un regard de biais plein d'un secret mépris. Dans ces yeux, je lisais aussi un sourire qui semblait se moquer de ma volonté désespérée de croire à quelque chose que je ne pouvais prouver, ne fût-ce que pour avoir enfin une sorte de certitude. Les représentations de la mère de Dieu sont censées apporter la paix et la consolation. J'étais là à me demander comment le pape Alexandre avait pu supporter jour et nuit ce regard froid, critique, lorsque dans la pièce attenante des voix et des pas retentirent. Par la porte, entra *don* Hugues de Moncade suivi d'un jeune homme en armure qui tenait à deux mains la tiare d'argent du pape. *Don* Hugues de Moncade allait et venait en plaisantant et en jouant avec ses gants, comme s'il se trouvait au milieu d'une fête au lieu d'être dans le Vatican dévasté. Il me regarda puis leva les yeux vers la madone au-dessus de la porte.

« Ah, les charmes de Giulia Bella font de ce capitaine un rêveur, dit-il en espagnol à son compagnon. C'était une femme des plus séduisantes, cette parente à toi, Farnèse, je me souviens encore très bien d'elle.

– Si j'avais les mains libres, j'arracherais son visage de ce mur avec mes ongles, répondit l'autre. Nous ne sommes pas fiers d'avoir dans la famille la putain d'un Borgia. »

Passant devant moi, il me regarda par-dessus la tiare avec les mêmes yeux que cette femme au-dessus de la porte.

J'ai entendu parler de Giulia Farnèse, mais je ne l'ai jamais vue. A l'époque où je venais ici avec Rodrigo, il y avait longtemps qu'elle ne fréquentait plus le Vatican en tant que favorite. Je sais que Lucrèce la haïssait. Elle me demanda un jour si je pouvais concevoir ce que cela avait signifié pour elle de devoir, par amour pour son père, vivre comme une sœur avec cette « fiancée du Christ ». Car – et cela, je me le rappelle bien – c'est ainsi que l'on désignait habituellement Giulia Farnèse.

A la tombée du jour, nous parvînmes à rassembler les hommes maintenant chargés de butin et à les convaincre de regagner leur campement autour du palais Colonna. Il était grand temps. Si nous n'étions pas partis à ce moment-là, la population, qui avait manifesté de l'indifférence le matin et une peur terrible l'après-midi, aurait enfin, poussée par l'indignation devant le pillage du Vatican, répondu aux appels désespérés de Giberti et d'autres cardinaux et pris les armes.

Pierre Louis Farnèse est le bâtard du cardinal Alexandre Farnèse, appelé le « cardinal enjuponné » parce qu'il devait, dit-on, cette haute dignité à l'entremise de sa sœur Giulia auprès du pape Alexandre. Ce Pierre Louis, malgré sa jeunesse – je pense qu'il a environ vingt-cinq ans –, est un homme de poids dans le parti des Colonna. Son père l'a averti de disparaître de Rome au plus vite. Il semble que quelque chose se trame à nouveau au Vatican. Excommunication des Colonna et de leurs partisans, confiscation de tous leurs biens ? Ce ne serait possible que si le pape renversait une fois de plus la vapeur et se ralliait à la ligue. Quoi qu'il en soit, Pierre Louis Farnèse est sur le point de partir avec les jeunes membres de la famille Colonna pour Naples, où le vice-roi leur a promis des postes dans l'armée impériale.

J'ai d'abord tenté d'obtenir l'autorisation de me joindre à ce groupe, mais j'ai vite changé d'avis. Je ne veux pas être dans le voisinage de Pierre Louis en tant que subordonné. Je ne veux pas être le témoin du succès qu'il obtiendra, comme en se jouant, à un niveau que je ne pourrai jamais atteindre. Je ne lui ai jamais parlé. Mis à part le bref instant, au Vatican, où il passa devant moi en portant la tiare du pape Clément, nous ne nous sommes jamais rencontrés. Il fait partie de l'entourage immédiat du cardinal Pompeo, et je ne suis en fin de compte qu'un des hommes de la suite de Colonna.

Il n'est pas facile de formuler les sentiments qu'il m'inspire. Il pourrait être mon meilleur ami, mais aussi mon pire ennemi. Je suis tous ses faits et gestes avec une attention soutenue et en même temps je suis rongé d'envie. Il est tout ce que je voudrais, ce que *j'aurais pu* être. Le bâtard d'une lignée éminente, mais qui n'est nullement défavorisé par sa naissance illégitime. Un homme libre, sûr de soi, énergique. On prétend qu'il a un brillant avenir devant lui. Il deviendra sans coup férir général dans l'armée impériale. Il a de l'argent, des amis, un père puissant. Près de lui, je ne pourrais jamais me résigner à mon humble état. Mais, grands dieux ! comment dois-je vivre si je ne peux me contenter de ce qui est à ma portée ? Pierre Louis Farnèse : rien qu'à entendre ce nom qu'il porte avec tant d'assurance, je me révolte contre mon sort. S'il restait ici, ce serait une raison suffisante pour que je quitte le service d'Ascanio Colonna. J'ignore pourquoi il en est ainsi. Je pense parfois que si Rodrigo était encore en vie, il serait par rapport à moi ce qu'est maintenant Pierre Louis. De vieux sentiments se sont éveillés en moi, un peu comme si la note m'était présentée pour une dette que je croyais éteinte depuis longtemps.

Mais je dois seul régler ce conflit avec moi-même.

Il est parti, avec une importante escorte d'amis et de parents. C'est une bonne chose qu'il ne soit plus là. Maintenant que je ne le vois plus, je peux réprimer cette maudite tendance à vouloir, en pensée, occuper sa place. Récemment, je me suis vu soudain dans un miroir. Je me suis même imaginé que nous nous ressemblions. Il faut en finir avec ces chimères.

François Guichardin
et Nicolas Machiavel

François Guichardin à Nicolas Machiavel

De Plaisance. *Carrissime*. La ligue : un échec total. Un projet grandiose naufragé pour cause d'impuissance, d'irresponsabilité et de méfiance mutuelle. Tous les efforts de l'année dernière ont été pour rien, les avantages obtenus en Lombardie perdus parce que le pape a promis dans ce maudit traité avec l'empereur de retirer ses troupes derrière le Pô. Le soutien de la France : de belles paroles sur un chiffon de papier, rien de plus. Je ne reçois plus d'aide financière de Rome pour la solde et l'entretien des soldats, qui désertent par centaines. La flotte de l'empereur a atteint Gaète avec sept à huit mille hommes à bord. Bourbon a quitté Milan avec une grande armée d'Espagnols affamés et mécontents.

Et qui l'accompagne, en qualité de bras droit et de conseiller, avec le titre de commissaire général des troupes impériales ? Messire Girolamo Morone en personne, le champion de l'unité et de l'indépendance de l'Italie il y a à peine un an. Après cela, rien ne peut plus nous surprendre.

De Brescia, je reçois la nouvelle que les routes qui descendent des Alpes sont noires de lansquenets sans argent ni artillerie, vivres, ou chevaux. Ce dont ils ont besoin, ils le volent en route. Jean de Médicis est tombé au champ d'honneur. Le duc d'Urbino, qui a repris le commandement, est une nullité. A Rome, des émeutes fermentent, dit-on. Après l'attaque infâme par les Colonna, le chaos règne : les prix ont augmenté, la peste fait rage, le pape a inventé de nouveaux impôts pour recueillir les sommes exigées par l'empereur. Sa Sainteté écrit des lettres désespérées, déchirantes. Il ne sait plus à quel saint se vouer. Pour la première fois, il est conscient du danger, mais il est trop tard, je ne peux plus lui donner de conseils. Il veut négocier une trêve. Quoi qu'il décide, l'essentiel est qu'il se hâte. Venant de Naples, les Espagnols progressent, et le duc de Ferrare a aidé les Allemands à franchir le Pô. Que ce dernier nous abandonne en cet instant est significatif. Avec les troupes dont je dispose ici, je ne peux rien entreprendre sans la collaboration d'Urbino. J'envoie tous les jours des courriers à Mantoue, je le supplie, lui ordonne de venir ici sur-le-champ, mais il ne bouge pas. Devant moi, sur la table, la dernière réponse de Son Altesse sérénissime. Il estime préférable de rester là-bas avec son armée afin de protéger au moins la région de Venise, pour le cas où les lansquenets feraient demi-tour. Demi-tour! Cette clique ne se laissera jamais convaincre par qui que ce soit de tourner les talons, tant qu'elle aura devant elle les riches villes de Toscane. Si ces individus ne rencontrent aucune résistance à temps, ils saccageront et incendieront tout sur leur passage, jusqu'à Tarente s'il le faut. Il ne s'agit pas pour eux de savoir qui a tort ou raison, seul importe le butin.

Effectivement, il ne reste plus qu'une solution : nous devons nous défendre jusqu'au bout, par tous les moyens. Mais où que se porte mon regard, je ne vois que confusion, manque d'enthousiasme, lâcheté et doute. Je suis las. Je voudrais pouvoir tout abandonner. Mais la rigoureuse discipline que je me suis imposée toute ma vie ne me permet pas de me laisser aller. C'est pourquoi je suis en mesure, même maintenant, de garder une attitude propre à empêcher mon entourage de céder à la panique. En dépit du danger, le carnaval est fêté, ici à Plaisance, avec une exubérance que je n'ai pas connue depuis des années. J'aurais aimé faire représenter à nouveau votre comédie, *La Mandragore*, pour pouvoir rire encore et tout oublier pendant quelques instants. Je n'en ai jamais eu autant besoin que maintenant. Mais un lieutenant général a le devoir de rester constamment vigilant et de garder la tête froide. Après l'heure habituelle des repas, je me suis penché jusque très tard dans la nuit sur mes cartes et mes dépêches. Les grognements d'ivrognes et les cris qui montaient de la rue ont tué en moi les derniers espoirs. Si seulement je n'étais pas condamné par nature et par les circonstances à rester à mon poste jusqu'au bout... Je pourrais alors, pour le temps qui me reste, ouvrir une échoppe où je vendrais des accessoires pour bals et cotillons.

Nicolas Machiavel à François Guichardin

Excellence, lorsque ce message parviendra à Plaisance, j'aurai tout juste quitté Florence en tant qu'envoyé de la *Signoria* pour rejoindre votre quartier général. On songe déjà à me trouver un remplaçant pour le poste de *proveditore* des fortifications. Il s'agit du sculpteur messire Michel-Ange Buonarroti, un homme éminent, comme vous le savez.

Je souhaite ardemment qu'il puisse mener à bien cette affaire dans les plus brefs délais, après toutes les difficultés auxquelles je me suis heurté : mes plans de construction font constamment l'objet de critiques, les habitants refusent de m'aider dans mon travail. Les fortifications n'existent que sur le papier. Personne n'est disposé à apporter une contribution financière et le pape ne nous a pas envoyé l'appui promis. Ne me demandez pas comment c'est possible, je ne saurais vous répondre. Je viens maintenant à vous comme représentant d'une ville désespérée, où les gens discutent les dernières rumeurs en se tordant les mains et en implorant tous les saints, sans se rendre compte qu'*eux-mêmes* doivent agir. Vous savez mieux que quiconque ce qui attend Florence si les hordes de mercenaires et d'aventuriers s'abattent sur nous comme une nuée de sauterelles. A moins d'une action immédiate, Florence et même toute la Toscane seront perdues.

Qu'allons-nous devenir si vous aussi, François, vous renoncez ? J'ai honte d'avoir osé vous faire des reproches, d'avoir critiqué vos idées. Tandis que vous aviez la lourde tâche de piloter le navire au milieu des brisants, j'étais le timonier resté sur la grève. A présent, comment pourrais-je être à la hauteur de ma tâche, si *vous*, vous baissez les bras. Je veux entendre de votre bouche que ce n'est pas vrai, que vous n'avez pas abandonné tout espoir. Je sais fort bien que je suis une tête brûlée, un songe-creux. Mais si ma présence, mes idées peuvent encore vous stimuler de quelque façon, vous aiguillonner, vous aider à surmonter votre découragement, éveiller votre pugnacité, permettez-moi de rester à vos côtés, quoi qu'il arrive, comme secrétaire, messager, ou bouffon, ce que vous voudrez, cela m'est égal. Je me suis occupé toute ma vie de politique. Sur le papier, j'ai examiné tous les problèmes, donné des directives relativement à la guerre et à la paix. Paroles, paroles, convaincantes uniquement pour l'homme assis dans son cabinet, mais absolument inutiles maintenant que c'est une question de vie ou de mort. Je suis prêt à renier toute mon œuvre, à détruire *Le Prince*, mes *Discours*, mon *Histoire de Florence*, en échange d'une seule chose : être autorisé à agir, maintenant que la crise est à son paroxysme. Je ne peux plus me contenter d'exprimer mes sentiments sous forme de théorie ou de littérature. Je veux mettre dans la balance tout ce que je possède, tout ce que je suis. Je ne coucherai plus une seule syllabe sur le papier, plus jamais.

Je ne suis pas un chef, physiquement ni mentalement. Mais je sais parler. Envoyez-moi chez le duc d'Urbino. Je vous l'écris afin que votre décision soit arrêtée quand j'arriverai à Plaisance. Je vous jure que je n'aurai de cesse qu'Urbino et ses troupes entrent en action. Je vous jure que j'arriverai à mes fins. Sinon, je deviendrai votre associé pour la vente de farces et attrapes.

François Guichardin à Nicolas Machiavel

Que dit Urbino, que fait-il ? Sous les ordres de Bourbon, les Espagnols ont rejoint avant-hier les lansquenets de Frunsberg à Mortara. J'ai quitté Plaisance et suis en route pour Bologne, où j'ose risquer un siège. Faites comprendre à Urbino que, sans lui et ses troupes, il me sera impossible d'enrayer la marche des forces impériales. Il doit immédiatement lever le camp. Je compte sur vous.

Nicolas Machiavel à François Guichardin

Excellence, cher ami, j'ai reçu un appel urgent de retourner à Florence. Dans l'intervalle, la nouvelle qu'Urbino a promis de partir dès que possible a dû vous parvenir. Quand j'ai quitté Casalmaggiore avant-hier, le duc donnait l'impression de vouloir tenir sa promesse.

Ici, l'agitation est à son comble. Le pape aurait acheté une trêve pour quatre-vingt mille ducats, dont Florence doit fournir la plus grosse partie. La *Signoria* a donné l'ordre de mettre à la fonte les trésors de l'Église afin de disposer de l'argent nécessaire quand les Impériaux seront devant nos murs. Poussée par sa peur panique des lansquenets, la population est prête à faire des sacrifices qu'elle refusait jusqu'ici pour assurer sa défense.

On m'envoie maintenant à Rome pour discuter avec le pape de ces questions d'argent. Dès qu'il s'agit de gros sous, l'organisation marche à souhait.

Une trêve nous donnerait le temps de nous préparer à une confrontation décisive. C'est notre dernière chance. Si nous ne la saisissons pas, tout sera perdu. Si je n'avais si radicalement désappris la prière, je me laisserais tomber à genoux pour supplier le ciel de faire qu'Urbino soit en route pour Bologne. Mais je sais par expérience que prier conduit moins vite au résultat souhaité que mettre soi-même la main à la pâte. Dès que j'aurai accompli cette mission, je tâcherai de convaincre la *Signoria* de la nécessité de me renvoyer à votre quartier général. Donnez-moi mandat de faire une tournée en Toscane et en Romagne, afin que je puisse revenir à la charge auprès des dirigeants des villes, du haut en bas de l'échelle : aux armes ! aux armes ! L'union de l'Italie ou *pas* d'Italie !

François Guichardin à Nicolas Machiavel

Retranché en Bologne, j'attends toujours en vain Urbino. Les armées espagnoles et allemandes unies ont cantonné trois semaines dans les champs, aux portes de la ville près de San Giovanni, sous une pluie battante, épuisées et mécontentes. En route, ils ont si radicalement mis la région à sac qu'il est impossible de trouver de la nourriture, même dans les coins les plus reculés. Bourbon a envoyé un héraut à Bologne pour exiger des vivres et revendiquer le droit pour ses armées de traverser librement la ville. N'ayant pas encore reçu confirmation de la trêve, j'ai refusé les deux requêtes. A ce moment-là, Urbino aurait dû attaquer les Impériaux à revers. Sans une aide extérieure, nous ne pouvions rien faire d'autre à Bologne que de nous défendre. Que s'est-il passé dans l'esprit d'Urbino ? Il promet de venir et ne le fait pas. Est-il fou ou bête à manger du foin, ou ces maudits louvoiements cachent-ils certaines intentions ? Je n'ai plus confiance en lui.

Parmi les lansquenets espagnols et allemands, des émeutes et des mutineries se sont succédé après qu'ils eurent appris que le pape et l'empereur négociaient une trêve. Ils campaient juste sous les murs de la ville et l'on pouvait les entendre réclamer à cor et à cri du pain, leur solde et le butin promis. Ils ont menacé leurs chefs, pillé le campement de Bourbon, chassé comme un chien l'envoyé de Rome. Il paraît que Frunsberg aurait été frappé d'une attaque alors qu'il tentait de réprimer la révolte.

A présent, ils ont levé le camp, ils repartent, ne retournent pas en Lombardie, mais contournent Bologne, violant les conditions de la trêve et les ordres de l'empereur. Bourbon ne le fait pas de plein gré. Cela ne peut signifier qu'une chose, qu'il n'a plus aucune autorité sur ces hordes. Il lui faut choisir entre se faire massacrer ou les conduire là où ils veulent aller. Depuis le *castello*, je les vois disparaître dans le brouillard, cohue de soudards, de cavaliers et d'estafiers avec leur cortège de vagabonds et d'aventuriers. Mourant de faim, ils se gavent d'olives encore vertes, qu'ils arrachent aux arbres. Ils sont pressés. Le dernier acte a commencé, Nicolas. Adieu, l'Italie de Caton et de Scipion, de Dante et de Pétrarque, l'Italie de notre jeunesse ! Dieu sait si elle fut insouciante et téméraire dans la prospérité, mais je pleure sur elle, comme sur un paradis perdu.

Nicolas Machiavel à François Guichardin

En route. La pluie, toujours la pluie, le vent cinglant. Nouvelles attaques de mes maudites douleurs intestinales, qui me font souffrir le martyre quand je suis en selle, une torture pire que celle que j'ai endurée jadis sur le chevalet, dans les geôles du Stinche. Je croyais alors que je ne pourrais jamais haïr plus violemment les Médicis. Mais qu'est-ce que la haine, qu'est-ce que le paroxysme de la souffrance physique, comparés à la rage qui m'étouffe maintenant que je vois le pape, ce Médicis, aller et venir entre ses conseillers, tournant comme une girouette au gré du vent, aussi incapable de faire la guerre que de conclure la paix, occupé entre-temps à compter anxieusement ses ducats, alors qu'il sait que douze mille lansquenets hérétiques avancent, qui ont juré de réduire en cendres la nouvelle Babylone, sans se soucier de savoir si la trêve est ou non signée ?

A Florence, on réclame à grands cris une protection. Ma femme et mes enfants m'écrivent des lettres désespérées depuis San Casciano. Lorsqu'ils voient les arbres s'agiter dans le vent, ils croient voir arriver les Espagnols. Je ne peux pas les rejoindre, pas encore. Je continuerai à chevaucher dans tous les sens pour remettre des lettres et des messages inutiles, jusqu'à ce que je tombe d'épuisement.

Il y a seulement quelques semaines, je supportais tout, la boue, le froid, la pluie qui semble s'infiltrer jusqu'à mes os ; je le faisais avec joie, oui, mon cher François, avec joie, parce que j'étais convaincu que mes efforts pourraient aboutir à un résultat. Le doute qui s'est emparé de moi me fait mille fois plus mal que ces éternelles coliques. Je ne crois plus à ce que je fais.

Quand on livre un combat perdu d'avance, persévérer est une folie. Persévérer, c'est seulement la voie à suivre pour celui qui, résolument, avec le courage du désespoir et préparé le mieux possible, ose supporter les conséquences de ses actions. Mais cela ne vaut pas pour les natures veules, les timorés et les imbéciles. Au surplus, que signifie le courage si l'on n'a pas les moyens d'attaquer ou de se défendre ? Ceux qui parlent de la guerre, mais ne sont pas capables de la conduire de telle sorte qu'elle coûte le moins de sacrifices possible, font preuve d'une folie impardonnable. J'ai été l'un de ces fous, de ces provocateurs.

François, vous seul pourrez comprendre ce que j'ai dû vivre pour en arriver à la décision que voici : il faut conclure la paix à tout prix, nous humilier, nous rendre, payer à ces barbares ce qu'ils voudront pour épargner à ce pays un carnage, une dévastation sans précédent. C'est la seule issue. Négociations ; non pas le pape et sa clique de girouettes, qui se laissent berner par Bourbon les yeux grands ouverts, mais vous, *signor* Guichardin, car chacun sait que vous n'avez qu'une parole. Négociez avant qu'il ne soit trop tard ! En vérité, ce ne peut être une honte pour vous, si l'on songe à l'inertie à laquelle vous avez été condamné les derniers temps, en vous forçant à flatter les Impériaux. Il n'est pas honteux de plaider pour la paix lorsque l'on n'a pas les moyens de se battre. Mais négliger de faire, dans les circonstances actuelles, tout ce qui est en notre pouvoir pour éviter le massacre de gens, impuissants et innocents pour la plupart, ce serait pire qu'un déshonneur, ce serait un crime ! Disposez de moi comme bon vous semblera. Je n'ai plus qu'un désir : que soient épargnées à l'Italie les atrocités d'une seconde domination par les Vandales. Laissons l'empereur être maître et seigneur, acceptons de payer, encore et toujours, pourvu que nous n'assistions pas à une répétition, de ville en ville, de ce qui s'est passé en Lombardie, un enfer de meurtres, de viols, de tortures et de destruction absurde.

Tandis que je vous écris depuis une auberge au bord de la route, dans une salle remplie de poulets qui s'affairent à picorer des miettes à droite et à gauche, et sous le regard grave de petits enfants, la nécessité de faire cesser ces horreurs infâmes quoi qu'il en coûte m'apparaît plus clairement que jamais. Cette idée a infiniment plus de valeur que tout le travail accompli dans ma vie, toutes mes missions et tous mes discours diplomatiques, toutes ces centaines de pages bourrées d'idées, de traités et de théories. François, pourquoi ai-je vécu ?

François Guichardin à Nicolas Machiavel

Votre incitation à la paix est aussi passionnée et aussi éloignée de la réalité que votre appel à la guerre il y a deux ans.

Négocier, dites-vous. Avec qui ? Bourbon ne négocie pas. Il ne le peut pas. Même s'il joue au chat et à la souris avec le pape, c'est uniquement pour camoufler sa désespérante impuissance.

Il n'y a plus qu'une seule volonté, celle de cette armée, de cette hydre aux vingt-cinq mille têtes, qui a déjà flairé la proie.

J'ai reçu en secret une lettre de messire Girolamo Morone, qui m'offre sa médiation auprès des Impériaux, en échange d'espèces sonnantes et trébuchantes.

Alors, Nicolas Machiavel, mon ami ? Dans ces dramatiques instants, devons-nous nous en remettre à ce négociateur-là ? Cette offre même prouve on ne peut plus clairement dans quelle situation fatale nous nous trouvons. Dès qu'apparaissent les vautours, la fin est proche.

Restent deux solutions : fuir ou résister jusqu'au bout. Dans les deux cas, le résultat sera le même. Ce n'est plus qu'une question d'attitude à adopter. Le choix ne sera un casse-tête ni pour vous, ni pour moi.

Maintenant que les Impériaux semblent vouloir remettre Florence à plus tard, je pars avec nos hommes pour Rome en empruntant le plus court chemin.

Adieu.

Michel-Ange Buonarroti

Il savait à peine combien de mois s'étaient écoulés depuis son retour à Florence. Il s'était claquemuré dans son travail, comme une taupe qui se terre dans sa galerie souterraine, sourd et aveugle au monde du dehors. Lorsqu'il finit par apposer sa signature sous le nouveau contrat avec les seigneurs Della Rovere, à Rome, sous les hochements de tête approbateurs et les gesticulations du pape Clément, il avait compris qu'il se condamnait irrévocablement aux travaux forcés. Il était prêt à être un esclave, uniquement un esclave, à se consacrer avec acharnement à sa tâche. Il savait fort bien qu'il ne serait jamais délivré du sentiment de culpabilité, tant qu'il ne l'aurait pas menée à bien. Mais pourquoi ne lui accordait-on pas la grâce d'accomplir en paix ce qu'il considérait comme son devoir, et de racheter ainsi une ancienne omission ? Avant la fin de l'audience, le pape avait conclu sa péroraison en formulant la sentence à haute voix en ces termes : « Le tombeau sera achevé, messieurs, c'est un fait, notre distingué artiste vient de le confirmer noir sur blanc ; à présent, cette désagréable affaire est définitivement réglée, espérons-le. » Et il avait ajouté tout bas, uniquement audible pour l'artiste : « Mais entre-temps, n'oubliez pas non plus de travailler à la chapelle Médicis, je compte sur vous pour respecter le contrat que vous avez conclu avec moi. »
Depuis, il était à nouveau tourmenté par ce déchirement intérieur, auprès duquel toutes les autres souffrances sombraient dans le néant. Dans ses rêves, se dressait devant lui dans des proportions démesurées le mausolée de Jules II, un

groupe de figures s'élevant jusque dans les nuages, Moïse, Paul, Rachel et Léa, géants de marbre poussés vers le ciel par la terre elle-même, à la manière dont se forment les montagnes. Il tentait d'escalader les plis de leurs manteaux telle une fourmi sur des rochers gigantesques, une pauvre et faible créature sur des jambes flageolantes, plus haut, toujours plus haut, jusqu'à l'endroit où les personnifications du ciel et de la terre soutenaient le sarcophage dans lequel dormait son persécuteur, Jules II, dont l'orgueil lui avait infligé ce supplice. Glorifier ce pape-conquérant plus de dix ans après sa mort, à une époque où l'autorité pontificale était devenue un objet de risée et où les territoires conquis tremblaient devant l'approche d'un ennemi encore plus redouté, lui semblait pire que de la stupidité, un opprobre, un mensonge.

De retour à Florence, il avait détruit les anciens plans approuvés par le pape Jules lui-même. Disparus à jamais, les symboles des provinces soumises, des sept arts, des sept vertus. Il fit une nouvelle esquisse des statues qui devaient soutenir le monument. Esclaves enchaînés, ployant sous le poids du colosse de pierre qui menaçait de les écraser, l'incarnation huit fois répétée de son propre état d'esprit. Tandis qu'il taillait le marbre pour en extraire ces formes, il subissait leur souffrance, leur désespoir muet. Dans une rage aveugle, il travaillait tantôt à telle statue, tantôt à telle autre, comme si c'était le repos de son âme qu'il devait arracher à l'emprise de la roche. De ses yeux bordés de rouge et injectés de sang par les insomnies et l'irritation due aux gravats, coulaient constamment des larmes ; la poussière et les impuretés bouchaient tous les pores de sa peau, la sueur collait en mèches ses cheveux, sa barbe. Il ne se rappelait plus quand il s'était déshabillé pour la dernière fois, ne s'accordant pas le temps de manger ni de dormir. Appuyé à un coffre, les yeux rivés sur le bloc de marbre qu'il travaillait, il prenait un peu de pain et des oignons, buvait une gorgée de vin, et quand tout devenait noir devant lui, tant il était épuisé, il se laissait simplement tomber n'importe où, sur un tas de sacs, ou sur le sol nu, parmi les éclats et les blocs de marbre.

Parfois, un désir insoutenable de respirer l'air frais le poussait à sortir. Il parcourait les rues de Florence sans savoir où il se trouvait, ni ce qui se passait autour de lui. Il entendait des cloches sonner, remarquait les feux du couchant ou de l'aurore, il avait froid ou chaud, reconnaissait les contours familiers de certains édifices. Il lui arrivait exceptionnellement de se rendre consciemment à quelque endroit hors des murs de la ville, dans la direction de Fiesole, ou au-delà de San Miniato, pour s'imprégner des vastes lignes ondulantes du paysage. Son corps, ses mains, esclaves au service de ces autres esclaves qui devraient soutenir le mausolée du pape Jules, connaissaient alors un instant de répit, mais jamais, intérieurement, il ne pouvait trouver de repos. Son esprit s'envolait vers des visions du travail auquel il désirait si ardemment se consacrer, comme s'il s'agissait de la béatitude éternelle : le monument des Médicis de San Lorenzo. Ce qu'il n'avait pu concevoir avant son voyage à Rome, le sens et par conséquent la forme ultime de cette composition, il le voyait dans une clarté surnaturelle. Une réponse à l'appel qui avait résonné en lui pendant des années : « Adam, lève-toi. » L'homme devait passer de la vie au mystère de la mort avant de trouver la vérité éternelle. Il lui fallait se dégager du carcan du corps, de la force du destin inexorable, de la contrainte du temps et de l'espace pour s'élever jusqu'à la vraie vie de l'âme. L'existence sur terre est un rêve d'où l'on s'éveille, ébahi, dans le monde clair des idées. Être éveillé et rêver, s'endormir et s'éveiller sont des états d'âme mystérieux qui correspondent au jour et à la nuit, au coucher et au lever du soleil.

Tandis qu'il continuait à travailler le marbre au ciseau pour libérer les torses des esclaves enchaînés, le désir ardent de donner une forme à ses nouveaux concepts brûlait en lui comme une fièvre. Il avait l'impression que le poids de sa tâche avait redoublé et qu'il ne parvenait plus à se consacrer corps et âme au mausolée de Jules II. Il devait lutter contre son adversaire le plus redoutable, sa propre répugnance à accomplir cette tâche. Une force en lui le poussait à créer ces autres figures qui ne symboliseraient *pas* sa servitude, son ahanement sous le fardeau d'une tâche abhorrée, mais matérialiseraient la seule délivrance possible. Jusque-là, il avait délibérément chassé de ses pensées les paroles du pape Clément – « n'oubliez pas la chapelle Médicis » – afin de ne pas être tenté, mais à présent elles s'imposaient à lui, il ne pouvait plus se boucher les oreilles. Elles étaient comme le vent qui attise le feu.

Un jour, il jeta à terre ses outils, couvrit de toiles les torses inachevés qui débordaient de leurs blocs de marbre, et se tourna vers la table sur laquelle étaient étalées les esquisses. Il s'abandonna à une sorte d'ivresse, voyant naître sous ses mains les figures dont il avait rêvé. Pendant deux ou trois jours, il oublia les esclaves.

Mais le conflit intérieur, le déchirement revint, qu'à la longue il ne pouvait étouffer. La présence des corps de pierre derrière lui et du fardeau invisible qui les accablait empoisonnait son ardeur au travail, troublait sa concentration. La conscience de l'œuvre inachevée le tourmentait. L'inachevé, c'était infiniment plus à ses yeux qu'un ouvrage qui n'avait pas été mené à son terme ; cela signifiait une défaite au regard de ceux qui lui avaient passé les commandes, le symbole de tout ce qui était encore en lui, confus, flottant, non maîtrisé. En même temps croissait la peur d'être incapable de rendre visible, tangible, ce qui l'animait, avant d'avoir tenu la promesse faite antérieurement, d'avoir terminé jusqu'au moindre détail le mausolée du pape Jules.

Dans l'atelier abandonné, derrière la chapelle Santa Maria Novella, il monologuait tout haut. Depuis son retour à Florence, il n'avait plus toléré la présence de compagnons, ni d'ouvriers. La vieille femme qui lui apportait sa nourriture entrait et sortait sans qu'il la remarquât.

Finalement, ses forces l'abandonnèrent. Il dormit un jour et une nuit d'affilée, du sommeil de plomb de celui qui est épuisé physiquement et moralement. Il eut ensuite l'impression d'avoir définitivement perdu la capacité de travailler.

C'est alors qu'il fut sommé de se présenter au palais de la

Signoria. Il s'arracha avec peine à sa passivité et à ses rumi-
nations, se lava, se vêtit soigneusement et se fit annoncer au
palais à l'heure fixée. Les membres du Conseil étaient en
réunion avec la Commission des cinq, qui avait pour tâche
l'entretien et la fortification des murs de la ville. Il remarqua
que Nicolas Machiavel n'était pas au nombre des personnes
présentes, alors qu'il venait récemment d'être nommé *proveditore*. A sa grande stupéfaction, après un bref préambule,
c'est à lui que l'on offrit cette fonction. Une autre mission
avait été confiée à messire Nicolas.

Murs, fortifications. Il haussa les épaules en silence et fixa,
par-dessus les têtes des conseillers, les lys rouge sang qui
ornaient les armoiries de Florence suspendues au mur. Il
devait donc se charger d'une nouvelle tâche qui l'absorberait
jour et nuit alors qu'il n'avait pas une heure à perdre,
se plonger dans des problèmes architectoniques et militaires
au moment où sa seule préoccupation était l'énigme de la vie
et de la mort des hommes sur la terre. Ces arguments consti-
tuaient des facteurs décisifs, mais il aurait pu en fournir
d'autres. Le temps pressait. Devant le danger imminent,
les vieux murs étaient meilleurs que de nouveaux murs en
construction. Il savait en outre que le manque d'argent et de
main-d'œuvre ferait de cette fonction de *proveditore* un long
calvaire.

Tandis que les membres du Conseil et la Commission l'as-
saillaient de propositions alléchantes et de prières instantes, il
restait assis, immobile, les yeux clos, appuyant la main
gauche, doigts écartés, sur le bas de son visage. De temps à
autre, il hochait la tête pour signifier qu'il comprenait ce que
l'on voulait dire. Finalement, il soupira, se leva et demanda
qu'on voulût bien lui accorder un délai de réflexion.

Dehors, traversant la *piazza*, il leva machinalement les
yeux vers son David, qui se dressait là depuis vingt ans. Les
lignes harmonieuses de ce colosse de pierre le remplirent
comme toujours d'une grande satisfaction. Mais, cette fois, il
fut si captivé par ce qu'il voyait qu'il ne put poursuivre son
chemin. Il se rendit compte pour la première fois depuis

longtemps que, pour lui et pour la ville, ce David avait un jour été plus que la statue parfaitement sculptée d'un jeune homme. Il symbolisait la force physique, le courage moral, la noble indignation de la jeune république florentine face à l'injustice et à la violence. Il se rappelait combien nombreux étaient ceux qui, pendant la révolution, avaient considéré cette statue comme le signe visible de leur protestation contre la tyrannie des Médicis. David, défenseur de la liberté.

Ses lèvres esquissèrent une grimace, comme s'il avait un goût amer dans la bouche. La pugnacité du jeune colosse armé de son projectile lui parut soudain d'une naïveté incroyable. Elle était à sa place dans un monde sans ombre, où tout avait des contours nets, dans une lumière et un équilibre classique parfaits. Les Anciens, à leur apogée, avaient-ils réellement connu un tel monde? Cette Florence, cette Italie d'aujourd'hui réclamaient une forme plus complexe d'héroïsme.

Il se retourna. De l'autre côté de l'entrée du palais de la *Signoria* se dressait un piédestal vide. Depuis son retour de Rome, Michel-Ange avait évité la *piazza* pour ne pas être harcelé par la rancœur et l'humiliation que faisait chaque fois naître en lui cet endroit vide près de David. Après qu'il eut terminé sa statue, les autorités de la ville l'avait prié de sculpter un Hercule qui pût lui faire pendant. Il n'avait jamais pu dépasser le stade d'une esquisse. Comment aurait-il pu trouver le temps d'entreprendre ce travail, à l'époque où le pape lui confiait tant de commandes? Il ne doutait pas un instant que Florence lui réservât cette tâche, ne fût-ce que pour des considérations d'ordre esthétique. Le modèle vivait en lui, c'était sa propriété spirituelle, une partie de lui-même. Tout comme David personnifiait la lutte contre la violence, Hercule représentait pour lui le combat contre l'ennemi que chaque homme porte en lui. Ces deux géants devaient se dresser de part et d'autre de la porte par laquelle les dirigeants de Florence pénétraient dans les locaux du Conseil, pour former une unité, symboliser la vigilance extérieure et intérieure.

En 1525 déjà, avant son départ pour Rome, la *Signoria* (pour démentir les rumeurs selon lesquelles le travail serait confié à un autre sculpteur) l'avait assuré qu'aucun autre que lui ne serait chargé de l'exécution. Néanmoins, dès les premières journées passées au Vatican, il s'avéra que ces bruits qu'il avait entendus sans y croire étaient fondés. Parmi les sculpteurs de la cour, le pape Clément avait désigné Bandinelli pour livrer un Hercule. Il se souvenait de l'audience humiliante comme si elle avait eu lieu la veille. Il avait violemment protesté, mais le pape s'était contenté de répondre par un truisme : « Vous êtes trop pris par le mausolée de Jules et la chapelle Médicis, mon cher, et voilà vingt ans que nous attendons votre Hercule. » Lorsque Michel-Ange avait offert de renoncer à une rémunération si l'on consentait à lui donner le temps et l'occasion de réaliser cette œuvre, le pape avait haussé les épaules. Bandinelli garda la commande.

A l'évocation de ce nom, le souvenir des semaines passées à Rome lui revint à l'esprit. Au Vatican, il s'était senti prisonnier. Là aussi, il avait été sans cesse confronté à l'inachevé. Dans la chapelle Sixtine, il était tourmenté par la conviction qu'il manquait quelque chose aux peintures qui semblaient tourbillonner au plafond, former des rouleaux pareils à des nuages ou aux vagues de l'océan. Il n'avait pas encore trouvé la quintessence de ce qu'il souhaitait illustrer. Il était envahi par un sentiment d'impuissance et une agitation fébrile chaque fois qu'il entrait dans la chapelle. Aussi avait-il décidé de l'éviter. Il errait à travers les galeries, plongé dans ses réflexions, sans voir les moqueurs, les calomniateurs, les curieux. Il monologuait tout haut comme il avait coutume de le faire lorsqu'il était seul, se traitait de chiffe molle, d'incapable, parce qu'il ne pouvait vivre nulle part sans se torturer de la sorte. Pourquoi n'était-il pas capable de renoncer à ce combat contre une vision dont la réalisation était au-dessus de ses forces ? N'était-ce pas une illusion de se croire élu pour peindre ce qui ne l'avait jamais été : le calvaire de l'homme déchiré entre Dieu et la bête ?

Debout sur la place, dans le vent froid descendant des montagnes qui soufflait sur Florence, il s'imaginait voir en face de David son Hercule sur le socle vide, luttant, tel qu'il se le représentait, avec le géant Antée : deux corps enlacés dans un combat sans fin, symbole de la dualité de l'âme humaine.

Pendant les jours qui suivirent sa visite à la *Signoria*, il fut incapable de se remettre au travail. Paralysé par l'impuissance et l'irrésolution, il se rendait sans cesse au cœur de la ville et, pour la première fois depuis son retour, il prit conscience de l'effervescence et de l'agitation fiévreuse qui y régnaient. De longues colonnes de réfugiés venus des territoires de Lombardie ravagés par les Espagnols parcouraient les rues, paysans et roturiers de petites villes, avec leurs familles et tout ce qu'ils avaient pu emporter de leurs possessions, à pied, à cheval, ou sur des chars à bœufs. D'un ciel plombé s'abattaient sur Florence des rafales de pluie et de neige. Dans la cathédrale, à San Lorenzo, San Giorgio, San Trinita et dans toutes les autres églises et chapelles où il entrait, les gens étaient agenouillés et priaient, entassés les uns sur les autres. Il les entendait sangloter, gémir et implorer la miséricorde divine, et se croyait reporté trente ans en arrière, à l'époque où, au même endroit, le dominicain Jérôme Savonarole criait du haut de la chaire : « Repentez-vous, l'heure du châtiment divin est proche, faites pénitence, de grands désastres s'abattront sur vous ! »

Maintenant, comme en ce temps-là, régnait une sinistre excitation, comme si la fin du monde était proche. Debout dans la nef pénombreuse de la cathédrale, fixant la lumière des bougies devant le maître-autel au loin, il eut soudain l'impression que lui et tous ceux qui priaient avec lui allaient effectivement vivre la destruction d'un monde : un monde de jouissances superficielles, de suffisance et d'orgueil humains, de doute et de dérision, un monde plein d'une tolérance ironique pour la lâcheté – celle de soi-même et celle d'autrui –, pour le mensonge et l'opportunisme. Ce monde était sur le point d'éclater comme un fruit trop mûr. Était-ce cette catastrophe qu'avait voulu annoncer Savonarole ? Un nouveau monde était-il en gestation, avec de nouveaux critères, de nouvelles convictions, une nouvelle conscience de l'existence ? Un monde où le sens de la vie humaine, cette lutte intérieure pour atteindre la grâce, ne serait plus nié, caché, déguisé, mais professé avec passion et traduit sous forme d'œuvre d'art ?

Il parcourut en hâte le cœur de Florence comme s'il s'agissait d'un adieu. Sur les pavés, sous ces voûtes, avaient retenti les pas de ceux qu'il avait révérés dans sa jeunesse, les hommes d'État, philosophes et artistes qui avaient fait la grandeur de la ville. Leurs ombres avaient passé sur ces murs. Il mit la main sur les pierres froides. Les couleurs étaient alors plus riches, la lumière plus brillante. Un éclat de jeunesse, de joie et de fraîcheur printanière recouvrait toute chose. Sous les cyprès et les grenadiers d'un parc, ou assis à une table richement décorée dans quelque salle de palais, écoutant les discours et les discussions relatives au dieu Éros et à sa puissance omniprésente, il avait cru qu'il n'existait rien au-dessus de cette sagesse et que le monde dans lequel lui et ses compagnons professaient cette foi durerait éternellement.

A présent, il cherchait en vain un dernier reflet de ce monde disparu, la Florence de sa jeunesse. Il se souvint de l'air et des paroles d'une chanson composée par Laurent le Magnifique : « Jouis de ta jeunesse et de ta beauté, car personne ne sait ce qu'apportera le lendemain. »

Tandis que le vent lui soufflait le brouillard au visage, il contemplait les tours et les toits se détachant sur le ciel gris. Bien que les contours fussent restés les mêmes, l'image d'ensemble s'était irrévocablement transformée. Un sentiment analogue s'était emparé de lui à Rome, mais il n'était pas teinté de mélancolie comme aujourd'hui.

Entre les groupes serrés de gens qui hurlaient et gesticulaient – les lansquenets allemands avaient franchi le Pô, disait-on –, il chercha en hâte à regagner son atelier.

La vue des figures d'esclaves, des statues très grossièrement ébauchées des deux ducs de Médicis, des papiers couverts d'esquisses représentant la nuit, le jour, l'aurore et le crépuscule lui enleva ses derniers restes de confiance en soi. Il caressa le marbre dans lequel dormaient ses rêves, et qui ressemblait encore à un suaire dur et blanc sur des formes à peine définies. Tandis qu'il appuyait le front sur cette pierre froide, il eut le sentiment que la tâche qu'il s'était fixée appartenait déjà à ce monde en train de se faire. Il ne pourrait jamais réaliser cette œuvre s'il n'avait pas la volonté ou la capacité de sacrifier une partie de lui-même à cette destruction. Lui aussi devait se remettre en question. Lui aussi devait naître à nouveau.

Giovanni Borgia

Je suis encore en vie. Si je prends la peine de me lever et de regarder par la fenêtre, je ne vois à perte de vue que des décombres envahis par de mauvaises herbes, et des maisons dévastées et incendiées. Parmi eux, tels des îlots, des églises et des palais aux murs mutilés et noircis. L'odeur de putréfaction est persistante. Ici, la terre doit être saturée de sang. Le silence s'est fait sur Rome.

Je boite. J'ai perdu un œil. Ma santé est ruinée. C'est à peine si je mérite le nom d'homme. Je suis devenu inapte à la fonction de soldat. Pierre Louis Farnèse et les Colonna – ceux qui ont été épargnés – font toujours partie des armées de l'empereur. Ils marchent sans moi sur Naples, la Lombardie, à travers la Romagne. Mais je vis encore.

Sans doute sur les recommandations du cardinal Pompeo, j'ai obtenu un poste au secrétariat du cardinal Alexandre Farnèse. J'habite dans son palais, qui a peu souffert. On m'y laisse en paix.

Je m'aventure rarement au-delà des portes du palais. De Rome, je ne vois qu'un panorama de ruines et de destruction depuis la fenêtre de ma chambre, en haut de l'édifice. Le parcours que je dois franchir plusieurs fois par jour, appuyé sur mes béquilles, pour aller de cette chambre à la pièce où j'écris me suffit largement. Écrire, toujours écrire. Je peux encore heureusement tenir une plume.

Je veux noter ce que j'ai vécu. Vite, vite, avant que cela m'échappe. Il y a des jours où je ne me souviens plus de rien. D'autres fois, des images de tout ce qui s'est passé défilent devant moi en un éclair. Il faut que je m'y cramponne. Ne fût-ce que pour pouvoir dire plus tard : c'était le tournant décisif. A ce moment-là, tout a changé.

Dès que les premiers Espagnols se furent introduits dans la ville par une brèche proche de la porte Santo Spirito, les défenseurs quittèrent les remparts et s'enfuirent à toutes jambes dans la direction du Ponte Sisto en criant : « L'ennemi est là, sauve qui peut ! » Nous autres, du parti des Colonna, étions justement sur le point d'avancer quand la horde passa devant nous, le capitaine du pape, Renzo da Ceri, avec en tête sa bande de lâches et derrière eux une foule affolée d'hommes, de femmes et d'enfants coltinant tout ce qu'ils avaient pu rassembler à la hâte. De toutes les maisons, des gens sortaient précipitamment pour se joindre à cette marée humaine. Certains d'entre nous ne purent réintégrer à temps le *cortile*. Je fus comme aspiré, avec mon cheval et le reste, par la masse qui se ruait vers le château Saint-Ange. La cohue devant la citadelle défie toute description. Soldats, nobles, courtisans, colporteurs et boutiquiers, des centaines de femmes aussi, tous se battaient côte à côte avec la populace la plus infâme des quartiers du Transtévère et de Ripa pour la seule chance de sauver leur peau : franchir la porte du château. Lorsque mon cheval, fou de peur, se mit à se cabrer, quatre individus se saisirent de lui et l'abattirent après m'avoir arraché à ma selle par-derrière. Le tout sous les hurlements des gens qui, bousculés de tous côtés par la foule, se pressaient contre nous et craignaient d'être blessés d'un coup de sabot par les derniers soubresauts de ma monture. Ils tentèrent de me retenir par la force, mais je ne songeais déjà plus à mon cheval, je luttais désespérément pour réussir au moins à me remettre debout, car celui qui tombait était irrévocablement piétiné. J'étais à moins d'un mètre de la porte, lorsque la herse armée de pointes de fer s'abattit dans un bruit infernal. De derrière la grille, par-dessus les gémissements des blessés, on nous criait qu'il y avait déjà plus de trois mille personnes à l'intérieur et que, s'il en venait davantage, les murs du château éclateraient. La masse humaine ne reculait pas d'une semelle – c'était du reste impossible – mais continuait à hurler et à geindre. Ces supplications pour entrer firent place à des jurons et à des blasphèmes lorsque quelques cardinaux et autres grands seigneurs qui se trouvaient par hasard au premier rang furent hissés à l'aide de corbeilles et d'échelles de corde. Je vis le dataire Giberti et monseigneur Schomberg s'élever l'un près de l'autre le long du mur en oscillant et se balançant comme deux gros poissons pourpres au bout d'une ligne. Je ne pouvais ni avancer, ni reculer. A bout de souffle, je me tenais parmi tous ces êtres désespérés suppliant qu'on voulût bien les hisser à leur tour, ou vomissant des injures à l'adresse des nobles et des prélats qui avaient acheté à temps un refuge au château Saint-Ange. Près de moi, un homme devint fou. Les yeux révulsés, la bouche écumante, il fut immédiatement jeté à terre et disparut, comme englouti par un tourbillon. Je criai : « Dispersez-vous ! Pourquoi ne pas défendre le Transtévère ? Fermez les ponts ! », mais lorsque je vis les regards méfiants, féroces, de l'assistance, je me tus, craignant de partager le sort du dément. Soudain, un remous se fit dans la foule, des cris s'élevèrent, dominant le tumulte et la confusion. Une violente succion aspira la horde dans la direction opposée, tous ceux qui avaient d'abord fui à la débandade vers le château voulaient maintenant à tout prix entrer dans la ville en traversant les ponts. Des centaines plongèrent dans l'eau et gagnèrent la rive d'en face à la nage. Il était vain de résister, cette fois encore je dus me laisser entraîner le long des monastères et des palais des aristocrates partisans de l'empereur. Ceux qui en avaient l'occasion se frayaient un chemin en poussant, grimpant ou se battant pour entrer dans l'une des maisons, dans l'espoir d'être en sûreté chez les religieuses ou sous les couleurs impériales. Je tentai de cette manière de m'introduire dans le palais Colonna, mais la porte fut refermée violemment avant que j'eusse pu me dégager de cette fourmilière grouillante.

Je ne sais plus où je me trouvais lorsque j'entendis les

premiers cris : « *Viva Spagna ! Amazza, amazza*, tuez-les ! »
Ils défilaient en rangs serrés sur toute la largeur de la rue,
dans un nuage de poussière, fauchant à droite et à gauche
ce qui se trouvait sur leur passage. Pas de quartier pour ceux
qui venaient à eux les mains en l'air, ou en les suppliant à
genoux ! Parmi cette foule éperdue qui hurlait, personne ne
songeait à vendre cher sa vie. Résister seul était absurde. Je
réussis à me faufiler dans une venelle, à escalader un mur et
à courir sur les toits, le plus loin possible, en courbant le dos.
Je me souviens de ces heures comme d'un cauchemar sans
fin. Le soleil brûlait dans le ciel sans nuages. Cela se passait
dans la matinée du 6 mai. Dans la lumière aveuglante, je
rampais à plat ventre sur les toits et les terrasses, tandis que
montaient des rues à mes pieds des cris à vous glacer le sang.

Je n'ai pas de mots pour dire ce que je vis et entendis,
suspendu à des corniches, caché derrière des balustrades ou
des cheminées. Toute ma vie, j'ai cru à la discipline et à la
maîtrise des Espagnols. Mon dernier reste de dignité était
fondé sur cette conviction. Maintenant je ne sais plus que
ceci : si je vais en enfer, j'espère y trouver des démons, mais
pas d'Espagnols. Pendant la marche des troupes impériales
sur Rome, les Colonna avaient projeté de se joindre aux
Espagnols dès qu'ils seraient dans la ville. Il était certain
qu'il y aurait du pillage. Mais personne n'aurait pu soupçonner que leur entrée dégénérerait en un carnage aussi bestial.
Je sais que les hommes de guerre sont cruels. J'en ai fait
l'expérience en Navarre, en Lombardie et pendant la bataille
de Pavie. Mais je n'ai jamais rien vu de comparable à cette
soif de meurtres, de tortures, de viols. Parmi les Espagnols,
je vis des officiers et des soldats de l'armée d'occupation
pontificale et de celle de Colonna. Je comprenais qu'ils se
fussent joints aux Impériaux pour éviter d'être eux-mêmes
abattus ; mais je ne pouvais admettre qu'ils eussent participé
à cette boucherie avec la même frénésie.

Je rampai sur les toits, sautai par-dessus les étroits abîmes
qu'étaient les ruelles jusqu'au cœur de la ville, dans l'espoir
de trouver quelque part un groupe de résistants. Les oreilles

encore pleines des cris de détresse des femmes et des enfants, je n'avais plus qu'un désir : attaquer de front les assassins. Sur la piazza di Gesù, des civils armés étaient accourus de différents quartiers de la ville, non pas, comme je le crus d'abord, pour se défendre jusqu'au bout, mais, pris de panique, pour jeter leurs armes en tas et brandir des drapeaux blancs. D'un côté, les Espagnols avançaient sur eux, de l'autre les lansquenets allemands. Avant le début de ce carnage massif, je me hâtai de fuir à nouveau sur les toits. Si j'avais su alors ce qui m'attendait, j'aurais tenté l'impossible pour quitter la ville. Je restai caché jusqu'au coucher du soleil. Lorsque j'appris que, sur le Campo de Fiori et la piazza Navona, on sonnait le rassemblement et que les soldats accouraient de toute part vers ces endroits au battement du tambour, je supposai que l'ordre était rétabli et que le stupide massacre avait cessé. Je me rendis à la piazza Navona et y trouvai un groupe d'hommes de Colonna alignés derrière les rangs espagnols. Je me joignis à eux. Ils puaient le sang, étaient éclaboussés de sang de la tête aux pieds, comme des bouchers. J'appris alors que quarante mille Impériaux étaient dans la ville, Espagnols, Allemands, les troupes de Colonna et de Gonzague, ainsi qu'une véritable armée de canailles ramassées en route.

Nous restâmes toute la soirée sur cette place pour être prêts, disait-on, à une contre-attaque possible. Les incendies dans le quartier de Leonina empourpraient le ciel. Les Espagnols s'impatientaient. Leurs capitaines allaient et venaient à cheval le long des rangs, mais ne parvenaient pas à maintenir l'ordre. Ce n'était sûrement pas la fine fleur de la piétaille espagnole que je voyais là à la lueur des flambeaux, mais une basse pègre racolée à la hâte : individus musclés, trapus, bruns comme des Maures ou des gitans, sales, cyniques, barbares. Vers minuit, ils jetèrent leurs étendards et leurs lourdes armes en rugissant qu'ils en avaient assez et repartirent vers la ville pour la mettre à sac. Comme, provisoirement, il n'était plus question de recevoir de nouveaux ordres, je croyais que nous, ceux de Colonna, nous retournerions au palais, où, dans ces circonstances, l'on devait avoir un besoin urgent d'hommes armés. Mais, à quelques exceptions près, tous se joignirent aux pillards. A ce moment-là, je pouvais encore m'en indigner. Du Campo de Fiori, arrivèrent les lansquenets qui s'étaient eux aussi échappés.

Je tentai de me frayer un passage à travers des rues pleines de bruits étourdissants : bois qui volait en éclats, pierres qui s'écroulaient, cris, vociférations. Des flammes jaillissaient des fenêtres, des flambeaux dégageant une fumée roussâtre oscillaient et dansaient au-dessus d'une horde confuse qui fouinait partout en quête de butin. Des soldats ivres – partout on roulait des tonneaux de vin volés dans les maisons –, des cadavres, des meubles et ustensiles de cuisine saccagés bloquaient les rues. Pour ne pas attirer l'attention, ce qui aurait signifié une mort certaine, je ne trouvai rien de mieux à faire que de zigzaguer d'une maison à l'autre avec un groupe de pillards en criant « *Spagna, Spagna !* », tandis que je tenais d'une main mon épée et de l'autre un objet doré – je ne sais plus ce que c'était – que j'avais ramassé à la hâte.

Arrivé à ce stade, ma mémoire commence à flancher. Je ne me souviens plus très bien de l'ordre dans lequel les événements se sont succédé. J'ignore si je suis entré par la force dans dix, vingt ou mille maisons, églises et chapelles. Avec du recul, il me semble, comme dans un cauchemar, que ce sont toujours les mêmes occupants qui furent poignardés ou abattus sur les mêmes seuils, que je suis condamné à entendre encore et toujours les mêmes supplications, les mêmes cris, les mêmes râles. Sur les mêmes corps, nous nous précipitions sans cesse dans les mêmes maisons, toujours nous enfoncions les mêmes portes, nous arrachions les mêmes rideaux, réduisions en miettes les mêmes miroirs, partout le même or s'écoulait des coffres et des jarres. Ensuite, se répétant à l'infini, les halètements et les bagarres accompagnés de jurons pour une poignée de ducats. Dans la plupart des églises, les lansquenets étaient passés avant nous. Je ne sais plus combien de fois nous avons pataugé dans le sang, les débris de statues et de fenêtres, franchissant les cadavres de prêtres et de gens venus en vain se réfugier dans ce lieu, pour atteindre un autel saccagé, profané, pillé.

L'horreur a certainement duré un jour et une nuit. Je me souviens d'avoir vu le soleil se lever et se coucher. Les incendies et les ravages avaient changé le visage de la ville à tel point que je ne savais où je me trouvais. Des troupes de lansquenets avançaient en compagnie de toutes les catins de Rome, ivres morts, chantant et hurlant, noircis par la fumée de la poudre, couverts de parures, avec des bijoux nattés dans la barbe et les cheveux et des chasubles rutilantes sur les épaules. Ils portaient à deux mains leurs barrettes remplies d'or jusqu'au bord. Les Espagnols avaient enveloppé leur butin dans des manteaux et des drapeaux dont ils avaient fait un sac suspendu dans leur dos, de manière à garder toujours les mains libres ; leurs yeux et leurs dents brillaient autant que leurs couteaux, ils étaient maculés de sang coagulé jusqu'à l'aine.

La sonnerie des clairons et les roulements de tambours retentirent ici et là dans la ville. Les chefs croyaient peut-être que leurs soldats étaient saturés de pillage. Le pire n'avait pas encore commencé.

J'ai tout vu, tout entendu. Et je ne comprends toujours pas comment j'ai pu être témoin de toutes ces horreurs et réussir néanmoins à survivre.

Cette nuit-là, j'errai comme un fou dans une Rome infernale. Les incendies, la puanteur des cadavres d'hommes et d'animaux. Le vacarme venant des maisons et des monastères que l'on forçait. Les soldats qui, en longues rangées, comme lors d'une battue, fouillaient à la lueur des flambeaux dans le chaos du mont Palatin et du Campo Vaccino pour découvrir les femmes qui s'étaient cachées parmi les ruines. Les échos qui montaient de galeries et d'abris souterrains. Au lever du jour, des cortèges grotesques : des lansquenets déchaînés, affublés de pourpre et d'ornements sacerdotaux, poussaient devant eux des cardinaux et évêques connus, molestés, attachés sur des ânes, dans des cercueils ouverts, traînés par les pieds ou pendus la tête en bas entre des bâtons, comme du gibier abattu. Au coin des rues et sur les places, au-dessus de feux qui couvaient encore, des corps nus, mutilés, attachés à des poteaux ou enchaînés. Je reconnus parmi eux des partisans de Colonna. Tout le jour, et sans interruption, ripailles, beuveries et jeux de dés en plein air, avec, pour distraire les convives, les tortures infligées aux prisonniers les plus riches et les plus nobles. Toujours, partout, le même dialogue entre les bourreaux et les victimes : « Ton argent, ton argent, dis-nous où sont cachés tes trésors. – Grâce, pitié, j'ai déjà tout donné, on m'a tout pris. – Où sont-ils cachés, enterrés, qui en a la garde ? – Dieu m'est témoin, je n'ai plus un liard, je t'en supplie, crois-moi, épargne-moi, grâce ! »

Quand une victime était enfin libérée et voulait s'éloigner en gémissant, elle était rattrapée à la table suivante, et le jeu recommençait. Tant que le soleil brilla, je restai à proximité de gros groupes. Comme je titubais et bredouillais des inepties, ils durent me prendre pour un ivrogne. Je passais inaperçu au milieu de ces bandits anonymes venus de toutes les régions. Je dus mon salut au fait que je les suivais partout. Je me suis joint à la bande d'individus qui allaient bras dessus, bras dessous, en dansant et chantant de marché en marché, de place en place, pour voir comment les religieuses et les prêtres déguisés en femmes étaient vendus à l'encan à des bordels. J'ai accompagné une troupe d'Espagnols qui, possédés de l'idée que des objets de valeur devaient encore être cachés dans les tombes, allaient d'une église à l'autre pour soulever les pierres tombales et fouiller dans l'obscurité des fosses. J'étais parmi les Allemands qui, vomissant des blasphèmes et brandissant des lances au bout desquelles ils avaient piqué des hosties et des reliques, marchaient sur le Vatican transformé en une immense caserne pour y proclamer pape le frère Martin Luther. J'étais avec les estafiers chargés d'aménager la chapelle Sixtine en écuries pour les chevaux de leurs chefs et qui, manquant de foin et de paille, couvraient le sol de rognures de papier provenant des pages arrachées à la collection pontificale de manuscrits. Plus tard aussi je fis partie des bandes qui voulaient enfumer ou faire sauter les palais sévèrement défendus. Je vis comment, à Rome, des Espagnols et des Allemands forçaient leurs compatriotes à leur livrer les centaines de réfugiés civils. Les prélats espagnols furent tués par les Allemands, les Espagnols martyrisèrent et dévalisèrent les banquiers et marchands allemands. Vers le soir, les bacchanales reprirent de plus belle, tandis que les soudards se livraient entre eux à des bagarres féroces pour obtenir le butin.

A la faveur de la nuit, je voulus me faufiler jusqu'au Tibre et tenter de m'échapper de la ville à la nage. Nouvelle expédition macabre à travers un labyrinthe de rues et de venelles pleines de cadavres. Est-il vrai que j'entendais partout des gémissements, ou me le suis-je imaginé dans mon excitation ? Attiré par les cris plaintifs que je croyais entendre, je suis entré deux ou trois fois dans une maison dévastée, mais je n'y trouvai que des ruines, des cadavres et des rats qui s'enfuyaient précipitamment. Ces quartiers étaient devenus une nécropole abandonnée parce qu'il n'y restait plus rien à voler. Peut-être d'autres survivants s'y cachaient-ils encore. Peut-être attendaient-ils, glacés d'effroi, dans un soupirail, derrière un mur, que s'éteigne le bruit de mes pas.

Le long des grandes routes débouchant sur le Ponte Sisto et les quais du Tibre, les porte-drapeaux espagnols et napolitains faisaient ripaille avec vue sur le château Saint-Ange, mais hors de portée des boulets que les défenseurs pontificaux tiraient de temps à autre. Par-dessus le grondement des canons retentissaient les cris et les rires des filles de joie et les plaintes des prisonniers que, là comme partout ailleurs dans la ville, on torturait pour leur extorquer une rançon. Je traversai les ruelles parallèles au Tibre, dévastées par les incendies, dans l'espoir de trouver au-delà du Transtévère un endroit où je pourrais atteindre la rivière sans être remarqué. Quand je vis une lumière approcher et entendis le claquement de sabots de chevaux, je me cachai. Une mule passa lentement, montée par deux cavaliers : un lansquenet qui ronflait en tenant une femme dans ses bras. La femme était plus qu'à moitié nue. Elle portait sur la tête une mitre épisco-pale et dans la main une bougie allumée. Elle fixait la flamme d'un regard vide. Je vis que c'était Tullia d'Aragon. Elle resta affalée quand je poussai d'un coup de poing l'homme ivre, qui tomba de son mulet. Je lui parlai, et la touchai, mais elle ne me reconnut pas. Je ne crois même pas qu'elle ait compris ce que je disais. Était-elle ivre ou engour-die, ou avait-elle perdu la raison ? Je ne le sais. Par mesure de précaution, je dus éteindre la bougie. Pour la première fois, elle produisit un son et protesta faiblement. Je l'apaisai, la suppliai de se taire, lui expliquai que nous allions fuir, même si je savais que c'était en vain, que mes paroles ne l'atteignaient pas et que je ne pouvais espérer m'enfuir avec elle. Je conduisis la mule par la bride. Je voulais essayer de gagner le mont Palatin pour me cacher dans les ruines que l'on appelle le palais de Caligula.

Je me souvins que, jadis, elle m'avait offert presque chaque jour de tout abandonner pour m'accompagner partout où j'irais, même si la maladie, la pauvreté, la mort devaient être notre destin. Ce que j'avais alors refusé, parce que sa dévotion m'oppressait, me semblait là, dans cette obscure venelle, sous le ciel nocturne embrasé par les incendies, une bénédiction non méritée. Je me rendis compte que je n'avais jamais rien possédé aussi totalement en ce monde que cette créature désespérée sur la mule. Moi qui n'ai jamais pu découvrir le sens ou le but de ma vie, je reconnaissais sou-dain l'un et l'autre, tandis que je marchais, silencieux, à côté d'elle.

Soudain, à un croisement, cette horde d'Espagnols. Ils entrèrent en furie parce que je ne voulais pas leur céder Tullia de plein gré. Je me battis comme un possédé, je vou-lais me battre jusqu'à la mort. Mais ils me terrassèrent et m'emmenèrent de force. Je criai son nom. Les mots que je ne lui ai jamais dits, que je ne pourrai plus jamais lui dire maintenant m'étouffaient. Elle restait assise sur la mule, immobile, et se laissa entraîner dans une autre direction. Elle ne se retourna même pas.

Et ce qui suivit, mon Dieu ! Les choses dont je me souviens sont de telle nature que je me demande ce que j'ai oublié, ce dont je n'ai jamais pris conscience. Un cachot profond, une chambre de torture et la vision d'un tortionnaire dément, la salle pleine de silhouettes fantomatiques, pendues, tiraillées, écartelées. Ceux qui m'y avaient amené me considéraient – triste ironie du sort – comme un riche homme de condition. Je leur dis en espagnol qu'ils feraient mieux de me tuer sur-le-champ étant donné que la torture serait peine perdue. Ils ne me crurent pas. Ils prirent mon poignard Borgia et ne négligèrent aucun moyen pour m'extorquer des aveux sur le lieu où j'avais caché mes trésors et les noms de mes puissants parents et amis. J'ai toujours été endurci physiquement et d'une solide constitution. J'ai dû endurer de longues souffrances avant qu'ils finissent par me détruire complètement. Il a fallu des siècles avant qu'ils me décrochent et déversent de l'eau sur moi. Je ne voyais plus rien, j'étais incapable de bouger. Plus tard, je me retrouvai dehors, en plein soleil, étourdi de faiblesse et de douleur. Quelqu'un me donna un peu de nourriture. Puis je m'écroulai en avant et m'endormis. Lorsque je m'éveillai, je regardai autour de moi de l'œil resté intact. Je me trouvais dans une cour avec plusieurs autres hommes sales et couverts de blessures. Des soldats espagnols nous donnèrent à manger et nous poussèrent brutalement à travers une Rome méconnaissable. Rues pleines d'une putréfaction révoltante, maisons réduites en cendres, personne d'autre que des soldats et de pauvres hères réduits à la mendicité. Nous traversâmes le Tibre pour aller jusque sous les murs du château Saint-Ange. Là, nous fûmes traités en prisonniers, et contraints de renforcer des remparts en prévision de l'assaut imminent, par les Impériaux, de la citadelle où se retranchait encore le pape. Nous étions constamment la cible d'un feu nourri. Pour notre propre défense, nous nous hâtions d'entasser la terre au plus vite. Les Espagnols restaient hors d'atteinte dans le Borgo. Lorsque le projet de siège fut abandonné parce que le pape se montrait disposé à négocier, nous reçumes l'ordre de traîner les cadavres dans un état de décomposition avancé hors de la ville et de les jeter dans le Tibre ou de les enterrer au-delà des portes. Nous dûmes aussi ramper dans les cloaques pour voir si de l'or y était encore caché. J'exécutais tous les ordres dans un état de demi-conscience. La douleur dans mon orbite vide m'empêchait de penser. Mais, un jour, quelqu'un me désigna du doigt le porte-parole de l'empereur, qui était en route pour le château Saint-Ange en vue de discuter avec le pape les conditions de sa mise en liberté. Entouré d'hommes armés, passa devant moi l'homme le plus puissant de Rome, à l'époque peut-être même de toute l'Italie : messire Girolamo Morone. En le voyant, je repris conscience de l'endroit où je me trouvais et de ce que je faisais. Cette nuit-là même, je m'enfuis de la ville avec quelques compagnons de misère. Nous pûmes nous réfugier dans les montagnes, chez des paysans, sur des terres appartenant aux Colonna.

Je me sens coupable de tout ce qui s'est passé. Le Borgia en moi, l'Espagnol en moi, le valet en moi : coupables. Ce que je portais en moi, consciemment ou non, de convoitise, de cruauté, d'envie : coupable.

Je me suis résigné à l'idée que je dois expier mes fautes.

Giammaria Varano est mort. Non pas au combat ; il a succombé dans son lit, après avoir aménagé le château de Camerino en une sorte de lazaret des pestiférés au service de la population. Son fils est mineur. Il semble qu'un nombre impressionnant de concurrents s'apprête à s'emparer du duché.

C'est le cardinal Farnèse qui m'en a informé personnellement. Il sait qu'il fut un temps où je m'intéressais au destin de Camerino. Il sait du reste beaucoup d'autres choses sur moi. Bien qu'il parle rarement de moi et de mon passé, je remarque à un certain nombre de détails qu'il est parfaitement informé. Souvent, il me prie de venir le voir. Il a soixante ans, c'est un vieil homme maigre, au visage rusé et aux yeux noirs perçants, les yeux de sa sœur, ceux de Pierre

Louis. Le cardinal enjuponné. Aucun qualificatif ne pourrait être moins approprié. Même sans la médiation de la belle Giulia, il serait devenu ce qu'il est aujourd'hui. Légat du pape et, depuis que Giberti est tombé en disgrâce, le confident de Sa Sainteté. On prétend que c'est un excellent diplomate et qu'il obtiendra la tiare à la mort de Clément. Pour le moment, personne à la cour de Rome n'est aussi influent que lui.

Sur quoi s'appuie son affabilité à mon égard ? Il n'y a pas l'ombre d'une condescendance ou d'une feinte dans son comportement. Quelle raison peut-il avoir de ménager et d'appuyer de toutes les manières possibles un subalterne comme moi ? Il semble qu'il tienne beaucoup à moi. Dieu sait pourquoi ! Je ne suis pas d'un commerce agréable. Quand il m'a pris à son service, il m'a fait soigner par son médecin personnel avec autant de sollicitude que si j'étais un hôte ou un membre de sa famille. Dans son palais, je jouis d'une grande liberté. Je suis traité avec beaucoup d'égards.

Il y avait une certaine tension dans son regard lorsqu'il m'a annoncé la mort de Varano. Je lui ai dit que depuis longtemps peu m'importait de savoir entre quelles mains tomberait Camerino.

L'empereur vient en Italie pour se faire couronner à Bologne. Je tiens ce renseignement du cardinal Farnèse. Il a ajouté, en insistant, que l'empereur tiendrait audience ici même, et donnerait l'occasion de présenter des requêtes.

Soudain, Farnèse me pria de m'asseoir, témoignage d'une rare intimité. Sans me regarder, il me conseilla de revendiquer mes droits sur Camerino auprès de l'empereur. Il ne me fournit pas l'occasion de soulever des objections. Je devrais produire les documents datant de l'époque du pape Alexandre, dans lesquels j'étais désigné sous le titre de duc de Camerino. Il se chargeait d'engager les juristes les plus compétents de Rome pour examiner l'affaire et établir un rapport écrit.

Quand je repoussai son offre, il redressa la tête d'un geste brusque. Pour la première fois, je vis un éclair d'irritation dans ses yeux. « Allons donc, vous savez bien qu'il existe des bulles, dit-il, impatient. Écrivez à Ferrare, le duc Alphonse vous les enverra certainement. » Il sait tant de choses, pourquoi ne serait-il pas au courant de ces maudites bulles !

Il se pencha vers moi : « Écrivez immédiatement, aujourd'hui même, je dépêcherai un courrier spécial. » Je répondis que je n'attendais rien de bon d'une telle démarche. L'empereur n'allait sûrement pas priver la fille de Varano de son duché en faveur d'une épave comme moi. Je n'étais plus capable de procréer des héritiers, je n'étais plus en mesure de gérer convenablement un domaine comme Camerino, ni de le défendre en cas de nécessité. Mes droits étaient contestables. Je n'avais ni parents, ni partisans. Je ne possédais pas un sou vaillant.

De nouveau, ce regard noir, perçant. « Cela s'arrangera. Tout sera réglé. A la longue, cette Caterina Cibo ne pourra se maintenir à Camerino. Chacun le sait, elle-même aussi. Varano et elle se sont dépouillés de tout par pure charité. Elle serait sûrement très heureuse de disposer d'une dot princière pour sa fille. Si cela ne peut être réglé à l'amiable, nous trouverons d'autres moyens. Oh, pas par la force. Ce ne sera pas nécessaire. Il faut intenter un procès, porter l'affaire devant la rote. C'est une question qui relève du tribunal ecclésiastique. Qu'avez-vous à craindre si vous avez mon appui ? »

Pourquoi veut-il m'éblouir ? C'est un projet démentiel. Avec son argent et toute son influence, il ne pourra faire de moi ce que je n'ai jamais été.

Cette nuit, je ne parviens pas à trouver le sommeil. Je ne sais si je dois le remercier ou le maudire d'avoir réintroduit dans ma vie sans avenir un élément d'agitation. Car, à quoi bon espérer ? De quelle utilité peut être la chance qu'il m'offre ? Son appui vient trop tard. Ce n'est pas seulement mon corps qui est malade et sans forces. Ce quelque chose de vague, d'obscur, qui me tourmente depuis toujours, ce chancre qui me ronge l'esprit, je le connais aujourd'hui pour ce qu'il est : un héritage de culpabilité et de honte, la conscience de mon infériorité. Avec ce sentiment en moi, j'aurai toujours des doutes quant aux prétendus droits, quels qu'ils soient, que je pourrais revendiquer. Tout cela est inséparable de ma naissance. Le cardinal Farnèse ne peut pas plus me libérer de ce sentiment qu'il ne peut changer mes origines. Même si je possédais un duché, je ne serais jamais l'égal de Pierre Louis.

Pourquoi le cardinal se dépense-t-il tant pour moi ? Je ne crois pas que son offre soit inspirée par un intérêt personnel. S'il ambitionne de détenir le pouvoir sur Camerino, il ferait mieux de marier l'un de ses fils à la fille de Varano. Je ne comprends pas ses motifs. Je suppose que, là encore, il me faudra me tourner vers mon passé, que je le veuille ou non. Sans cesse, je suis forcé de me replonger dans cette quête infernale qui ne peut qu'alourdir mon fardeau. Je dois creuser, encore et toujours, pour pouvoir continuer à vivre.

Vittoria Colonna

Elle occupait avec une petite suite de femmes quelques pièces dans le couvent de San Silvestro à Capite. Elle ne recevait personne et venait rarement à Rome. Lorsque lui fut annoncée la visite de Caterina Cibo, sa première pensée fut : Je ne veux pas la voir, elle encore moins que quiconque. Plus tard, elle eut honte de cette lâcheté. Elle envoya un messager porter un mot de bienvenue à la duchesse de Camerino, qui séjournait chez des parents dans la ville.

Caterina vint à dos de mulet, entourée d'une poignée de valets pauvrement vêtus. Elle portait un costume d'apparat usé, rétréci, sous lequel dépassaient ses longs pieds. Elle avait le visage bronzé, tanné, d'un paysan ou d'un soldat, marchait à grands pas qui résonnaient dans les loggias du couvent. Elle semblait négligée et belliqueuse.

« Vous n'avez pas changé, dit-elle, après que Vittoria l'eut accueillie. Ce n'est pas mon cas, comme vous le voyez. C'est le résultat d'une vie de lutte et de vigilance de tous les instants. Un homme en acquiert du prestige, une femme devient un épouvantail. Non pas que j'attache de l'importance aux apparences. Qu'importent les privations physiques. La pauvreté, la saleté, le manque de confort ne me font pas peur. Je sais que je peux m'attendre à des choses plus graves que quelques sièges, la famine et la peste. Je suis préparée à devoir un jour parcourir une fois de plus les rues en mendiant pour rester fidèle à mes convictions. Je ne demande rien de mieux que d'être ainsi mise à l'épreuve. Ces dernières années ont été riches d'enseignements. Je sais aujourd'hui ce

que je peux endurer. Je sais aussi que l'on peut conserver la
sérénité malgré les coups du sort et les injustices, pourvu que
l'on ait la foi. »

Vittoria la conduisit à une petite cour intérieure où une
toile avait été tendue pour protéger du soleil. Des colonnes
mutilées, des dalles brisées par endroits rappelaient encore le
saccage et les déprédations commis sept ans plus tôt.

« Vous pouvez me féliciter. Ce Borgia, que vous connaissez aussi – ne l'avez-vous pas eu à votre service pendant un
certain temps ? –, a perdu son procès ridicule. Je n'ai pas
douté un instant de cette issue, bien qu'il eût les faveurs
de l'empereur et tout l'or des Farnèse derrière lui. Il n'a pas
une seule pièce à conviction, indépendamment du fait que
ses revendications sont dérisoires comparées à celles d'un
Varano. Prétendant m'intimider, ils ont présenté des bulles où
il est mentionné avec tous ses titres. Mais mes avocats ont
pu démontrer qu'il s'agissait de faux, établis jadis à la
chancellerie du pape Léon sur ordre de Farnèse pour cette
Lucrèce, duchesse de Ferrare. Je pense que nous l'avons
ainsi réduit au silence pour toujours. Toutefois, mes difficultés ne font que commencer. Farnèse ne me pardonnera
jamais d'avoir étalé au grand jour ses manigances devant
la rote. Je serai sa première victime lorsqu'il sera élu pape.
Et il est certain qu'il le deviendra. Je l'ai toujours considéré
comme la personnification de tout de qui est pourri, cor-
rompu, dans la curie. Toutes les railleries, les calomnies
regardant notre *Compagnia* ont été tramées dans son entourage immédiat. Si Farnèse devient pape, il réformera l'Église
à sa manière, ne serait-ce que pour pouvoir dissoudre la
Compagnia. Cela n'a rien à voir avec la foi, c'est une pure
question de politique. Je peux vous en dire bien davantage.
Il favorise lui-même un ordre qui se consacre à des travaux
de réforme. Une poignée de prêtres espagnols et français, qui
prêchent dans les rues aux environs de Venise. Ils semblent
avoir un chef particulièrement zélé, un certain Ignace de
Loyola, un Espagnol. Il se peut qu'ils fassent du bon travail.
Mais pourquoi se laissent-ils exploiter pour servir les objec-

338

tifs de Farnèse ? Ils s'appliquent à convaincre les gens que nous autres, membres de la *Compagnia*, nous sommes contaminés par l'hérésie germanique... Maintenant que la santé du pape Clément se dégrade à vue d'œil, personne n'ose plus indisposer Farnèse. Ne comprenez-vous donc pas que nous devons agir ? Venez avec moi lorsque j'irai voir Sa Sainteté. On dit à la cour que, depuis Catherine de Sienne, aucune femme n'a jamais eu plus que vous le don des mots. On vous appelle "le plus grand poète d'Italie", parce que vous auriez réussi à exprimer l'âme de notre temps. Ils vous écouteront. Vous, Vittoria, vous pouvez convaincre Sa Sainteté.

– Non, je ne le peux pas, répondit Vittoria, d'un ton cassant. Tout contact entre le pape et moi est devenu impossible. Après la mort de mon mari, il a voulu me faire épouser un Médicis. Il faut croire que malgré tout il attachait encore de l'importance à mon influence. Il m'a interdit de prendre le voile. Il m'a harcelée d'offres de mariage, même après que je l'eus prié de me laisser en paix. C'est alors que je suis partie pour Ischia.

– Bien sûr, bien sûr, mais vous êtes revenue d'Ischia. Qu'est-ce que cela signifie, sinon que votre place n'était pas là sur cette île solitaire, mais ici où vous avez une tâche à accomplir ? Je n'ai jamais abandonné l'espoir que vous deveniez un jour l'une des nôtres. Allons, vous avez porté le deuil suffisamment longtemps. Nous ne vous demandons pas d'être infidèle au défunt, mais de vous en remettre à Dieu, avec toutes vos pensées et vos sentiments, donc aussi avec votre deuil. En vous retirant du monde, vous agissez égoïstement. Ce qui existait entre vous et le marquis est fini à jamais, ne peut plus croître, ni se développer. Franchissez cette dernière barrière, ouvrez-vous à l'amour de Dieu, cet amour qui englobe tout le reste, y compris votre amour pour Pescara. Vous vous raccrochez à une branche morte, Vittoria. Vous vous condamnez à être une morte vivante. Mais le monde du dehors continue à exister, et, croyez-moi, c'est un autre monde que celui sur lequel vous avez fermé les yeux depuis 1527. Des gens dont j'apprécie hautement le jugement me disent que vos poèmes, même si ce sont des chants d'amour, sont importants parce que vous savez y exprimer les mots pour traduire la nostalgie qui ne vit que dans les meilleurs d'entre nous, le désir d'échapper à ce bourbier de jouissances et d'indifférence spirituelle et morale, de doute, de haine et de jalousie. Dans les œuvres que vous avez consacrées au souvenir de votre mari, vous dites qu'il est possible de vaincre la sensualité, d'atteindre, à travers l'amour d'un être humain, à une prise de conscience de l'immortalité de l'âme. Tout cela est très beau. Mais vous devez aller plus loin que Platon. Il ne suffit pas de croire à la seule puissance libératrice de l'esprit humain. Si vous étiez au courant de ce qui se passe hors de votre refuge, vous sauriez que le monde cherche désespérément un soutien beaucoup plus puissant que le "noble" et le "beau". Le culte du noble et du beau que nous avons tous pratiqué si passionnément ne nous a pas empêchés de sombrer lamentablement. Le salut est une grâce qui nous vient de Dieu. Celui qui le sait renaît à la vie. Vous, qui êtes supérieurement douée, vous pourriez réaliser infiniment plus de choses si vous vous mettiez au service de la vérité. »

Vittoria resta quelque temps silencieuse. Elle dégagea sa main de l'emprise de Caterina.

« Si je le faisais, je m'abuserais moi-même et tromperais aussi les autres, finit-elle par dire. J'accumulerais les impostures. Je sais le pouvoir de la parole écrite, je le sais mieux que vous ne pouvez l'imaginer. Je ne me suis pas enfermée dans la solitude pour me lamenter sur mon sort, je vis retirée du monde justement pour pouvoir réfléchir au danger que présente l'utilisation des mots à la légère. Je dois me connaître moi-même, sonder les motifs de mes actes et de mes pensées avant de me hasarder à convertir les hommes. Croyez-moi, il n'est pas de pire châtiment que de prendre progressivement conscience des erreurs que l'on a commises sottement, en ne cédant qu'à des sentiments cachés. Vous m'avez dit un jour, il y a des années, que l'on ne pouvait atteindre à la pureté qu'en étant parfaitement honnête envers soi-même. Si votre foi en Dieu repose sur cette honnêteté, Caterina, je suppose que vous possédez cette grâce dont vous parlez. Mais, quand je m'interroge, je dois reconnaître que pour moi Dieu n'est pas une réalité. J'utilise Son nom, je L'implore dans mes prières. Je ne sais pas ce que ce nom signifie, j'ignore qui j'invoque. Je dois pouvoir appréhender Dieu avec ma raison. Je ne peux m'empêcher de penser qu'il existe un lien entre Dieu et ma raison. Je suis incapable de me soumettre inconditionnellement. »

Caterina se rapprocha. Elle se fit pressante.

« Votre métamorphose est proche et vous ne vous en rendez même pas compte. Votre adoration aveugle de la raison appartient à une époque passée. Comme si le salut pouvait venir de la raison ! »

*
* *

Elle parle, elle ne cesse de parler. J'ai déjà entendu tout cela. Il y a dix ans, elle était assise près de moi, comme maintenant. Voilà sa vie : suivre les prédicateurs à la lettre et professer ce qu'ils enseignent. Elle y puise sa libération. Je ne peux pas accéder à la foi sur le seul témoignage d'autrui. Ni Caterina ni les pieuses religieuses d'ici ne réussiront à me convaincre. Caterina prétend posséder la grâce, mais les nonnes, qui se perdent dans les détails d'un rituel que Caterina rejette comme étant accessoire, semblent être tout aussi sûres qu'elle d'avoir été touchées par la grâce.

J'éprouve certes du respect pour elle, mais quelque chose dans sa ferveur me rebute. Cette ardente volonté de sauver l'humanité contient en germe une forme de fanatisme, de contrainte, d'inflexibilité qui m'effraie. Elle veut combattre le mal, ou ce qu'elle considère comme tel. Mais cette pugnacité ne pourrait-elle à son tour devenir un mal ? Voilà ce que me demande mon intelligence sans que je puisse lui imposer le silence.

Ma raison proteste aussi contre cette première impulsion irrationnelle d'aversion qu'elle m'a inspirée. Ai-je le droit de la critiquer ? *Elle*, au moins, *agit*. Je crois déceler les limites et le danger d'un tel enthousiasme, mais je me contente de rester passive, alors qu'*elle* engage toute sa personne pour défendre ses convictions. Je ne cesse de remettre ma vie en question, alors qu'*elle* va de l'avant. Peut-être cette détermination, ce zèle, ce besoin d'agir sont-ils nécessaires pour faire quelque chose d'utile dans une période de crise comme la nôtre. Mais ce doute qui me paralyse, cette tendance à tout reconsidérer, est mon bien le plus précieux. Elle force à l'honnêteté. En dernier ressort, je rejette le zèle réformateur de Caterina tout comme je repousse la piété par trop naïve des religieuses de ce cloître, et l'hypocrisie de messire l'Arétin, qui a eu le front de m'envoyer de Venise et de me dédier une *Vie de la Vierge Marie*, poussé uniquement par l'appât du lucre. Je ne peux pas aborder ces questions avec Caterina, ne serait-ce que parce qu'elle ne pense à rien d'autre qu'au but qu'elle s'est fixé. Comment lui expliquer que ce qu'elle appelle mes « dons exceptionnels » ne pourrait lui être d'aucune utilité, parce que j'ai utilisé ces dons pour tromper les autres et m'abuser moi-même ? Il n'est que trop vrai, hélas, que je suis célèbre dans toute l'Italie parce que j'ai, par amour, exalté les mérites de Ferrante. Ces poèmes passent de main en main avec des conséquences fatales. Personne d'autre que moi ne connaît la vérité : je n'ai pas, je n'ai jamais aimé Ferrante. Ferrante est mort à un moment où, pour ne pas sombrer, je comprenais la nécessité de reconsidérer totalement mon existence. S'il était resté en vie, j'aurais dû compter sur ma propre force pour supporter ma solitude. Mais la mort me l'a rendu – c'est du moins ce qu'il me semblait. Je l'avais pour moi seule, le monde n'avait plus de prise sur lui. En moi, à travers moi, il continuerait à vivre. Je souhaitais mettre toute ma force vitale à son service ; je considérais comme mon devoir de laver son nom de tout soupçon, d'effacer sa culpabilité, ses erreurs. J'atteignais à une sorte d'ivresse en me consacrant à cette tâche. Orgueil ignoble, aveuglement plus ignoble encore, qu'il m'a fallu payer. Le Ferrante dont je voulais honorer la mémoire n'existait pas, n'avait jamais existé. Je me consacrais à une ombre. J'édifiais une idole pour donner un sens à ma vie. Pour cette chimère, ma propre création, j'ai dû souffrir à nouveau toutes les phases d'un amour éternel insatiable, plus insensé encore qu'auparavant, parce que ce Ferrante-là n'était qu'une créature de papier, un être fait de mots et de phrases.

Cette image, née de désirs insatisfaits, de rêves, de sentiments jamais exprimés de ma jeunesse, m'a dominée au point que j'en oubliais le monde alentour. Les amis, les parents ont eu pitié de moi, ont qualifié mon veuvage d'« héroïque et exemplaire ». Ils ignorent que je n'ai jamais été plus heureuse qu'à cette époque. J'étais à Ischia, où chaque pierre, chaque arbre, chaque paysage me rappelait le passé. Les années s'effaçaient, je me sentais jeune et pleine d'allant, dans mon miroir je me voyais épanouie. J'exploitais la mort d'où je puisais la vie. J'étais seule, mais dans un silence enchanté, peuplé d'images que j'avais créées. Ce monde de rêve devint ma réalité. Le monde hors de l'île n'était qu'un lointain brumeux.

Mais peu à peu cette sérénité m'abandonna. Je m'éveillai et reconnus soudain le monde que j'avais si longtemps oublié. J'entendis gronder les canons sur les galions espagnols dans la baie de Naples. Hors des grilles de mon parc, des réfugiés sans logis, venus de la terre ferme, étaient entassés dans des baraques de fortune. Je vis quelle énorme tâche m'attendait.

Vint alors l'instant où je compris que, de toutes les années passées à Ischia depuis la mort de Ferrante, il ne me restait qu'une liasse de papiers couverts de mensonges. Je dus rassembler tout mon courage pour relire attentivement l'un après l'autre les sonnets et *canzones*. Je fus horrifiée en découvrant que tout ce que j'avais écrit était la preuve d'un aveuglement volontaire. Je lus des hymnes à cette énigmatique divinité, Éros, qui nous avait privés, Ferrante et moi, de la jouissance parfaite de l'union des corps pour nous offrir un bonheur qui durerait bien au-delà des frontières de la mort. Le chaste amour qu'éprouvait pour moi Ferrante avait – lisais-je – purgé mon cœur de tous les désirs sensuels, me préparant ainsi à la délivrance des passions terrestres. Je vivais en lui et lui en moi, cette union existait pour l'éternité, un roc inébranlable. Nous étions restés sans enfants, notre amour ne s'était jamais fait chair mais esprit, une forme différente, supérieure, de survivance. La mort de Ferrante n'avait pas entraîné la dissolution de notre mariage, puisque la mort détruit seulement la matière, et que celle-ci ne jouait aucun rôle dans nos rapports.

Lisant ces mots, je compris que je ne connaîtrais jamais le salut si je ne démêlais pas de mes propres mains ces tissus de mensonges.

Lorsque je compris pour la première fois que ce que j'avais appelé de l'amour n'avait été que le produit d'une imagination trop fertile, destiné à justifier mon existence, je me sentis vide, brisée. Plus tard, apparut cet autre tourment, plus terrible encore. Le Ferrante tel que je l'évoquais dans mes poèmes n'était plus seulement mon bien. N'avais-je pas, consciemment, voulu présenter au monde ce demi-dieu comme le vrai Pescara ? Mon intention avait été de chasser cette autre image qui survivait dans le souvenir des hommes, celle du calculateur, de l'ambitieux, du traître, de l'être retors qui avait ouvert la voie à l'empereur. J'avais permis et même encouragé la distribution de mes poèmes, et les louanges qui me parvinrent me firent comprendre que se réaliserait ce que j'avais décidé de faire. J'avais

déclenché une avalanche que rien ne pourrait arrêter.
Sur la foi de mes fabulations, Ferrante est maintenant
connu comme le parfait chevalier. Quiconque ose ranimer d'anciennes rumeurs est poursuivi pour calomnies.
Les Impériaux l'honorent et le citent en exemple à tout
homme désireux de servir la cause impériale. C'est moi
qui suis responsable de ce culte aveugle, exagéré, des
héros. Ferrante est devenu immortel sous une forme qui
lui est totalement étrangère. Aucune trace ne subsiste de
l'homme qu'il était vraiment – je ne connaissais pas cet
homme, personne peut-être ne le connaissait, sauf celle
auprès de laquelle il a voulu mourir, Delia Equicola.
C'est comme s'il n'avait jamais existé. Je ne suis pas
jalouse de sa célébrité, mais devant toute cette hypocrisie, devant les couleurs fausses, criardes, de ce portrait
historique dont je suis responsable, je frémis en songeant au pouvoir de la parole qui va son chemin et se
répand comme une épidémie parmi les hommes. Quelle
conviction ne doit-on pas avoir de la pureté de ses
propres idées avant d'oser les lancer dans le monde !
Avant mon départ pour Rome, je me suis rendue une
fois encore à San Domenico Maggiore de Naples, sur la
tombe où repose Ferrante sous un trophée d'armes et de
bannières. Dans son sarcophage, j'ai déposé un coffret
de plomb contenant les documents qui venaient de me
parvenir de Madrid : la reconnaissance, par l'empereur,
noir sur blanc, des mérites de « Ferrante Francesco
d'Avalos, marquis de Pescara, général et diplomate,
dont le courage et la perspicacité nous ont enfin permis
de ceindre à Bologne la couronne impériale qui est
notre héritage légitime ».
Agenouillée sur les dalles, j'ai posé cette question, dans
le vide qui m'entourait : Êtes-vous maintenant satisfait ?
Est-ce pour ces quelques parchemins portant la signature et les sceaux rouges d'un empereur, pour ces
phrases sur l'estime, la célébrité et la gloire éternelle
que vous êtes mort ?

Si j'avais su comment ma voix pouvait encore l'atteindre, j'aurais voulu lui crier : J'ai plus fait pour vous que l'empereur et ses ministres. Je vous ai rendu votre honneur, un honneur si grand que même le noble Castillan en vous doit être satisfait. Vous êtes le plus grand héros depuis le légendaire Roland. Pour cela, il me faudra expier chaque jour et chaque nuit de ma vie jusqu'à l'heure de ma mort.

Je suis ensuite retournée à Rome. Je croyais être à ma place dans cette ville mutilée. La dévastation, le vide, les tentatives laborieuses de restauration me semblaient en accord avec mon propre état d'âme. Que venais-je chercher ici ? La communauté avec les autres, qui, comme moi, devaient continuer à vivre sur un amas de ruines et, les mains vides, être confrontés à la tâche de reconstruire ; un sentiment de solidarité ; la conscience de l'égalité dans la souffrance qui pourrait conduire à l'acceptation, et même à l'espoir. Car c'est un privilège que de pouvoir se rendre compte que l'on a survécu à une catastrophe et d'être conscient de sa propre culpabilité et de ses égarements. Au cours des ans, mon zèle s'est tari. On s'étonne de s'habituer si vite à la vue des ruines. Le carnaval, les courses de taureaux, les fêtes populaires sont célébrés toute l'année comme par le passé, malgré le dénuement et la peste. Nombre de mes anciens amis, prélats et nobles, ont rouvert leurs palais, mènent grand train. Au début, j'ai rendu quelques visites. Mais je ne me sens plus à l'aise à la cour d'anciennes connaissances et dans ces rues transformées. Après chaque voyage, chaque conversation, je ne savais qu'une chose : j'étais dans la plus complète solitude.

Comment devrais-je expliquer à Caterina que, arrivée à ce point de mon existence, la rencontre avec mon prochain me semble plus nécessaire pour le salut de mon âme que la rencontre avec Dieu ? Je n'ai jamais vraiment aimé. Jamais il n'y a eu entre moi et un autre humain un lien de profonde intimité. Personne n'a jamais eu besoin de moi, Vittoria. Mais je le sais : si j'existe en tant qu'être humain, c'est uniquement par la grâce de mon prochain, que je peux aimer comme moi-même. Mon être ne connaîtra son accomplissement, ma vie n'aura pris son sens que par cet amour. Alors seulement je pourrai chercher Dieu. Si je le mérite, puisse la grâce d'un amour si parfait m'être accordée.

*
* *

Après avoir raccompagné Caterina, elle regagna la série de cellules qu'elle occupait avec ses femmes. Elle alla s'asseoir dans sa propre chambre sur une banquette en face du mur où était suspendu un crucifix. Elle regarda ce corps vidé de son sang, épuisé, torturé jusqu'à la mort. Michel-Ange avait fait ce crucifix à sa demande. Bien qu'il vécût à Rome – il travaillait dans la chapelle Sixtine à une fresque, le Jugement dernier, destinée à compléter les fresques peintes antérieurement –, ils ne s'étaient pas rencontrés. Elle lui avait expliqué ce qu'elle désirait dans des lettres : un Christ humble, souffrant, abandonné par Dieu et les hommes dans les heures les plus douloureuses du Golgotha. De son côté, il l'avait informée par de brefs messages sobres des progrès de son travail. Finalement, accompagnant le crucifix achevé, une réponse de lui était parvenue sur les points qu'elle avait soulevés. Il écrivait : *J'en suis à mon heure la plus amère, mais je ne suis pas humble. J'ai été abandonné par Dieu et les hommes et je souffre. L'idée que tout ce que je fais est périssable, peinture, bois et pierre, et que, à la longue, il n'en restera rien, m'a enlevé mon énergie et mon courage.*
Ce cri du cœur inattendu l'avait profondément émue. Elle l'avait aussitôt remercié longuement par écrit, louant son œuvre, mais avec un pénible sentiment d'impuissance. Depuis, elle n'avait plus eu d'autres nouvelles de sa main.
Elle se leva, prit une plume et du papier et écrivit :

347

Voudriez-vous, noble ami, dessiner encore une fois pour moi la figure du Christ en croix, comme seul vous savez le faire ? Non pas comme un mort, à la manière dont on le représente habituellement et comme vous l'avez déjà fait à ma requête, mais vivant, le visage levé, à l'instant où il dit à son père : « Eli ! Eli ! Lamma sabbachtani ! » Tel est pour moi le sens de l'image du crucifié : non pas la soumission veule, l'amollissement dans la mort, la fin du supplice, mais la souffrance consciente, la torture du corps et de l'esprit, qui ne cesse pas, ne cesse jamais. Seule dans l'acceptation de cette souffrance-là réside la délivrance.

J'ai une requête à vous adresser. Voudriez-vous m'apporter vous-même le concept ? Pardonnez-moi cette indiscrétion. J'aimerais vous parler. Il y a longtemps que je le souhaite, mais je n'ai jamais osé vous le demander.

Elle scella la lettre et l'adressa à messire Michelangelo Buonarroti, via Esquilina, à Rome.

Giovanni Borgia

Au cours de ce maudit procès, certaines allusions ont été faites par le parti adverse.

Plusieurs faits ont aussi été mis en lumière. En 1518, Farnèse a fait rédiger ces deux bulles qui lui ont coûté fort cher. A mon retour de France, il m'a protégé secrètement à la cour de Rome. C'est à lui que je devais ma position dans la suite de Morone.

A ma demande, messire Pietro m'envoie de Venise les résultats des recherches dont il semble avoir le secret. En 1497 – l'année de ma naissance –, un bâtard de Farnèse a été adopté pendant quelque temps en tant que nourrisson dans le foyer que partageaient Lucrèce et Giulia Bella au palais de Santa Maria de Porticu.

Fils de Farnèse, frère de Pierre Louis. Je ne demande qu'à le croire.

Que m'importe après tout mon échec devant la justice pontificale. Même mes mutilations, mon impuissance seraient supportables si j'étais sûr que je n'ai rien à voir avec les Borgia ou Perotto Caldès.

Mais pourquoi Farnèse ne veut-il pas me regarder droit dans les yeux quand j'oriente la conversation dans une certaine direction ? Pourquoi esquive-t-il mes questions ?

Il faut que je le sache. La réponse serait déterminante pour mon existence ou ma non-existence.

Farnèse, je suis un Farnèse...

Annexes

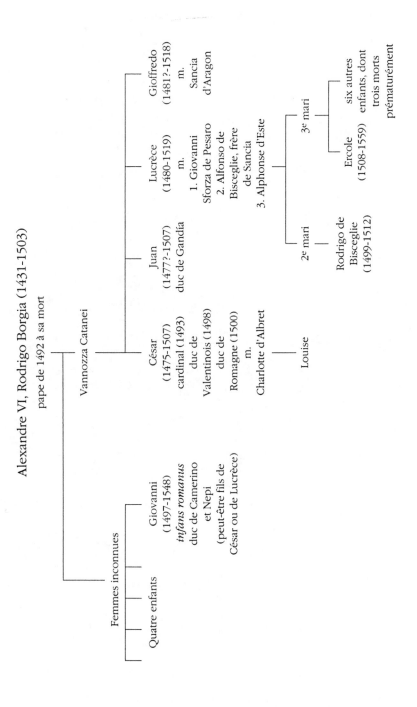

Alexandre VI, Rodrigo Borgia (1431-1503)
pape de 1492 à sa mort

Vannozza Catanei

Femmes inconnues

Quatre enfants

Giovanni
(1497-1548)
infans romanus
duc de Camerino
et Nepi
(peut-être fils de
César ou de Lucrèce)

César
(1475-1507)
cardinal (1493)
duc de
Valentinois (1498)
duc de
Romagne (1500)
m.
Charlotte d'Albret

Louise

Juan
(1477?-1507)
duc de Gandia

Lucrèce
(1480-1519)
m.
1. Giovanni
Sforza de Pesaro
2. Alfonso de
Bisceglie, frère
de Sancia
3. Alphonse d'Este

2ᵉ mari

Rodrigo de
Bisceglie
(1499-1512)

3ᵉ mari

Ercole
(1508-1559)

six autres
enfants, dont
trois morts
prématurément

Gioffredo
(1481?-1518)
m.
Sancia
d'Aragon

Principaux personnages

ARÉTIN (Pietro Aretino, dit l'), écrivain admiré et redouté par les souverains les plus puissants d'Europe.

AVALOS (Alfonso d'), marquis du Guast (en italien : del Vasto), neveu et fils adoptif de Ferrante d'Avalos.

AVALOS (Ferrante Francesco d'), marquis de Pescara, époux de Vittoria Colonna.

BEMBO (Pietro), cardinal, humaniste, poète, admirateur de Tullia d'Aragon.

BERNI (Francesco), poète, secrétaire du dataire Giberti.

BONFIGLIO (Baldassare), bibliothécaire d'Isabelle d'Aragon et précepteur de Giovanni Borgia.

BORGIA (César), fils d'Alexandre VI.

BORGIA (Lucrèce), fille d'Alexandre VI, sœur de César, duchesse de Ferrare, épouse en troisièmes noces d'Alphonse d'Este.

BORGIA (Rodrigo Borja y Llançol), Alexandre VI (cf. liste des papes).

CATANEI (Vannozza), mère de César et Lucrèce.

CIBO (Caterina), duchesse de Camerino, épouse de Giammaria Varano.

COLONNA (Ascanio), frère de Vittoria.

COLONNA (Vittoria), marquise de Pescara, épouse de Ferrante d'Avalos, poétesse.

EQUICOLA (Delia), maîtresse du marquis de Pescara.

ESTE (Alphonse d'), duc de Ferrare, troisième époux de Lucrèce.

ESTE (Ercole d'), leur fils.

FARNÈSE (Alexandre), cardinal, pape de 1534 à 1549 sous le nom de Paul III.

FERRARESE (Giulia), mère de Tullia d'Aragon.

GIBERTI, dataire, cardinal, chef de la chancellerie de la curie romaine.

355

MACHIAVEL (Nicolas), envoyé de la ville de Florence à Rome.

MICHEL-ANGE (Michelangelo Buonarroti, dit), sculpteur, peintre, architecte, ingénieur et poète.

MORONE (Girolamo), chancelier de Milan.

PIO (Alberto), seigneur de Carpi, ambassadeur de France.

RODRIGO, duc de Bisceglie, fils de Lucrèce, né de son second mariage, ami d'enfance de Giovanni Borgia.

SFORZA (Bonne), fille d'Isabelle d'Aragon.

SFORZA (Isabelle d'Aragon), veuve de Gian Galeazzo Sforza, anciennement duchesse de Milan, vivant en exil à Bari, mère adoptive de Giovanni et tante de Rodrigo.

SFORZA (Ludovic, dit le More), oncle de Bonne Sforza, usurpateur du duché de Milan.

STROZZI (Filippo), puissant banquier de Florence, amant de Tullia d'Aragon.

TULLIA D'ARAGON, célèbre courtisane de Rome.

VARANO (Giammaria), duc de Camerino, époux de Caterina Cibo.

Liste des papes
qui se sont succédé
dans la période concernée

CALIXTE III (Alonso Borgia) [1378-1458], oncle d'Alexandre VI ; pape de 1455 à 1458.

PIE II (Enea Silvio Piccolomini) [1405-1464], pape de 1458 à 1464.

PAUL II (Pietro Barbo) [1417-1471], pape de 1464 à 1471.

SIXTE IV (Francesco Della Rovere) [1414-1484], pape de 1471 à 1484.

INNOCENT VIII (Giovanni Battista Cybo) [1432-1492], pape de 1484 à 1492.

ALEXANDRE VI (Rodrigo Borgia) [1431-1503], neveu de Calixte III ; eut pour maîtresse Rosa Vannozza Divino Catanei (mère de César et de Lucrèce Borgia) ; pape de 1492 à 1503.

PIE III (Francesco Todeschini-Piccolomini) [1439-1503], neveu de Pie II ; pape vingt-six jours en 1503.

JULES II (Giuliano Della Rovere) [1443-1513], neveu de Sixte IV ; pape de 1503 à 1513.

LÉON X (Jean de Médicis) [1475-1521], pape de 1513 à 1521.

ADRIEN VI (Adriaan Floriszoon) [1459-1523], flamand ; pape de 1522 à 1523.

CLÉMENT VII (Jules de Médicis) [1478-1534], fils naturel de Julien de Médicis, neveu de Laurent le Magnifique ; pape de 1523 à 1534.

PAUL III (Alessandro Farnese) [1468-1549], pape de 1534 à 1549.

Bibliographie sommaire

Au total, ont été consultés une cinquantaine d'ouvrages d'auteurs néerlandais, anglais, français, italiens, allemands qui faisaient autorité à l'époque où parut ce livre, et dont nous n'avons retenu que les plus importants.

APOLLINAIRE (Guillaume), *La Rome des Borgia*.
BELLONCI (Maria), *Lucrèce Borgia*.
BONAPARTE (Jérôme), *Le Sac de Rome*.
BURCKHARDT (Jakob), *La Civilisation de la Renaissance en Italie*.
CASTIGLIONE (Baldassare), *Le Parfait Courtisan*.
CELLINI (Benvenuto), *Mémoires*.
GREGOROVIUS (F.), *Lucrezia Borgia*.
GUICHARDIN (François), *Histoire d'Italie*.
MACHIAVEL (Nicolas), *Le Prince*.
– *La Mandragore*.
RODOCANACHI (E.), *Une cour princière au Vatican*.
– *La Femme italienne pendant la Renaissance*.
SIZERANNE (R. de la), *Béatrice d'Este et sa cour*.
– *César Borgia et le Duc d'Urbino*.
VILLARI (Pasquale), *N. Machiavel et son temps*.

Table